# — БРОННИ ВЭР —

# Пять откровений о жизни

## или
## О ЧЕМ ЖАЛЕЮТ ЛЮДИ ПЕРЕД СМЕРТЬЮ

## БОМБОРА™

Москва 2020

УДК 616-08
ББК 53.5
В97

Bronnie Ware
THE TOP FIVE REGRETS OF THE DYING

**Вэр, Бронни.**

В97     Пять откровений о жизни / Бронни Вэр ; [перевод
с английского Н.В. Автономовой]. — Москва : Эксмо,
2020. — 336 с.

ISBN 978-5-04-104125-0

Книга мемуаров самой известной в мире паллиативной сиделки,
переведенная на 30 с лишним языков и прочитанная более чем миллионом человек по всему миру.

В юности Бронни Вэр, поработав в банке, поняла, что ей необходима работа «для души». И хотя у нее вначале не было ни опыта,
ни образования, она устроилась работать паллиативной сиделкой.
Несколько лет, которые она провела рядом с умирающими, оказали
на нее очень глубокое влияние и определили направление ее жизни.

Вдохновленная историями и откровениями своих умирающих
пациентов, Бронни Вэр опубликовала интернет-пост, где описала
пять самых распространенных вещей, о которых люди жалеют на пороге смерти. В первый же год этот пост прочитали более трех миллионов человек по всему миру. По просьбе многих читателей Бронни
написала эту книгу, где она подробнее рассказывает о своей жизни, о
взаимодействии с людьми на пороге смерти и о том, как следует жить,
чтобы умереть с легким сердцем.

УДК 616-08
ББК 53.5

*Маме и бабушке. Ваша неустанная любовь и поддержка помогли мне открыть в себе силу.*

# СОДЕРЖАНИЕ

# ВВЕДЕНИЕ

Нежным летним вечером в одном маленьком провинциальном городке шел ничем не примечательный разговор — наверняка сотни точно таких же разговоров шли в это же время в разных уголках мира. Просто двое друзей сидели и болтали. Этот разговор отличало только то, что впоследствии он оказался одной из главных поворотных точек в чьей-то жизни — а именно, в моей.

Сек — редактор прекрасного австралийского журнала о музыке в стиле фолк: Trad and Now. Его знают и любят в равной степени за поддержку фолк-музыки в Австралии и за широкую радостную улыбку. Мы болтали о том, как любим музыку (что было весьма уместно, поскольку мы были на фестивале фолк-музыки). Речь зашла о том, что мне никак не удается найти деньги для запуска своей музыкальной образовательной программы в женской тюрьме. «Если все получится, дай мне знать, мы напечатаем об этом материал», — сказал Сек ободряюще.

Все действительно получилось, и некоторое время спустя я написала колонку об этом опыте. Закончив ее, я спросила себя, почему я так редко пишу. В конце концов, мне всегда это нравилось. Еще веснушчатой девчонкой я переписывалась с друзьями по всему миру. Это было в те древние времена, когда люди еще писали друг другу письма от руки, клали их в конверты и бросали в почтовые ящики.

Повзрослев, я не только не перестала писать письма друзьям, но и полюбила вести дневник. К тому же я писала песни, так что мое писательство, в общем-то, не прекращалось, просто теперь к ручке добавилась еще и гитара. Но статья о тюрьме, которую я писала старомодным образом — за кухонным столом, ручкой на бумаге, — доставила мне такое удовольствие, что я вспомнила, как люблю писать. Так что я отправила Секу благодарственное письмо и вскоре после этого начала вести собственный блог. То, что случилось потом, изменило мою жизнь наилучшим образом.

Блог «Вдохновение и чай» родился в деревенском домике в Голубых горах Австралии, разумеется, под чашку чая. В одном из первых текстов, который я туда написала, рассказывалось, о чем сожалели перед смертью мои пациенты. Перед тем как начать работать в тюрьме, я была паллиативной сиделкой, и воспоминания об этом опыте были еще совсем свежи. В следующие несколько месяцев пост про умирающих загадочным образом разлетелся по просторам интернета. Мне начали приходить имейлы от незнакомых людей, которые делились своими мыслями об этом и других текстах моего блога.

Прошел почти год, я жила уже в другом домике, теперь в сельскохозяйственном районе. Как-то в понедельник я уселась с ноутбуком за стол на веранде и решила проверить статистику посещений своего сайта. Увиденное меня позабавило и заинтриговало одновременно. Во вторник я снова заглянула в статистику, а потом и в среду. Происходило что-то невероятное. Пост, который назывался «О чем сожалеют умирающие», вдруг взлетел в заоблачную высь.

Мне на почту хлынули имейлы со всего мира, в том числе от авторов, просивших разрешения процитировать мою статью в своих блогах, и от желающих перевести ее на другие языки. Этот текст читали люди в электричках в Швеции, на автобусных остановках в Америке, в офисах в Индии, за завтраком в Ирландии и так далее, и тому подобное. Не все соглашались с его содержанием, но он вызывал достаточно горячих обсуждений, чтобы продолжать свое путешествие по миру. Тем, кто был со мной не согласен, я писала в ответ (если писала): «Мопед не мой». Я всего лишь поделилась с читателями тем, что говорили мне люди на пороге смерти. Впрочем, как минимум девяносто пять процентов этих писем и комментариев были положительными. Поразительно, как много у людей общего, несмотря на их культурные различия.

Пока все это происходило, я продолжала жить в деревне, наслаждаясь пением птиц и любуясь животными, которые приходили к ручью перед моим домом. Каждый день я сидела за столом на своей веранде и работала, соглашаясь на новые предложения. В следующие несколько месяцев «О чем сожалеют умирающие» прочли более миллиона людей. В течение года эта цифра утроилась.

Написать на эту тему подробней я решилась только потому, что множество людей сообщали мне, как их тронула моя статья и как они хотели бы прочесть продолжение. Вообще-то я всегда — как и многие другие — мечтала создать полноценную книгу. Но оказалось, что сформулировать уроки, вынесенные из работы с умирающими, я могу только через рассказ о себе самой. Книга, о которой я мечтала, созрела к написанию. Вы сейчас держите ее в руках.

Как вы скоро узнаете из моей истории, я никогда не шла по проторенной дорожке. Я действую так, как мне подсказывает жизнь, и эту книгу я написала просто как женщина, которой есть что рассказать о себе.

Имена почти всех персонажей в книге были изменены из уважения к их друзьям и родным. Впрочем, когда я вспоминала о своем первом инструкторе по йоге, о начальнице в перинатальном центре, о владельце автомобильной стоянки и о моей наставнице в тюрьме, я использовала их настоящие имена; имена всех музыкантов в книге тоже настоящие. Хронологический порядок также пришлось немного изменить, чтобы сгруппировать истории по темам, объединяющим разных людей.

Я хочу поблагодарить всех, кто помогал мне на этом пути. За поддержку и положительное влияние на профессиональном поприще спасибо Мэри Берроуз, Элизабет Чэм, Вальде Лоу, Робу Конвэю, Ризе Райан, Барбаре Гилдер, папе, Пабло Акосте, Брюсу Рейду, Джоан Денниг, Зигфриду Кунце, Джилл Марр, Гаю Качелу, Майклу Блеме, Ане Гонкальвес, Кейт и Колу Бейкер, Ингрид Клифф, Марку Паттерсону, Джейн Даргавиль, Джо Уоллису, Бернадетт и всем, кто поддерживает мои литературные и музыкальные усилия.

Спасибо всем, кто в разное время давал мне крышу над головой, в том числе Марку Авеллино, тете Джо, Сю Крейг, Хелен Аткинс, дяде Фреду, Ди и Грегу Бернс, Дасти Каттелл, Марти МакЭлвенни, и тем замечательным людям, за чьими домами я присматривала. Спасибо также всем добрым людям, которым случалось меня кормить.

За личную поддержку на моем непростом пути спасибо всем друзьям, бывшим и настоящим, близким и далеким. Спасибо за то, что сделали мою жизнь настолько богаче и интересней. Отдельное спасибо Марку Невену, Шэрон Рошфор, Джули Скеретт, Мелу Джаллонго, Анджелин Раттанси, Кейти Макфарлейн, Брэду Антониу, Энджи

Бидвелл, Терезе Клэнси, Барбаре Сквайр, всем работникам и волонтерам медитационного центра в горах, который помог мне обрести мир, и моему мужу. Когда мне больше всего нужен был отдых, вы были моими носилками.

Спасибо, конечно же, моей маме Джой. «Джой» значит «радость», и невозможно придумать для нее более подходящего имени. Своим примером ты преподала мне священный урок любви, бесконечное спасибо тебе за это.

Спасибо всем тем чудесным людям, которых уже нет в живых, чьи слова и истории не только вошли в эту книгу, но и изменили мою жизнь. Эта книга написана в память о вас. Спасибо также семьям моих покойных пациентов за пережитые вместе моменты, полные любви.

Наконец, спасибо сороке, которая поет в ветвях дерева у ручья, пока я пишу эти строки. Ты вместе с другими птицами составляла мне компанию, пока я писала свою книгу. Спасибо Богу за мою жизнь и за всю ту красоту, которую он мне посылает.

Иногда мы не сразу понимаем, что какой-то момент в нашей жизни был судьбоносным. Очень многие из описанных в этой книге моментов изменили мою жизнь. Спасибо тебе, Сек, что разбудил во мне писателя. И спасибо вам, мои читатели, за ваши добрые сердца и за ваш отклик.

*С любовью и добротой, Бронни*
*Закатная веранда*
*Вечер вторника*

# ИЗ ТРОПИКОВ В СНЕГ

«Где мои зубы? Где мои зубы?» — знакомые причитания донеслись до комнаты, где я отдыхала в свой законный обеденный перерыв. Отложив книгу, я отправилась в гостиную.

Как я и думала, Агнес стояла посреди комнаты с выражением невинного замешательства на лице, улыбаясь во весь свой беззубый рот. Мы обе расхохотались. Шутка должна была давно нам приесться, потому что Агнес стабильно теряла свои зубы каждые несколько дней. Но почему-то не приедалась.

«Вы это делаете специально, чтобы выманить меня из комнаты», — смеясь, я приступила к поиску во всех уже хорошо знакомых мне местах. На улице все падал и падал снег, и от этого внутри домика было еще теплее и уютнее. Агнес решительно помотала головой: «Вовсе нет, дорогуша! Я сняла их перед тем, как лечь поспать, а потом проснулась, и их нигде нет». Не считая провалов в памяти, голова у нее была совершенно ясная.

Наше соседство с Агнес началось четырьмя месяцами раньше, когда я откликнулась на объявление о поиске компаньонки для пожилой женщины. До этого я работала и жила в пабе, куда устроилась, чтобы не оказаться на улице после переезда в Англию из Австралии. Это был занятный опыт, и у меня завелись добрые друзья среди сотрудников и завсегдатаев заведения. Я была благодарна и за работу, и за крышу над головой, но пришло время сменить обстановку.

Последние два года перед отъездом в Англию я прожила на тропическом острове, живописном, как открытка. Я почувствовала, что мне просто необходимо вырваться из банковского офиса, где я в течение десяти лет с понедельника по пятницу вкалывала от звонка до звонка.

Как-то мы с сестрой отправились в отпуск на остров в Северный Квинсленд, отдохнуть и научиться нырять с аквалангом. Пока она флиртовала с инструктором, — что очень нам пригодилось во время экзамена, — я решила подняться на ближайшую гору. Я сидела на громадном булыжнике, окруженная небом, улыбалась, и тут меня осенило. Я поняла, что хочу жить на острове.

Четыре недели спустя работа в банке осталась в прошлом; все мои вещи были либо распроданы, либо отправлены храниться в сарай на ферме моих родителей. Посмотрев на карту, я выбрала два острова чисто по географическому принципу. Я ничего не знала об этих островах, кроме того, что мне понравилось их расположение и на каждом был курорт. Все это происходило еще до появления интернета, то есть до возможности в секунду получить всю необходимую мне информацию. Бросив в почтовый ящик свое резюме, я взяла рюкзак и отправилась на север безо всяких определенных планов. Был 1991 год, так что у большинства людей в Австралии еще не было мобильных телефонов — они появились через несколько лет.

В пути я была неосторожна, за что тут же поплатилась: я попыталась путешествовать автостопом, но одного неприятного происшествия хватило, чтобы я навсегда отказалась от этой идеи. Водитель сказал, что хочет показать мне, где живет. Но пока мы ехали, дома перестали нам попадаться, по обочинам был лишь плотный кустарник, а дорога из асфальтированной превратилась в грунтовую, причем совершенно заброшенную. К счастью, я не потеряла присутствия духа, и мне удалось его заболтать. Отделавшись несколькими слюнявыми поцелуями, я *торопливо* выскочила из машины в нужном мне городе. Так закончились мои попытки путешествовать автостопом.

С тех пор я пользовалась только общественным транспортом, и, не считая мутного эпизода с автостопом, это было замечательное приключение. Особенно мне нравилось не знать, где я окажусь завтра. Кроме того, постепенно продвигаясь на автобусах и поездах в сторону более теплого климата, я нередко знакомилась с замечательными людьми. Через несколько недель я позвонила маме. Оказалось, мне пришло письмо: на одном из выбранных мной островов меня ждала работа. Правда, я так торопилась сбежать из банка, что совершила глупейшую ошибку: написала, что согласна взяться за любую работу. И вот я оказалась на прекраснейшем острове… по локоть в грязных кастрюлях и сковородках.

Впрочем, жизнь на острове была прямо сказкой — я не просто вырвалась из офисной рутины, а обычно даже не знала, какой сегодня день недели. Это было счастье. Год проработав в неромантичной должности посудомойки, я постепенно доросла до повышения и перешла в бар. На кухне мне работалось вполне весело, к тому же я массу нового узнала о творческом подходе к готовке. Но все равно это была тяжелая, жаркая и потная работа в тропическом климате и без кондиционера. Зато все выходные я проводила, бродя по невероятным джунглям, плавая на лодке на соседние острова, ныряя с аквалангом или просто расслабляясь в этом райском саду.

Вначале я вызвалась помогать в баре бесплатно, а со временем насовсем перебралась из кухни за вожделенную барную стойку. Работать там было несложно, а из окон открывался потрясающий вид на идеально спокойный синий океан, белый песок и качающиеся пальмы. Я обслуживала довольных посетителей, наслаждавшихся отпуском, и научилась профессионально смешивать роскошные тропические коктейли, которые украсили бы любой туристический буклет. Эта жизнь ничем не напоминала мое офисное существование.

За стойкой я познакомилась с европейцем, который предложил мне поработать в своей типографии. Мне всегда хотелось посмотреть мир, и после двух лет на острове я чувствовала, что уже готова к переменам. К тому же я всегда хотела вернуть себе некоторую анонимность. Когда день за днем живешь и работаешь в одном и том же небольшом коллективе, начинаешь особенно ценить личное пространство. Я собрала вещи и отправилась в Европу.

Культурный шок — естественная реакция для любого, кто вернулся на материк после пары лет жизни на острове. Но оказаться к тому же сразу в чужой стране, даже не зная местного языка, было, мягко говоря, непросто. В течение этих месяцев мне встретилось какое-то количество приятных людей, и в целом я благодарна жизни за этот опыт. Но мне нужны были друзья, которые больше походили бы на меня, поэтому очень скоро я решила перебраться в Англию. Когда я ступила на английскую землю, денег у меня хватало только на билет до единственного знакомого в этой стране — так началась новая глава в моей жизни.

У Нева была широкая улыбка и редеющие седые кудри. Будучи большим любителем и ценителем вин, он работал в винном отделе универмага «Харродс». В тот день в магазине как раз началась летняя распродажа, и я, явившаяся туда с ночного парома через Ла-Манш, определенно смотрелась в этом дорогом элегантном заведении как бродяжка.

— Нев, привет! Я Бронни, подруга Фионы, вы несколько лет назад ночевали у меня на диване, — сообщила я через стойку, радостно улыбаясь.

— Бронни, ну конечно, — услышала я с облегчением. — Что новенького?

— Мне очень нужно где-то переночевать сегодня, — сказала я с надеждой в голосе.

Нев сунул руку в карман и протянул мне ключ:

— Не вопрос. Вот, возьми.

Так я получила место для ночлега и инструкции, как туда добраться.

— А можете еще одолжить мне десять фунтов, пожалуйста? — спросила я оптимистично.

Без тени сомнения он выдал мне десять фунтов. Я тепло поблагодарила его в ответ — все мои вопросы были решены. Мне было где спать и что есть.

Я купила свежий номер журнала о путешествиях, при помощи которого планировала устроиться на работу, пришла домой к Неву и позвонила по трем объявлениям. На следующее утро я уже ехала на собеседование в паб в графстве Суррей, где требовалась помощница с проживанием. К середине дня мы обо всем договорились, и я поселилась в пабе. Прекрасно.

Пару лет жизнь шла своим чередом, я была занята в основном дружбой и романами. Это было хорошее время. Мне нравилась деревенская жизнь: порой она напоминала жизнь на острове, к тому же я жила среди людей, которых успела узнать и полюбить. До Лондона было не слишком далеко, и я регулярно и с удовольствием ездила туда на электричке.

Но прошло время, и дорога снова начала манить меня. Мне ужасно хотелось увидеть Ближний Восток. Пришло время принять решение, уезжать или оставаться, и я решила задержаться в Англии на третью зиму, чтобы подкопить денег на поездку. Для этого нужно было съехать из паба, чтобы не поддаваться искушению каждый вечер веселиться с друзьями. Надо сказать, я никогда много не пила, а позже и вовсе отказалась от алкоголя, но все равно каждый вечер вне дома стоил мне денег, которые можно было бы отложить на путешествие.

Приняв решение остаться, я почти сразу увидела объявление о поиске компаньонки для Агнес. Оно привлекло мое внимание, потому что адрес был в соседнем графстве. На работу меня взяли почти мгновенно — как только фермер Билл понял, что я тоже выросла на ферме. Его матери, Агнес, было под девяносто, у нее были седые волосы по плечи, жизнерадостный голос и большой круглый живот, почти ежедневно прикрытый одной и той же вязаной красно-серой кофтой.

Ферма находилась в получасе езды от паба, так что по выходным я ездила навещать друзей. Но при этом я жила как будто в другой вселенной. Круглые сутки с вечера воскресенья по вечер пятницы я проводила с Агнес, в полной изоляции от остального мира. Каждый день мне полагались два часа отдыха в середине дня, но мне редко удавалось с кем-то увидеться, хотя иногда в это время я встречалась со своим парнем.

Дин был чудесным человеком. С самого начала, с первой же минуты нас сблизило чувство юмора. Нас также связывала любовь к музыке. Мы познакомились на следующий день после моего приезда в страну, сразу после собеседования насчет работы в пабе. Очень скоро стало очевидно, что это знакомство делает наши жизни богаче и веселее. К сожалению, львиную долю своего времени я была вынуждена проводить вовсе не с Дином. В основном я была заперта в домике с Агнес, занимаясь поиском ее вставной челюсти. Просто поразительно, как она ухитрялась находить все новые места для своих потерянных зубов в таком небольшом пространстве.

У Агнес была собака по имени Принцесса: десятилетняя немецкая овчарка, которая непрерывно линяла. Это была добрая собака, но из-за артрита у нее ослабли задние лапы — кажется, распространенное заболевание для этой породы. Я приподняла Принцессину задницу и поискала под ней зубы Агнес, но безуспешно. Иногда Принцессе случалось усесться на них, так что проверить все равно стоило. Собака вильнула своим большим хвостом и вновь уснула перед камином, сразу же забыв обо мне. Продолжая поиски, мы с Агнес постоянно сталкивались лбами. «Здесь их нет», — кричала она из спальни.

«Здесь тоже!» — отвечала я из кухни. Рано или поздно мы менялись местами: я начинала искать в спальне, а Агнес на кухне. В малюсеньком домике было не так уж много места для поисков, так что мы на всякий случай дважды обыскивали все комнаты. В тот конкретный день зубы нашлись в корзинке с вязанием, стоявшей возле кресла.

«Дорогуша, ты просто сокровище, — сказала Агнес, засовывая челюсть в рот. — Раз уж ты все равно вышла из своей комнаты, садись смотреть со мной телевизор». Она часто пользовалась этой маленькой уловкой, и я, улыбнувшись, села с ней рядом. Агнес долгое время жила в одиночестве и теперь бесконечно радовалась моему обществу. Книжка подождет, решила я. Мою работу никак нельзя было назвать тяжелой или напряженной. Агнес требовалась прежде всего не помощь, а компания, и мне было нетрудно провести с ней лишнее время.

Мне случалось находить ее зубы под подушкой, в ящике в ванной комнате, в чайной чашке в кухонном шкафу, в сумочке Агнес и во множестве других мест, где они еще хоть как-то могли оказаться. Но я также находила их за телевизором, в камине, в мусорном ведре, на холодильнике и в ботинке. И конечно же, под большой Принцессиной попой.

Многих людей устраивает однообразная жизнь. Лично я предпочитаю перемены. Но у рутины есть свои преимущества, и она подходит многим людям, особенно если они уже в возрасте. У нас с Агнес был строгий распорядок дня и всей недели. Каждый понедельник, в одно и то же время, мы ездили к врачу, потому что Агнес нужно было регулярно сдавать кровь на анализы. Одного события в день было достаточно, иначе нарушился бы привычный дневной график Агнес, состоявший из отдыха и вязания.

Старушка Принцесса неизменно сопровождала нас повсюду, в любую погоду. Сначала я откидывала задний бортик нашего пикапа. Огромная собака терпеливо ждала, не переставая вилять хвостом. Затем я ставила ее передние лапы на бортик и спешила скорее подхватить ее за заднюю часть, чтобы у Принцессы не успели подкоситься лапы и нам не пришлось бы начинать с начала. После этого упражнения я на всю поездку была покрыта ровным слоем рыжей собачьей шерсти.

Спрыгивать вниз ей было проще, хотя помощь все равно требовалась. Принцесса наполовину сползала вниз, так что ее передние лапы стояли на земле, а затем ждала, пока я спущу ее задние лапы на землю. Если в процессе мне нужно было отвлечься и помочь Агнес, Принцесса так и дожидалась меня, задрав хвост в небо и не двигаясь с места. Оказавшись на земле, она передвигалась самостоятельно, неизменно виляя огромным хвостом.

По вторникам мы ездили за продуктами в соседнюю деревню. Многие пожилые люди, с которыми я работала, были очень бережливы. С Агнес все обстояло наоборот. Она постоянно пыталась мне что-нибудь купить, особенно что-нибудь ненужное. У каждой полки повторялось одно и то же: две женщины, пожилая и молодая, ругались друг с другом, улыбаясь и даже иногда смеясь, но не уступая. В конечном итоге Агнес покупала мне половину того, что хотела. Это бывали самые разные вещи, от вегетарианских вкусностей и импортных манго до новой расчески, майки или какой-нибудь жуткой на вкус зубной пасты.

По средам мы снова ездили в деревню, на этот раз играть в бинго. Видела Агнес плохо, поэтому я выступала ее глазами. Она сама читала цифры и достаточно хорошо слышала, но сверялась со мной каждый раз перед тем, как вычеркнуть очередную цифру. Я обожала всех стариков, с которыми мы играли. Мне еще не стукнуло тридцать, так что я была в этой компании самой молодой, чем Агнес очень гордилась. Она называла меня «моя подружка».

«Вчера мы с моей подружкой ездили за покупками, и я купила ей новых трусов», — серьезно и с гордостью сообщала она другим пожилым игрокам.

Все кивали и улыбались мне, а я сидела и думала: «Начинается».

Агнес продолжала: «На этой неделе ей пришло письмо от мамы, из Австралии. Знаете, там сейчас очень жарко. И у нее родился новый племянник». И снова все кивали и улыбались.

Я быстро научилась ограничивать информацию, которой делилась с Агнес. Иначе страшно подумать, что узнали бы обо мне все ее знакомые — особенно в те дни, когда мама присылала мне красивое нижнее белье и другие подарки, чтобы побаловать. Но Агнес любила меня и никогда не имела в виду ничего плохого, так что я терпела, даже если от ее слов мне приходилось краснеть.

По четвергам мы обедали в городе. Это был большой выход в свет для всех троих, включая Принцессу, разумеется. Мы ездили в небольшой городок в Кенте и обедали там с дочерью Агнес. По английским меркам пятьдесят километров это далеко, но для австралийца это рукой подать. Мы совершенно по-разному воспринимаем расстояния.

В Англии можно проехать всего три километра и оказаться в другой деревне. В ней будет принципиально другой акцент, и вы можете не знать там ни единого человека, даже если всю жизнь прожили в соседней деревне. В Австралии легко можно прокатиться восемьдесят километров за батоном хлеба. Ближайшие соседи иногда живут так далеко, что поговорить или поздороваться вам удается только по телефону или по рации, но при этом они все равно считают себя вашими соседями. Однажды я работала в Северной территории в такой глуши, что до ближайшего паба нужно было лететь на самолете. Ранним вечером маленькая посадочная полоса была полностью забита одноместными и двухместными самолетиками и пустела только к утру, когда посетители, напившись грога, разлетались по домам, каждый на свою ферму.

Так что наши поездки в город по четвергам были для Агнес большим выходом в свет, а для меня — легкой и приятной прогулкой. Ее дочь оказалась милой и доброй женщиной, и обед проходил в приятной обстановке. Они обе всегда заказывали «обед пахаря»: большой бутерброд с говядиной, сыром и маринованными овощами. Я часто поражалась любви англичан к маринованным овощам.

Впрочем, для вегетарианцев Англия — хорошая страна, у меня всегда был выбор, что поесть. Зимой я постоянно мерзла, так что обычно заказывала большую тарелку горячего супа или сытной пасты.

Пятницы мы проводили ближе к дому. Мы жили на скотоводческой ферме со своей собственной мясной лавкой, которой заправляли сыновья Агнес. Хотя Агнес настаивала, что ей нужно самой подробно рассмотреть, что она покупает, каждую неделю она неизменно брала в лавке одно и то же. Мясник даже предлагал ей привозить заказ на дом, но нет. «Большое спасибо, но я должна приходить и сама все выбирать», — отвечала она очень вежливо.

В то время я была вегетарианкой (теперь я веганка). При этом я жила на скотоводческой ферме, очень похожей на ту, где выросла. Не поддерживая мясоедство, я прекрасно понимала и этот бизнес, и образ жизни. В конце концов, он был мне хорошо знаком.

Из лавки мы шли пешком и по пути проходили через хлев, останавливаясь поболтать с работниками и коровами. Агнес медленно переставляла ноги, опираясь на свою палку, я шла рядом, а Принцесса позади. Холодная погода нас не смущала — мы просто одевались потеплее. Так мы проводили каждую пятницу, сначала заходя в лавку, а потом в хлев к коровам.

Я удивлялась тому, как англичане обращаются со своими коровами: у них был теплый хлев, и каждая получала отдельное внимание и заботу. В Австралии все устроено иначе, но, с другой стороны, австралийским коровам не приходится терпеть долгие и холодные английские зимы. Несмотря на хороший уход, мне было ужасно грустно знакомиться с каждой коровой, зная, что вскоре мы отправимся покупать ее мясо в лавке. С этим трудно было примириться, и до конца мне это так и не удалось.

Дома тема моего вегетарианства всплывала очень часто, хотя я пыталась отмалчиваться и всегда уважала выбранный моей семьей образ жизни. Я никогда не была из тех вегетарианцев или веганов, которые не переставая рассказывают всем о своем выборе. Впрочем, я росла на скотоводческой ферме и многое видела, а школьницей еще и побывала на экскурсии на скотобойне, которую мне не забыть никогда. Поэтому я понимаю, почему некоторые люди с такой страстью говорят об отказе от мяса. Тот, кто найдет в себе силы поинтересоваться, что происходит за стенами скотопромышленных комплексов, увидит душераздирающее зрелище.

Но сама я предпочитала жить тихо, подавая другим пример своими поступками и уважая право каждого человека жить так, как он хочет. О своих убеждениях я рассказывала, только если меня о них спрашивали, и с радостью отвечала на любые вопросы. Интересно, что на протяжении многих лет едва знакомые со мной люди не раз пытались провоцировать меня на споры и конфликты из-за моего решения не есть животных. Возможно, поэтому я и не хотела говорить о своем вегетарианстве. Мне просто хотелось мирной жизни.

Поэтому, когда Агнес начала расспрашивать меня, почему я не ем мясо, я заколебалась. Она жила на те доходы, которые приносило ее семье животноводческое хозяйство. Если подумать, то и сама я жила на эти же доходы, хотя в тот момент это не приходило мне в голову. Я взялась за эту работу, просто чтобы подкопить денег и скрасить жизнь одинокой старушке.

Но она продолжала меня расспрашивать. Тогда я рассказала ей, что чувствовала в детстве, видя, как забивают коров и овец, и как сильно это на меня повлияло. Как я всегда любила животных и как заметила, что коровы мычат иначе, когда знают, что скоро умрут. Эти звуки, полные ужаса и паники, преследуют меня до сих пор.

Этого оказалось достаточно. Агнес немедленно заявила, что становится вегетарианкой. «Приплыли, — подумала я. — Как я объясню это ее родным?» Вскоре у меня состоялся разговор на эту тему с Биллом, а потом он провел беседу и с Агнес. Он хотел, чтобы Агнес продолжала есть мясо, но она не отступалась. Наконец, она согласилась раз в неделю есть красное мясо, раз в неделю — рыбу и еще раз — курицу. Когда у меня были выходные, ее кормила семья, так что в эти дни она тоже ела мясо.

Со временем я только укрепилась в своих взглядах на мясоедство, и теперь я бы даже не рассматривала такую работу, которая требовала бы от меня готовить мясо. Но тогда я была моложе и мягче, хотя эта часть моих обязанностей была мне ненавистна. Каждый раз, готовя мясо, я грустила, что когда-то оно было прекрасным живым существом, наделенным чувствами и правом на жизнь. Так что новая договоренность мне сразу понравилась, хоть я и считала, что рыба и курица — тоже животные.

Впрочем, оказалось, что Агнес согласилась с Биллом только для вида. Она вовсе не собиралась есть мясо в течение недели. Так что оставшиеся зимние и весенние месяцы я готовила нам вкуснейшую вегетарианскую еду — кексы с орехами, чу́дные супы, разноцветные рагу и так далее. Если бы я этого не делала, думаю, Агнес с удовольствием питалась бы одними яйцами и консервированной фасолью. В конце концов, она была англичанкой, а англичане обожают фасоль.

Снег растаял, и цветущие нарциссы объявили о приходе весны. Дни становились длиннее, небо из серого вновь стало голубым. Ферма ожила: вокруг на своих шатких тонких ножках бегали новорожденные телята. С зимовки вернулись птицы и каждый день приветствовали нас пением. Принцесса линяла еще сильнее обычного. Мы с Агнес убрали свои зимние пальто и шапки и еще пару месяцев продолжали следовать привычному графику, наслаждаясь весенним солнышком. Мы были просто две женщины из разных поколений, которые гуляют под ручку, болтают и смеются.

Но зов дальних стран становился все сильнее. Мы с Агнес с самого начала знали, что я не останусь с ней надолго. Кроме того, я скучала по Дину. Нам не хватало выходных, и мы с нетерпением ждали возможности вместе отправиться в путь. Мне начали искать замену; наше время с Агнес подходило к концу. Эти месяцы подарили мне прекрасный, ни на что не похожий опыт. Хотя изначально я согласилась на эту работу ради денег, она принесла мне немало радости.

Быть компаньонкой понравилось мне куда больше, чем разливать пиво. Было намного приятней подставлять плечо человеку, который стар и немощен, а не тому, который молод и пьян — или даже стар и пьян. Пока я работала в английском пабе на острове, мне регулярно приходилось подставлять плечо нетрезвым посетителям. Разыскивать старушкины зубы было куда приятней, чем убирать грязные пепельницы и пивные стаканы.

Мы с Дином отправились на Ближний Восток, знакомиться с поразительной культурой, совершенно не похожей на нашу (и объедаться вкуснейшей едой). Через год странствий я вернулась навестить Агнес. Мое место заняла другая австралийка, и мы с ней долго болтали после того, как Агнес уснула в своем кресле. Среди прочего она рассказала, что ее откровенно удивил первый вопрос, заданный Биллом на собеседовании. Узнав, что это был за вопрос, я расхохоталась.

Первым вопросом Билла было: «Скажи сразу, *ты* же не вегетарианка?»

# НЕОЖИДАННЫЙ
# КАРЬЕРНЫЙ ПУТЬ

Проведя несколько лет в Англии и на Ближнем Востоке, я наконец вернулась домой, в любимую Австралию. Путешествия совершенно изменили меня, как это часто бывает. Я попробовала вернуться на работу в банк, но скоро стало очевидно, что эта сфера мне совершенно не подходит. Единственной более-менее приятной частью моей профессиональной деятельности было обслуживание клиентов, и, хотя найти такую работу было легко в любом городе, я чувствовала себя несчастной и не на своем месте.

Мое творчество тоже пошло на спад. Теперь я жила в Западной Австралии, в городе Перт. Однажды, сидя на берегу реки Суон, я составила два списка. В одном я перечислила все, что умею делать. Во втором — все, что я люблю делать. Исходя из этих списков, пришлось признать, что во мне должен скрываться человек искусства, потому что единственные пересекающиеся пункты были связаны с творчеством.

«Но разве я решусь податься в искусство?» — подумала я. Хотя я выросла среди музыкантов, мне внушали, что очень важно иметь «приличную работу», поэтому никто не мог понять, почему я так маюсь, несмотря на стабильную работу в банке. Да, это была «приличная работа»; приличная работа, которая медленно, но верно меня убивала.

Мне пришлось как следует покопаться в себе в поисках дела, которое мне хорошо удается и в то же время приносит радость. Это было непростое время, потому что внутри меня происходили большие перемены. Наконец, я пришла к выводу, что рано или поздно мне придется начать работать сердцем: работа одним умом принесла мне только неудовлетворенность и пустоту. Так я начала развивать свои творческие навыки — вначале литературные и фотографические, но постепенно, по кривой и длинной траектории, этот путь привел меня на сцену с гитарой в руках. Все это время я продолжала работать в банке, хотя и не на полную ставку. Выдержать полноценный рабочий день в офисе у меня уже просто не получалось.

Перт был довольно далеко от моих родных мест, и, хотя мне нравился этот город, желание быть ближе к друзьям и семье победило. Я отправилась назад — через величественную равнину Налларбор и хребет Флиндерс, по шоссе Грейт-Оушен, а потом по Нью-Ингленд, пока не добралась до Квинсленда. Там я решила задержаться и некоторое время работала в колл-центре для людей, желающих подписаться на телеканал для взрослых. Это было куда увлекательней, чем перекладывать бумажки в банке.

— Э-э-э…

Пауза.

— Я звоню по просьбе мужа.

— Вы, наверное, хотели бы подписаться на ночной канал? — отвечала я как можно дружелюбней, стараясь успокоить собеседницу.

Или же звонили мужчины и спрашивали:

— Ну а как там вообще? В смысле, *все* видно?

ПРИЗНАНИЕ СВОЕЙ

НЕМИНУЕМОЙ

СМЕРТИ ДАЕТ БОЛЬШЕ

ВОЗМОЖНОСТЕЙ

ОБРЕСТИ СМЫСЛ

ЖИЗНИ И СЧАСТЬЕ

В ОСТАВШИЙСЯ СРОК.

— Извините, я сама не смотрела, но могу предложить вам одну ночь на пробу за шесть долларов девяносто пять центов. Если вам понравится, вы сможете перезвонить и подписаться на весь месяц.

И конечно, бывали предсказуемые звонки с вопросами типа: «Какого цвета на тебе трусики?» На этом месте я всегда вешала трубку. Впрочем, если не считать щекотливых и комичных ситуаций, это была всего лишь очередная офисная работа. Я подружилась с другими сотрудниками, и это скрашивало мне будни, но неудовлетворенность никак не проходила.

Мы переехали в мой родной штат, Новый Южный Уэльс. Дин, с которым мы встречались в Англии, а потом путешествовали по Ближнему Востоку, прилетел со мной в Австралию. Вскоре после переезда в Новый Южный Уэльс наши отношения закончились. Мы нежно любили друг друга несколько лет и почти все это время были лучшими друзьями. Было горько смотреть, как эта дружба рушится, но нам больше не удавалось игнорировать многочисленные несовпадения в образе жизни.

Я была вегетарианкой. Дин ел мясо. Я всю неделю работала в четырех стенах и на выходных мечтала выбраться на природу. Он всю неделю работал на улице и по выходным хотел сидеть дома. Список был длинным, и с каждой неделей, казалось, только увеличивался. Все, что нравилось одному из нас, больше не нравилось другому. Нас все еще объединяла любовь к музыке, но в конечном итоге наша связь утратила силу. Каждый справлялся с этой потерей как мог.

Это было тяжелое и грустное время: отношения закончились, оставив после себя лишь горечь утраты. Но даже плача над своим разбитым сердцем, я знала, что исправить ничего нельзя. Жизнь звала нас в разные стороны, и наши отношения уже не помогали, а мешали каждому идти своим путем.

После расставания с Дином я еще активней начала искать свое предназначение, возлагая большие надежды на профессиональную сферу. Оказалось, что человеку искусства выжить очень непросто, пока он не раскрутится и не наработает репутацию; мне срочно нужно было найти новую работу.

Я твердо знала, что со временем у меня получится зарабатывать на жизнь искусством. В конце концов, несбыточных мечтаний не бывает. Но пока что мне нужно было снова начать зарабатывать деньги, причем в такой области, где я могла бы быть собой и вкладывать в работу душу. В банковский мир я больше не вписывалась — если я вообще туда когда-то вписывалась. Чтобы не бросать творчество, я приняла решение снова пойти работать компаньонкой с проживанием. Как минимум у меня не будет болеть голова об ипотеке или арендной плате, к тому же я буду свободна от жесткого монотонного графика.

Хотя этому решению предшествовали годы поисков себя, я приняла его почти небрежно, с легкостью. Все просто: я найду работу компаньонкой, чтобы продолжать работать над своей творческой карьерой, буду вкладывать в работу душу и к тому же мне не придется платить за жилье. Я понятия не имела в тот момент, что мои поиски по-настоящему душевной работы увенчались сокрушительным успехом и что следующие годы станут важнейшей частью моей жизни и дела всей моей жизни.

Уже через две недели я переехала в дом в одном из самых дорогих районов Сиднея. Мою новую подопечную, Рут, нашли лежащей без сознания на кухонном полу. После месяца в больнице ее отпустили домой при условии, что за ней будет круглосуточный присмотр.

У меня был ограниченный опыт в этой области — только с Агнес несколько лет назад. Я никогда не ухаживала за больными людьми и честно сказала об этом в агентстве, но там не возражали. Сиделки с проживанием были редкой ценностью, поэтому сотрудники агентства не хотели меня упустить. «Просто веди себя уверенно, а если понадобится помощь, звони нам». Вот так в одно мгновение я превратилась в сиделку.

Развитая эмпатия помогала мне достаточно успешно — для новичка — справляться с этой работой. Я просто обращалась с Рут как с собственной бабушкой, которую безумно любила. Заботясь о ее нуждах, я на ходу соображала, что и как делать. Каждые несколько дней к нам заглядывала районная медсестра и задавала вопросы, на которые я понятия не имела как отвечать. Поскольку я этого не скрывала, она стала мне помогать, рассказывая про лекарства, уход за больными и знакомя с профессиональным жаргоном.

Мои работодатели тоже заходили нас проведать. Увидев, что Рут всем довольна, они уходили, полностью удовлетворенные. Они и представить себе не могли, что я на полных парах лечу к эмоциональному и физическому истощению. Я, наверное, тогда и сама этого не понимала.

Семья была довольна, потому что я баловала Рут как могла. Массаж ног, маникюр, маски для лица и бесконечные разговоры за чаем. Как я уже говорила, я обращалась с ней как с любимой бабушкой. Никто не учил меня вести себя иначе.

Рут звонила в свой колокольчик и по ночам, и я сломя голову бежала вниз по лестнице, чтобы помочь ей пересесть на кресло-туалет возле кровати. «Какая ты шикарная!» — говорила она, когда я входила в комнату. Мой шик заключался в том, что я иногда ложилась в постель, не распуская волосы, потому что у меня не было сил расчесаться. Другой «шикарной» частью моего образа была ночная рубашка, которую навязала мне мама.

«Ты не можешь поселиться в этом доме и спать голой или в обносках, — умоляла мама. — Пожалуйста, обещай мне, что будешь носить мой подарок». Так что из уважения к маминым желаниям я спала в шелковой ночнушке. Шикарней меня просто не было, когда я в полусне заходила в спальню Рут четвертый или пятый раз за ночь, с трудом удерживая глаза открытыми, мечтая выспаться хоть одну ночь. В течение дня Рут тоже не отпускала меня от себя, так что шанса прилечь подремать не было. Когда сама Рут днем ложилась отдыхать, я спешила закончить работу по дому.

Даже сидя на горшке, она хотела общаться. После многих лет жизни в одиночестве Рут буквально купалась в моем внимании. Я тоже получала удовольствие от нашей дружбы, не считая необходимости в три часа утра слушать как Рут, восседая на горшке, рассказывает, какие чашки и блюдца были у нее на каком-то званом ужине тридцать лет назад.

Рут рассказывала мне о годах, прожитых у залива, и о том, как девочкой играла у гавани вместе с другими детьми. Лошади таскали повозки по тихим улочкам, развозя молоко и хлеб. По воскресеньям в церковь все надевали свою самую нарядную одежду. Рут рассказывала о том, как ее дети были маленькими, и о своем давно покойном муже. Ее дочь Хезер, которая мне очень нравилась, заглядывала к нам каждые пару дней, и ее визит всегда был как глоток свежего воздуха. Сын Рут со своей семьей жил за городом, и, если бы Хезер о нем не упоминала, легко было бы забыть о его существовании. Он не принимал большого участия в жизни своей матери.

Хезер больше всех поддерживала Рут после смерти мужа. Пожилой брат Рут, Джеймс, тоже помогал. Он жил в паре километров от нас и каждый день приходил в гости, всегда в одно и то же время и в одном и том же свитере. По нему можно было проверять часы. Джеймсу было уже восемьдесят восемь лет, он никогда не был женат. Голова у него была идеально ясной, а характер — мягким и приятным, и я с удовольствием общалась с ним и любовалась простотой его жизни.

Время шло, Рут все не становилось лучше, и спустя месяц она по-прежнему лежала в кровати. После очередных анализов мне сообщили, что она умирает.

Я шла к гавани со слезами на глазах, как во сне. На мелководье плескались дети. Пешеходный мостик над заливом покачивался под ногами счастливых людей. Мимо шли паромы, двигаясь к Круглому причалу. Смеялись люди, устроившие пикник на берегу. Все казалось мне нереальным.

Я села почти у самой воды, прислонившись спиной к скале из песчаника, и посмотрела на безупречно синее небо. Стоял прекрасный зимний день, светило ласковое теплое солнце. Зима в Сиднее не похожа на европейские зимы, там никогда не бывает по-настоящему холодно, так что на мне была только легкая куртка. Я очень привязалась к Рут, и от мысли о ее смерти и о том, как больно мне будет ее потерять, хотелось плакать. Моей первой реакцией был шок от предстоящего расставания. Слезы текли по щекам, а мимо проплывала яхта, полная счастливых и здоровых людей. В этот момент до меня наконец дошло, что я буду ухаживать за Рут до самого конца.

Я выросла на животноводческой ферме и видела много умирающих и мертвых животных. Ничего нового в этом зрелище не было, хотя оно каждый раз меня расстраивало.

Но общество, в котором я жила, современное западное общество, старалось по возможности оберегать нас от лицезрения мертвых тел.

В некоторых культурах человеческая смерть — очевидная и привычная составляющая жизни. Но наше общество за семью замками держит смерть, практически отрицая ее. Вот почему умирающий человек, его семья и друзья оказываются совершенно не подготовленными к неизбежному. Мы все умрем, но вместо того чтобы признать смерть, стремимся скрыть ее. Как будто убеждаем себя, что поговорка «с глаз долой — из сердца вон» действительно сработает. Но она не срабатывает. Мы лишь все сильнее утверждаемся в жизни через материальную сферу и загоняем страх в глубину себя.

Если бы мы честно и заблаговременно приняли неизбежное, то сумели бы изменить приоритеты, пока не поздно, направить усилия на то, что в жизни действительно ценно. Признав, что наше время на земле не бесконечно — даже если мы не уверены, сколько нам осталось: годы, недели или часы, — мы меньше волновались бы о том, что подумают о нас другие, и реже поддавались бы на провокации своего эго. Мы чаще прислушивались бы к сердцу: чего на самом деле оно хочет. Признание своей неминуемой смерти дает нам куда больше возможностей обрести смысл жизни и счастье в оставшийся срок.

Со временем я осознала, сколько вреда причиняет нашему обществу отрицание смерти. Но в тот солнечный зимний день оно просто застало меня врасплох: я совсем не думала о том, что мне, сиделке Рут, предстоит пережить ее. Прислонившись затылком к скале, я молилась, чтобы мне хватило сил. И в детстве, и во взрослой жизни я уже испытала немало трудностей и верила, что не оказалась бы в этой ситуации, если бы не была для нее достаточно сильной. Но мою личную печаль и боль это не облегчало.

Так я сидела на солнышке, роняя слезы, и знала, что мне предстоит довести свою работу до конца и сделать последние недели Рут как можно более счастливыми и удобными. Я просидела у воды довольно долго, размышляя о жизни и о том, что близкая смерть Рут застала меня врасплох. Но я чувствовала, что мне есть чем с ней поделиться и что я должна это сделать. По пути домой я окончательно укрепилась в своем мнении: я сделаю для Рут абсолютно все, что в моих силах, а отсыпаться буду потом.

Позже в тот день к нам заглянул мой начальник. Я объяснила, что никогда не видела мертвого человека и тем более не ухаживала за умирающими, но мои слова влетели ему в одно ухо и вылетели из другого. «Семья тебя обожает. У тебя все получится». Мне ничего не оставалось, кроме как согласиться, что у меня все получится.

С этого момента состояние Рут начало быстро ухудшаться. В выходные меня подменяли другие сиделки, и по мере того как потребности Рут росли, меня освободили и от ночных дежурств. Другие сиделки все равно постоянно мне звонили, но, во всяком случае, теперь я смогла спать по ночам.

Дни все еще проходили хорошо. Как правило, мы с Рут проводили их вдвоем. Район, где стоял дом, был тихим, лишь изредка до нас доносился смех из ближайшего парка. Нас навещала Хезер, а также Джеймс и разные медицинские работники. Я научилась у них очень многому и стремительно росла профессионально, даже не осознавая этого. Я просто делала все, что от меня требовалось, и в процессе задавала множество вопросов.

Однажды утром я собиралась уезжать на выходные в город, повидать двоюродного брата и немного отвлечься от тяжести происходящего. Меня остановил запах из спальни. Ночная сиделка его либо не заметила, либо не захотела замечать, оставив уборку дневной сиделке, которая вот-вот должна была прийти. В следующие годы я часто такое видела.

Ни за что на свете я не оставила бы свою любимую подругу лежать в грязи ни минуты. Ее кишечник полностью опорожнился. Рут лежала в кровати обмякшая и только тихо постанывала. Ее внутренние органы понемногу отказывали. Ночная сиделка неохотно оторвалась от глянцевого журнала и помогла мне помыть Рут и поменять грязное постельное белье. Большим облегчением стало появление дневной сиделки, которая все бросила и энергично стала нам помогать. Мы устроили обессилевшую Рут в чистой постели, и очень скоро она уже глубоко спала.

Позже я сидела и болтала с братом, но сердце мое было дома, с Рут. Я была благодарна брату за легкую, веселую обстановку, в какой всегда проходили наши с ним встречи, но понимала, что остаться у него не смогу. Я думала только о Рут и вовсе не была уверена, что она протянет до конца выходных. Я провела в гостях всего несколько часов, когда мне позвонил начальник: сообщил, что Рут перешла в последнюю стадию, и попросил меня приехать.

Домой я вернулась уже затемно. Мрачное настроение, царившее в доме, ощущалось еще с улицы. При Рут были Хезер с мужем и новая ночная сиделка, которая только что приехала, — приятная ирландка.

Хезер спросила, не буду ли я против, если она уедет. Я мягко ответила, что пусть поступает так, как для нее будет лучше. Она отправилась домой. После ее отъезда мне сначала было сложно справиться с собой и не осуждать ее. Если бы умирала моя мама, я бы горы сдвинула, чтобы быть с ней рядом.

Говорят, что в основе любого действия, любой эмоции или мысли лежит либо страх, либо любовь. Я решила, что Хезер поддалась страху, и почувствовала к ней сострадание и любовь. С самого начала нашего знакомства она казалась мне очень практичным и довольно сдержанным человеком. Но сейчас я оказалась в незнакомой ситуации. Я не хотела, чтобы мои собственные убеждения встали между мной и человеком, который стал мне дорог, только потому, что он ведет себя иначе, чем я.

Сидя в полутемной комнате с Эрин, второй сиделкой, я сумела внутренне принять поступок Хезер и отнестись к нему с уважением. Она сделала то, что должна была сделать, и ей не в чем было себя упрекнуть. Десятилетиями она ухаживала за матерью с той же отдачей, что и за собственной семьей. Она была полностью опустошена — физически и эмоционально. Сделав все возможное, она хотела запомнить свою маму мирно спящей. Я улыбнулась, решив, что поняла Хезер.

Однако в следующие несколько дней в разговоре с Хезер я выяснила, что все было не так. Рут дала ей понять, что ей нужно уйти — Хезер знала свою мать достаточно хорошо, чтобы считывать ее желания. Так что она ушла из любви, а вовсе не из страха. В следующие несколько лет подобные ситуации мне встречались еще не раз. Не каждый умирающий человек хотел, чтобы семья была рядом до последнего. Многие прощались с родными, пока были в сознании, и предпочитали, чтобы в последний путь их проводили сиделки.

Мы с Эрин негромко болтали в комнате Рут; в воздухе ощущалось присутствие смерти. Эрин рассказывала, что у нее дома принято было собираться у постели умирающего всей семьей. Дяди, тети, двоюродные братья и сестры, дети и даже соседи — все приходили проститься и проводить человека в последний путь.

Наша беседа то и дело прерывалась долгими паузами. Мы обе смотрели на Рут и ждали. Ночь была невероятно тихой. Я молча посылала Рут всю любовь, какая была у меня в сердце. Мне повезло, что рядом была именно Эрин, потому что ей было не все равно. Она от природы была неравнодушным человеком.

— Она открыла глаза, — вдруг сказала Эрин удивленно. До этого Рут пребывала в полукоматозном состоянии.

— Она смотрит на тебя.

Я пододвинулась к кровати и взяла Рут за руку.

— Я здесь, милая. Все хорошо.

Она посмотрела мне прямо в глаза, и через секунду ее дух начал покидать тело. Оно некоторое время тряслось, затем успокоилось.

У меня по щекам градом полились слезы. Про себя я от всего сердца поблагодарила Рут за наше время вместе, сказала ей, что я люблю ее, и пожелала ей хорошего путешествия. Это был трепетный момент, полный тишины и любви. Стоя в полутемной комнате, я думала о том, каким благословением было время, проведенное с Рут.

И вдруг ее тело сделало еще один глубокий вдох. У меня чуть сердце не выпрыгнуло из груди.

— Ничего себе! — сказала я Эрин. Она засмеялась:

— Бронни, это совершенно нормально. Так часто бывает.

— Ну спасибо, что предупредила, — ответила я, уже улыбаясь, но все еще в шоке. Сердце колотилось, как безумное, и вся благоговейность момента улетучилась. С опаской я вновь приблизилась к кровати.

— Это еще повторится? — шепотом спросила я.

— Может.

Мы еще минуту-другую молча подождали, почти не дыша.

— Она умерла, Эрин. Я чувствую, что она умерла, — сказала я наконец.

— Господи, благослови, — пробормотали мы хором. Пододвинув стулья к кровати, мы еще немного посидели около Рут в благоговейном молчании, полном любви и уважения. Мне нужно было успокоиться после пережитого испуга.

Хезер и мой начальник просили позвонить им, когда все случится. Я позвонила. Было около полтретьего утра. Накануне мне также объяснили, что нужно делать дальше, поэтому я вызвала врача, чтобы тот выписал свидетельство о смерти. После этого я позвонила в похоронное агентство.

Мы с Эрин сидели на кухне, пока тело Рут не увезли — как раз начало светать. За эти часы мы обе не раз заходили проверить, как она там. Хотя она покинула свое тело, мы все еще чувствовали обязанность заботиться о нем. Мне было неприятно, что она лежит в комнате совсем одна. В этой странной, темной ночи ее смерти было что-то особенное. В доме воцарилась ощутимая пустота.

На следующий день семья Рут предложила мне остаться пожить в ее доме. До вступления в наследство могут пройти месяцы, сказала Хезер, и она предпочла бы, чтобы дом не пустовал. Так что я еще некоторое время пожила в доме Рут, что в тот момент для меня было настоящим подарком.

Я поняла, что круглосуточная работа сиделкой с проживанием мне не подходит. Я никогда ничего не делаю вполсилы, и теперь мне стало ясно, что от будущих пациентов мне каждый вечер нужно будет уходить домой, отдыхать и восстанавливаться между сменами. Работать сиделкой оказалось куда изнурительней, чем компаньонкой.

В следующие несколько месяцев я наблюдала за тем, как Хезер освобождает дом от вещей, и сама помогала ей. Физический мир Рут разбирался на части по одной вещи за раз — как случается с любым человеком. Я так долго вела кочевой образ жизни, что все еще не хотела обрастать вещами, поэтому отказалась от многих вещей, которые от чистого сердца предлагала мне Хезер. Это были всего лишь вещи, и, хотя они принадлежали моей подруге, я знала, что память о Рут и без них будет жить в моем сердце.

В итоге мне все же полюбились две антикварные лампы, которые я бережно храню и сегодня. Новые владельцы снесли старый дом и построили на его месте новое, современное здание из бетона. Старая плюмерия, которая десятилетиями наполняла дом сладким ароматом «Франжипани», была в мгновение ока уничтожена, а на ее месте появился бассейн. Мне пришло приглашение на новоселье.

Новым хозяевам не нравилось, что в саду живут пауки и все оплетено паутиной. Я и Рут любили сидеть на террасе, любуясь, как паук-золотопряд прядет такую прочную паутину, что ее можно приподнять, чтобы пройти под ней, и она не рвется. Нам обеим это казалось настоящим чудом. Стоя возле бассейна, глядя на новые модные растения, заменившие старый любимый сад, я с радостью заметила, что на одном из новых кустов прядет свою паутину паук-золотопряд.

Я мысленно послала Рут любовь, зная, что в этот день она по-своему передала мне привет. Ее дома больше не было, но дух ее был со мной. Я поблагодарила новых владельцев за приглашение, немного поболтала с ними и пошла к гавани. Усевшись там же, где я сидела в тот день, когда получила печальную новость о болезни Рут, я поблагодарила ее за все, что мы с ней пережили вместе, и за все, чему я научилась за наше знакомство.

Взявшись за эту работу, я получила куда больше, чем бесплатную крышу над головой. Передо мной разворачивался новый счастливый день, и я благодарно улыбалась. А Рут, направив мой взгляд в сторону паука в своем саду, тоже как будто улыбнулась мне в ответ.

# ЧЕСТНОСТЬ И ПРИНЯТИЕ

После смерти Рут у меня некоторое время не было постоянных пациентов, и я подменяла других сиделок. Пересменка была единственной возможностью с кем-то познакомиться и пообщаться. Во время долгих двенадцатичасовых смен единственным моим кругом общения были пациенты, их семья и приходящие на дом медицинские работники.

От этого любые отношения становились особенно личными. Такой график также позволял мне время от времени читать, писать, заниматься медитацией или йогой. Многие сиделки лезли на стену от количества времени, проводимого наедине с собой. Нередко, приходя в дом еще до завтрака, я заставала там включенный телевизор. Но самой мне нравилось одиночество, и долгие часы молчания меня не раздражали. Даже если вокруг находились люди, присутствие в доме умирающего человека обычно создавало тихую, спокойную обстановку.

Так было и в доме Стеллы, утопающем в зелени. Дело заключалось не только в том, что Стелла находилась при смерти: они с мужем вообще были мягкими, спокойными людьми. У Стеллы оказались длинные седые волосы. Впервые увидев ее, я подумала, что она очень элегантна, хотя она и лежала в постели больная. Ее муж Джордж, красивый пожилой мужчина, отнесся ко мне с сердечным гостеприимством.

Необходимость принять, что член семьи умирает, — само по себе огромное жизненное испытание. Но когда этот человек достигает стадии, на которой ему нужен круглосуточный уход, от привычной жизни семьи не остается и следа. Личная жизнь Стеллы и Джорджа, времена, когда в доме не было никого, кроме них, — все это ушло навсегда.

Сиделки приходили и уходили, сменяя друг друга утром и вечером. Одни появлялись регулярно, а другие только раз-другой между собственными постоянными пациентами. Поэтому семье беспрестанно приходилось иметь дело с новыми лицами, новыми характерами и разными методами работы. Очень скоро, впрочем, я стала для Стеллы постоянной дневной сиделкой. К нам также заглядывали дежурная медсестра и врач, специалист по паллиативному уходу.

После Рут начальница осталась мной очень довольна и предложила мне обучение паллиативному уходу, если мне нравится эта область. Я согласилась, потому что чувствовала, что в данный момент жизнь подталкивает меня в этом направлении. Все, чему я научилась благодаря Рут, оказало на меня глубокое воздействие, вызвав желание расти и развиваться в этой области.

Мое обучение свелось к двум семинарам. На одном нам объясняли, как правильно мыть руки. На втором очень коротко показали разные техники для подъема клиентов. Примерно на этом и закончилось мое формальное обучение. Затем меня отправили к Стелле, предупредив не рассказывать ей, что до нее у меня была только одна паллиативная клиентка. Начальница считала, что я справлюсь, и я была с ней согласна.

Я никогда не умела врать. Но когда семья Стеллы стала задавать вопросы о моем опыте, я соврала, потому что мне очень нужна была работа. Вот-вот должны были принять новый закон об обязательных квалификациях для сиделок, а у меня этих квалификаций не было. Впрочем, хотя я ничем не могла доказать свои умения, я знала, что справлюсь с этой работой, потому что у меня были главные необходимые качества: доброта и интуиция. Так что на прямой вопрос я соврала, сказав, что у меня было больше клиентов, чем на самом деле. Эта ложь далась мне с таким трудом, что больше я никогда не врала про свой опыт.

Стелла очень ценила чистоту, поэтому ей каждый день требовалось новое постельное белье. У нее также было развито чувство стиля, поэтому ночная рубашка на ней должна была цветом или узором сочетаться с постельным бельем. Джордж однажды признался мне, смеясь, что получил выговор за постельное белье, которое не сочеталось с выбранной Стеллой рубашкой. Я ответила ему то же, что потом много раз повторяла семьям своих пациентов: «Что угодно, лишь бы она была счастлива».

Лежа в своей тщательно подобранной ночной рубашке, эта высокая элегантная женщина решилась задать мне личный вопрос.

— Вы медитируете? — спросила она.

— Да, — ответила я охотно. Такого вопроса я не ожидала.

— А йогой вы занимаетесь? — продолжила Стелла.

— Занимаюсь, — сказала я, — но не так много, как хотелось бы.

— А медитируете вы каждый день?

— Да, дважды в день.

Я не смогла сдержать улыбки, когда Стелла кротко произнесла:

— Слава богу. Я сто лет вас ждала. Теперь я могу умереть.

Стелла сорок лет проработала инструктором по йоге — она вступила на этот путь задолго до того, как йога стала популярна на западе. В те времена йога еще считалась какой-то восточной странностью. Стелла несколько раз была в Индии и строго придерживалась выбранного пути.

В самом начале, когда йога еще считалась экзотическим занятием, Стелла называла себя инструктором по физкультуре, а не инструктором по йоге. Но по мере того как общество развивалось, она перестала скрываться и обучила многих людей искусству и мудрости этого пути.

Муж Стеллы был на пенсии, но по-прежнему работал из дома. Мне нравилось, как он мирно копошится в своих бумагах. Их домашняя библиотека ломилась от духовной литературы. Многие из этих книг я уже читала, но многие только собиралась прочитать. Это была настоящая сокровищница знаний, особенно для человека, интересующегося философией, психологией и духовностью, как я. Я глотала книги одну за другой. Стелла время от времени просыпалась, спрашивала, какую книгу я читаю и на каком месте, и комментировала текст. Она прекрасно помнила каждую книгу. Когда ей хватало энергии поговорить со мной подольше, что, к сожалению, бывало редко, речь всегда шла о философии. Мы во многом с ней сходились, и образ мышления у нас был довольно близкий.

Кроме того, я сильно выросла в йоге. Я больше не пряталась, чтобы позаниматься, и даже не уходила в другую комнату. Дверь в спальню Стеллы никогда не закрывалась, так что в комнате всегда был свежий воздух. Заниматься там было очень приятно. Белый кот Стеллы по имени Йог лежал на краешке ее кровати и наблюдал за мной. После обеда весь район замирал, поэтому я чаще всего проводила это время за растяжкой и дыхательными упражнениями. Особенно меня радовало, когда Стелла просыпалась и перед тем, как снова уснуть, комментировала то, что я делаю, советовала, как улучшить позу, или предлагала попробовать другую, более сложную.

К тому времени я занималась йогой около пяти лет. Моя практика началась во Фримантле, пригороде Перта, еще в Западной Австралии. Дважды в неделю я садилась на велосипед и ехала через пару соседних городков во Фримантл. Моего учителя звали Кейл, и он замечательно ввел меня в мир йоги. Сам он занялся йогой уже в очень зрелом возрасте, после того как повредил спину. Оказывается, у жизни были на него большие планы, и так он обрел свое призвание — к радости множества преданных учеников.

Когда мы с Дином уехали из Перта, жизнь на некоторое время стала сумбурной, но йога не переставала меня манить. Где бы я ни жила, я находила занятия и пробовала их посещать. Правда, у меня никак не получалось найти инструктора, который заменил бы мне Кейла. Его просто не существовало в природе.

Занимаясь в спальне у Стеллы, я начала понимать, что моя практика до сих пор была неполноценной, потому что я все время пыталась установить связь с учителем, а не с собой. Благодаря советам Стеллы я исправила эту ошибку навсегда. С тех пор я с удовольствием хожу к любому инструктору, потому что занятия в группе подталкивают меня выкладываться чуть сильнее, чем дома. К тому же это оказался превосходный способ знакомиться с близкими по духу людьми. Но как бы там ни было, я неизменно продолжаю заниматься дома: практика — это лучший учитель. Стелла по-настоящему изменила жизнь своей последней ученицы.

Больше всего ее расстраивало, что она никак не может умереть, хотя давно готова к этому. Я приходила утром и спрашивала, как она себя чувствует. «А вы как думаете? — отвечала она. — Я все еще жива, хотя и не хочу этого».

Она также больше не могла медитировать. После многих лет строгой умственной дисциплины Стелла думала, что перед смертью, перед возвращением домой, практика будет естественной и непринужденной. Она даже думала, что ее медитация станет глубже. Но глубже становилась только моя практика. Каждый день после обеда, когда она засыпала, я садилась медитировать.

— Вам так повезло, — говорила мне Стелла. — А я в полной фрустрации. Не могу медитировать и не могу умереть.

— Может быть, вы живы ради моего блага. Может быть, мне еще чему-то нужно у вас научиться, и поэтому ваше время пока не пришло, — предположила я однажды.

Она обрадованно кивнула:

— Это я могу принять.

Как часто бывает при общении двух людей, мы обе учились друг у друга. После того как мы обсудили тему принятия, Стелле удалось обрести чуть больший душевный покой. Я сидела у ее кровати и говорила о прошлом, об умении отпускать и прощаться, а она с интересом слушала.

На протяжении многих лет я жила от одного прыжка в неизвестность до другого. Я рассказала Стелле, как когда-то отправилась на юг, не имея за душой ничего, кроме полного бака бензина, пятидесяти долларов и намерения перебраться на зиму в место попрохладней. Я наметила себе в качестве цели городок на дальнем южном побережье Нового Южного Уэльса и поехала примерно в его направлении. По пути я останавливалась у друзей и иногда немного подрабатывала, чтобы иметь возможность продолжать путешествовать. Поскольку я всегда была склонна к перемене обстановки, у меня были друзья по всей стране, и было большой радостью вновь с ними увидеться — с некоторыми мы не встречались почти десять лет! Наконец, я добралась до городка, куда хотела попасть, но денег у меня почти не осталось.

Лучший вид на город и на величественный Тихий океан открывался с платной стоянки для туристических автофургонов. Там-то я и остановилась на ночь. Заднего сиденья в моем стареньком джипе не было: на его место я постелила матрас. Перед тем как отправиться в путь, я раздвигала занавески на окнах — больше ничего не требовалось, можно было ехать куда угодно. Я искала работу, и сначала мне ничего не попадалось. Но на улице стояла осень, мое любимое время года, поэтому пару дней я просто наслаждалась погодой и много гуляла.

Вскоре я поняла, что больше не смогу оплачивать свое место на стоянке. Деньги заканчивались, да и стоянка мне нужна была, только чтобы мыться и как временная база, пока я не заведу знакомств в городе. Так что я запаслась едой и отправилась в буш, следуя указателям, которые вели к ближайшей речке. Мне уже приходилось действовать наудачу, и я знала, что мне снова придется встретиться со своими страхами лицом к лицу. Чтобы претворить задуманное в жизнь при помощи одной лишь веры, нужно не мешать себе негативными мыслями, а это всегда самое сложное.

А нездоровые мысли у меня возникали — как результат воспитания и общественного неприятия моего образа жизни. Я вновь задумалась, как свести концы с концами, и мне стало не по себе. Единственное, что всегда выручало меня в подобной ситуации, — сосредоточиться на настоящем, и именно это спасло меня и сейчас. К тому же нет лучше места для борьбы со своими страхами, чем на природе, где можно вернуться к истинному ритму жизни.

РАБОТА СИДЕЛКОЙ

ПОЗНАКОМИЛА

МЕНЯ СО МНОГИМИ

ПОТРЯСАЮЩИМИ

ЛЮДЬМИ.

Когда страхи не тревожили меня, я превосходно проводила время, следуя здоровому и несложному графику дня: ела простую и питательную еду, плавала в кристально чистой реке, наблюдала за любопытными дикими животными, слушала пение птиц и читала. Мои дни были наполнены благоговением и красотой, и казалось, что время тянется бесконечно.

Почти две недели я не видела ни одного человека. День, когда я столкнулась с людьми, выдался приятным. Это была семья, приехавшая к реке на пикник: целых три поколения. Так я поняла, что наступили выходные. Я оставила джип открытым и ушла на долгую прогулку в буш, предоставив гостям наслаждаться одиночеством. Ранним вечером я лежала в джипе — багажник и окна все еще были открыты настежь — и читала. Волшебный свет сумерек узорно просачивался сквозь ветви деревьев.

Семейство уже собиралось уезжать, когда от группы оторвалась женщина примерно моего возраста, мать двоих детей, и тихо подошла ко мне. Ее муж, родители и дети в это время садились в машину. Она заглянула в окно джипа, застигнув меня врасплох. Я подняла голову от книги и улыбнулась. Она прошептала: «Завидую твоей свободе». Мы обе рассмеялись, и она ушла, ничего больше не сказав и не дав мне времени ответить.

Той ночью я лежала в джипе с открытыми окнами, в компании поющих у реки лягушек и полного звезд неба, и улыбалась, думая об этой женщине. Она была права. Я была свободней некуда. Денег и еды у меня оставалось в обрез, но прямо сейчас я была так свободна, как только может быть человек.

С тех пор меня часто спрашивали про мои вылазки в буш и про поездки по всей стране. Многие хотели знать, не было ли мне страшно путешествовать в одиночку.

Я всегда отвечала, что нет, и как правило, я чувствовала себя в полной безопасности. Изредка случались потенциально неприятные ситуации, как когда-то во время поездки автостопом. Но я выходила из них невредимой и больше никогда не повторяла своих ошибок. Каждый мой шаг был интуитивным, и я старалась как можно чаще двигаться вперед с доверием в сердце, зная, что за мной присматривают высшие силы.

Впрочем, люди — социальные существа, поэтому вскоре я вновь вернулась в город. Я позвонила маме, с которой у нас всегда была очень тесная и здоровая связь. Как мать она не могла не волноваться за мое благополучие, но сердцем понимала, что кочевой образ жизни присущ мне от природы. Она не осуждала меня, но всегда успокаивалась, услышав мой голос в трубке. Накануне она потратила два доллара на лотерейный билет, надеясь выиграть для меня денег. От природы моя мама настолько щедрый человек, что жизнь ее благословила, и она действительно выиграла.

«Ты и без денег так много мне даешь, — сказала она. — Я настаиваю, чтобы ты взяла эти деньги. Все равно они мне достались только потому, что я задумала тебе помочь». С благодарностью я приняла мамин подарок — теперь мне было на что жить следующие пару недель.

На следующее утро я проснулась в джипе на платной стоянке и отправилась к скалам, чтобы полюбоваться восходом солнца над океаном. Я обожаю момент, когда над горизонтом появляются первые солнечные лучи, над головой еще светят звезды, но новый день уже начинается. Небо порозовело, затем сделалось оранжевым, а я сидела на камнях и смотрела, как мимо плывут игривые дельфины, выпрыгивая из воды от чистой радости жизни. В тот момент я почувствовала, что все обязательно сложится наилучшим образом.

Чуть позже я долго, с удовольствием болтала о жизни и путешествиях с хозяином стоянки. После этого разговора он ушел, но вскоре вернулся с ключом в руках.

— Мне еще десять дней не понадобится фургон номер восемь. Он твой, и не вздумай предлагать мне деньги. Если бы моя дочь жила в машине, я надеюсь, ей бы тоже кто-нибудь помог, — объявил Тед.

— Спасибо, Тед, благослови вас Бог, — сказала я, борясь со слезами благодарности.

Так на следующие десять дней у меня появилась крыша над головой и возможность готовить себе еду. Но теперь я тревожилась уже всерьез. Мне срочно нужно было заработать денег. Запасы еды убывали на глазах. Каждый день я обивала пороги в городе и познакомилась со многими прекрасными людьми, но работы мне не предлагали. Возвращаясь на мыс, где располагалась стоянка, я глубоко дышала, стараясь не терять концентрации на настоящем, но лихорадочно пытаясь найти выход из положения.

Я ненавидела эту сторону своей жизни — непреодолимое желание раз за разом бросать насиженное место и ставить себя в максимально сложное положение. Но одновременно с этим я не могла от нее отказаться: каждый раз, отправляясь в путь, я вступала в схватку со своими страхами, и каждый раз неизменно выходила сухой из воды. В некотором смысле каждый прыжок в неизвестность давался мне тяжелее предыдущего, потому что я продвигалась все ближе к самой сердцевине своих тайных страхов. Но каждый прыжок становился одновременно и легче. Многократно испытав свою веру на прочность, я стала намного мудрее и увереннее в себе. Кроме того, в такой жизни я видела гораздо больше смысла, даже если временами она была трудноватой. В традиционный образ жизни, принятый в обществе, я при всем желании не вписывалась.

Наблюдая, как прилив понемногу превращается в отлив, я вспомнила, как важно принять происходящее и, отпустив вожжи, позволить природе творить свое волшебство. Та же сила, что безупречно уравновешивает приливы и отливы, что заведует сменой времен года и порождает все живое, обязательно даст мне выход из ситуации. Но сначала нужно расслабиться. Пытаться контролировать события — пустая трата сил. Я уже сформировала намерения и предприняла все возможные действия для их реализации. Теперь мне оставалось только не мешать событиям идти своим чередом.

Я даже рассмеялась тому, что ухитрилась забыть об этом, ведь этот урок я усвоила давным-давно. Когда ты оказался на самом конце тонкой, гнущейся ветки, можно только расслабиться, разжать руки и смотреть, куда приземлишься. Настало время вновь разжать руки. Принять события такими, какие они есть, вовсе не означает сдаться — совсем наоборот. Чтобы принять настоящее, требуется бесконечное мужество. Часто нам удается это сделать только тогда, когда пытаться контролировать события становится невыносимо больно. Это неприятный, но в каком-то смысле освобождающий момент. Признав, что мы больше ничего не можем сделать, только довериться высшим силам, мы наконец впускаем эти силы в свою жизнь.

Следующим утром на восходе я спустилась по камням к воде, где дельфины, играя, вновь приветствовали меня. После вечернего приступа страха, боли и сопротивления, который вынудил меня принять, что я больше ничего не могу сделать, я была выжата, как лимон, полностью опустошена эмоционально. Глядя на дельфинов, я впитывала в себя новый рассвет, медленно, осторожно позволяя надежде подзарядить мои батарейки.

Несколько дней спустя в случайном разговоре с людьми на стоянке автофургонов мне предложили работу в Мельбурне — в еще семи или восьми часах езды на юг. «Почему бы и нет?» — подумала я. Ничто не мешало мне ехать куда угодно, к тому же я как раз хотела перебраться в место попрохладнее. Вскоре Мельбурну предстояло навсегда превратиться в мой самый любимый город во всей Австралии. Но в тот момент я и не думала туда переезжать и даже не представляла, как полезно мне будет оказаться в таком творческом городе. Только после того как я приняла ситуацию, признав, что не могу больше ее контролировать, поступило предложение о работе.

Я закончила рассказывать эту историю Стелле, и мы обе улыбнулись. Она медленно ела свою половину ягодки клубники, соглашаясь со мной. Она пыталась контролировать время своего ухода из жизни. Пришла пора отказаться от этого контроля и принять, что ей еще немного придется пожить, даже если ей это не по душе. На формирование тела уходит девять месяцев. На завершение его существования тоже иногда требуется какое-то время.

Впрочем, Стелла уже совсем ослабла и почти ничего не ела. У нее не было сил, чтобы есть, но она клала в рот маленькие кусочки фруктов, просто чтобы ощутить их вкус. Вчера это были две виноградины. Сегодня полклубники.

Болезнь Стеллы должна была причинять ей сильные боли, особенно с учетом того, как поздно ее диагностировали. Но боли, к удивлению врача, ее почти не беспокоили. По мере распространения болезни Стелла чувствовала в основном потерю сил. Многолетняя духовная работа помогла ей установить очень прочную связь со своим телом, и теперь она угасала почти безболезненно. Когда пришло время, эта связь также помогла ей с легкостью отойти в мир иной.

Однажды я заметила, что руки Стеллы сильно распухли, и обручальное кольцо буквально впивается в палец.

Я побоялась, что оно нарушит циркуляцию в тканях, и позвонила на работу. Мне порекомендовали его снять. Джордж лежал рядом со Стеллой на кровати, а я намыливала ей палец, пытаясь аккуратно снять кольцо. Мне долго это не удавалось, и пока я билась над кольцом, и Стелла, и Джордж расплакались. Я и сама плакала, когда, наконец, сняла с пальца Стеллы символ их более чем полувековой любви.

Джордж, нежный, как всегда, назвал Стеллу особым домашним прозвищем, которым называл много лет. Я вышла из комнаты, чтобы они смогли провести немного времени наедине и обняться — возможно, в последний раз в жизни. Стоя в ванной, заливаясь слезами, я чувствовала, какое это благословение — встретиться с такой глубокой любовью. Никогда еще я не встречала подобной пары. Стелла и Джордж были лучшими друзьями и со всеми, особенно друг с другом, обращались с лаской и заботой. Было невероятно грустно смотреть, как они плакали, когда я навсегда снимала обручальное кольцо с пальца Стеллы.

Их сын и дочери регулярно заходили в гости, особенно теперь, когда время Стеллы было на исходе. Все они мне нравились. Совсем не похожие друг на друга, все трое были очень честными и приятными людьми. Особенно я сблизилась с одной из дочерей.

Однажды случились внезапные заморозки, и я оказалась на работе недостаточно тепло одетой. Джордж настоял, чтобы я надела одну из вязаных кофт Стеллы. Они оба согласились, что эта кофта мне очень идет. В магазине я бы прошла мимо, не обратив на нее внимания, потому что она не вписывалась в мой стиль. Но надев ее, я моментально в нее влюбилась. В тот день семья подарила мне эту кофту, и я все еще ношу ее много лет спустя. У нашей Стеллы было отменное чувство стиля.

В ту ночь она впала в ко́му, пока я спала у себя дома. На следующее утро я приехала на работу и обнаружила дом в торжественной тишине. Кроме Джорджа и Стеллы дома был Дэвид, их сын. Через открытую дверь спальни в комнату задувал легкий ветерок, а Джордж лежал на кровати рядом со своей красавицей-женой. Он держал в руках ее руку, которая быстро остывала. Стелла была еще жива, но с приближением смерти кровообращение в конечностях постепенно слабеет. Ее ноги тоже совсем остыли. Дэвид сидел рядом на стуле, держа Стеллу за вторую руку. Я села на стул у изножья кровати, положив руку ей на ногу. Мне просто хотелось тоже к ней прикоснуться.

Более двенадцати часов пролежав в глубокой коме, Стелла открыла глаза и улыбнулась чему-то, глядя в потолок. Джордж сел. «Она улыбается! — воскликнул он удивленно. — Она чему-то улыбается».

Стелла больше нас не видела и не слышала. Но эта улыбка, адресованная чему-то или кому-то невидимому, навсегда закрепила во мне веру в жизнь после смерти. Благодаря опыту медитации я уже попадала в полные блаженства миры, не принадлежащие обычному человеческому миру, так что и раньше не сомневалась в загробной жизни. Но глядя, с какой счастливой улыбкой Стелла улыбается потолку, я окончательно поняла, что никогда не откажусь от этого убеждения. После смерти мы все куда-то отправляемся — или возвращаемся.

Улыбнувшись, Стелла чуть вздохнула, затем глаза ее закатились, и она затихла. Джордж и Дэвид вопросительно обернулись ко мне. До сих пор я видела только одну смерть и теперь ждала последнего вздоха, но он не приходил. «Она умерла?» — повторяли они с отчаянием.

Я попыталась нащупать пульс на шее Стеллы, но мое собственное сердце билось так громко, что кроме него я ничего не чувствовала. Ответственность была громадной, а я понятия не имела, что делать. Джордж и Дэвид продолжали смотреть на меня. Я не хотела объявить, что Стелла мертва, а потом выяснить, что она будет жить еще день или два — или даже что она сделает еще один последний вдох. Я обратилась к Богу, чтобы он направил меня.

Внезапно на меня снизошло спокойствие. Я посмотрела на Стеллу, зная, что ее больше нет. Смерть была такой мягкой и легкой, что ее трудно было заметить, но прокатившаяся по мне волна любви подтвердила, что Стелла умерла. Я кивнула, и Джордж с Дэвидом поспешно вышли из комнаты. Слышны были душераздирающие рыдания — это Джордж горевал о потере любимой жены. Я тихо сидела со Стеллой и тоже плакала.

Через пару часов, когда в доме собралась вся семья и необходимые формальности были улажены, мы простились. Прохладное утро превратилось в очень жаркий день, и я раздумывала, чем бы себя занять — мне хотелось любой ценой отвлечься от случившегося. Я все еще водила тот самый джип, на котором путешествовала по всей стране. Водительская дверь в нем плохо закрывалась, поэтому садясь в машину, мне давно уже приходилось сильно ею хлопать. На этот раз, когда я захлопнула дверь, стекло разлетелось на мелкие осколки. Я уже была слегка в ступоре от утренних событий, а теперь и вовсе оцепенела от громкого хлопка, с которым лопнуло стекло. Выглянув в окно, в котором осталось только несколько маленьких кусочков стекла, я решила, что лучше всего мне просто поехать домой.

Новое стекло привезли только через три дня. Это время я провела дома и возле гавани, постоянно благодаря Стеллу за то, что она отправила меня домой. Это было лучшее решение — позволить себе просто быть. Пару месяцев спустя мне пришло письмо от Терезы, дочери Стеллы, с которой я особенно сблизилась. На следующий день после смерти Стеллы Тереза шла по улице, думая о своей матери. В эту секунду у нее перед самым лицом пролетел огромный белый какаду, так близко, что она почувствовала дуновение ветра от его крыльев. Стелла была как раз из тех, кто мог бы посылать своим близким знаки, и я радовалась, читая это письмо.

Прошло около года, и я приехала в гости к семье Стеллы. Я с нетерпением ждала этого ужина, особенно мне хотелось увидеть милого Джорджа и узнать, как у него дела. Тереза с мужем тоже пришли. Вечер начался очень хорошо, и я с радостью узнала, что Джордж бывает на людях, играет в бридж и встречается с друзьями. Но потом разговор зашел в неприятную мне область. Тереза начала расспрашивать меня, отличалась ли смерть ее мамы от смертей моих предыдущих клиентов. Это была прекрасная возможность очистить свою совесть и рассказать им, что, когда я работала со Стеллой, у меня почти не было опыта.

Я искренне думаю, что они бы не возражали, потому что у них не было к моим услугам никаких претензий. Но рассказать им правду я так и не смогла, потому что Джордж радовался мне, как ребенок, и все время повторял, как хорошо, что мы все снова собрались вместе. Это в каком-то смысле возвращало ему Стеллу. Я хотела отвести Терезу в сторону и все ей рассказать, но такой возможности мне не представилось.

Жизнь не стояла на месте, и вскоре после этого ужина мы потеряли связь друг с другом. Однако спустя несколько лет мы снова встретились, и у меня появилась возможность рассказать семье о своей неопытности и о том, как мне стыдно было им врать. Они великодушно меня простили, сказав, что отсутствие опыта я с лихвой восполнила эмпатией и сочувствием. Они, как и я сама, с самого начала чувствовали, что я лучше других подходила на роль сиделки их матери. Было очень приятно снова увидеться и вспомнить, что мы пережили вместе. Каждую зиму я по-прежнему ношу кофту Стеллы и вспоминаю ее добрым словом. Прошлой зимой, сидя в этой кофте, я перечитывала книгу, которую она мне подарила, то и дело останавливаясь и улыбаясь своим воспоминаниям. Работа сиделкой действительно познакомила меня со многими потрясающими людьми.

Но, как бы там ни было, свой урок я усвоила и решила больше никогда не врать клиентам. Даже если говорить правду порой тяжело, для меня это единственный возможный вариант.

Сделав вывод из этого опыта, я смогла простить сама себя, и это главное.

# ПЕРВОЕ
# СОЖАЛЕНИЕ

•

*Жаль, что мне
не хватало смелости жить
так,
как хотелось мне,
а не так, как от меня
ожидали другие*

Грейс очень быстро стала одной из моих любимых паллиативных пациенток. Это была крошечная женщина с огромным сердцем. Ее доброта передалась и детям, не менее щедрым и открытым людям, чем она сама.

Грейс жила в дальней части города, где у нас было мало клиентов. Ее дом стоял на тихой, ничем не примечательной улице, где не было дорогих особняков. Первый раз оказавшись в этом районе, я подумала, что это идеальная декорация для съемок телесериала о жизни обычной семьи, потому что все вокруг источало энергию семейной жизни. Больше всего в самой Грейс и в ее родных мне нравились их здоровая практичность и искреннее радушие.

Наши первые дни с Грейс начались так же, как они обычно начинались со всеми пациентами: мы понемногу знакомились, рассказывая друг другу истории из жизни. Звучали хорошо знакомые мне комментарии о том, что Грейс утратила человеческое достоинство и теперь кто-то должен вытирать ей задницу, да еще этой ужасной работой вынуждена заниматься такая симпатичная молодая женщина, как я. Я уже давно привыкла к этой стороне своей работы и всегда пыталась успокоить своих пациентов на этот счет. Болезнь мигом избавляет людей от эго. Когда человек смертельно болен, его личное пространство исчезает на глазах. Принятие ситуации — и того, что кто-то вытирает вам попу, — становится неизбежным по мере того, как болезнь не оставляет вам сил волноваться о таких мелочах.

Грейс вышла замуж более полувека назад и всю жизнь была образцовой женой и матерью. Она воспитала чудесных детей и теперь радовалась внукам, уже подросткам. Однако ее муж был настоящим домашним тираном, так что долгое замужество Грейс было весьма неприятным. Для всех, особенно для Грейс, стало большим облегчением его внезапное решение переехать жить в дом престарелых.

Всю свою замужнюю жизнь Грейс мечтала о независимости от мужа, о путешествиях, о свободе от его тиранических замашек, да и просто о том, чтобы жить незамысловатой, счастливой жизнью. Когда ее муж перебрался в дом престарелых, ей было уже за восемьдесят, но для своего возраста она была в очень приличной форме и хорошо себя чувствовала. Крепкое здоровье позволяло ей свободно распоряжаться своей жизнью.

Однако вскоре после обретения долгожданной свободы Грейс почувствовала сильное недомогание. В течение нескольких дней врачи диагностировали неизлечимую болезнь, причем на поздней стадии. Особенно обидным было то, что заболевание Грейс спровоцировала многолетняя привычка ее мужа курить в доме. Болезнь развивалась стремительно, и уже через полтора месяца Грейс полностью лишилась сил и оказалась прикована к постели. Она могла только медленно доковылять до уборной с чужой помощью, опираясь на ходунки. Тем мечтам, которые она лелеяла всю свою жизнь, не суждено было сбыться. На них не осталось времени. Мысль об этом не оставляла Грейс ни на минуту, причиняя ей ужасные мучения.

«Почему я просто не делала, что хотела? Почему я позволяла ему мной командовать? Почему я была такой слабой?» — эти вопросы звучали из уст Грейс регулярно. Она злилась не только на мужа, но и на себя — за то, что не нашла в себе смелости противостоять ему. Дети Грейс подтверждали, что ее жизнь действительно была очень нелегкой. И они, и я бесконечно ей сочувствовали.

«Никогда никому не позволяй мешать тебе делать то, что хочешь, Бронни, — говорила мне она. — Прошу тебя, пообещай это умирающей старухе». Я пообещала, а также рассказала Грейс, что мне повезло иметь мать, которая на личном примере научила меня независимости.

«Только посмотри на меня, — говорила Грейс. — Я умираю. Умираю! Как это возможно, что я столько лет ждала свободы и независимости, а теперь для них слишком поздно!» Это была настоящая трагедия. Я знала, что никогда не забуду этого напоминания жить только так, как мне хочется.

В первые недели нашего знакомства мы часами болтали в спальне Грейс, уставленной памятными безделушками и увешанной портретами родных. Но состояние ее здоровья быстро ухудшалось. Грейс объясняла мне, что вовсе не против брака. Она считала, что брак может быть прекрасной возможностью вместе расти и развиваться. Но она была против убеждения, распространенного среди людей ее поколения, что брак нужно сохранять любой ценой. Именно так и поступила сама Грейс, отказавшись от собственного счастья. Она посвятила жизнь мужу, который считал ее любовь и заботу чем-то само собой разумеющимся.

Теперь, на пороге смерти, Грейс стало все равно, что о ней подумают, и она ужасно мучилась оттого, что это осознание не пришло к ней раньше. Много лет она притворялась счастливой и жила так, как от нее требовало общество. Только теперь она поняла, что у нее всегда был выбор и она могла жить иначе, но побоялась принять это решение. Хотя я и пыталась ее успокоить, убеждая, что ей нужно простить себя, она была безутешна.

За те годы, что я работала сиделкой, большинство моих пациентов были долгосрочными: я ухаживала за ними месяцами, до самой смерти. От многих из них я впоследствии слышала те же слова, которые сказала мне Грейс — слова, полные страдания, отчаяния и безысходности. Из всех сожалений, которые я выслушала, сидя у постелей умирающих, это было самым частым: «*Жаль, что мне не хватало смелости жить так, как хотелось мне, а не так, как от меня ожидали другие»*. Именно эта мысль огорчала их сильнее всего, потому что осознание истины пришло к ним слишком поздно, чтобы исправить положение.

«И я ведь вовсе не желала прожить какую-то выдающуюся жизнь, — объясняла мне Грейс во время одного из множества наших разговоров. — Я хороший человек, я никому не хотела зла». Грейс была добрейшей женщиной и при всем желании не смогла бы никому навредить. Это было просто не в ее характере. «Но я хотела пожить и для себя тоже, и так и не набралась смелости».

Теперь Грейс понимала: всем было бы только лучше, если бы ей хватило смелости исполнить свое желание. «То есть всем, кроме моего мужа, — говорила она с отвращением к самой себе. — Я была бы куда счастливей и спасла бы свою семью от этого несчастья. Почему я его терпела? Почему, Бронни?» Она рыдала, сотрясаясь всем телом, а я обнимала ее, пытаясь утешить.

Успокоившись, Грейс поднимала на меня глаза, полные решимости. «Я серьезно. Пообещай мне, умирающей женщине, что ты всегда будешь верна себе, что ты будешь жить только так, как тебе хочется, и пусть люди говорят, что хотят». Тюлевая занавеска мягко колыхалась, впуская в спальню дневной свет, а мы смотрели друг на друга с любовью, ясностью и решимостью.

«Обещаю, Грейс. Я уже пытаюсь так жить. Но обещаю вам, что всегда буду пытаться жить только так», — искренне отвечала я. Держа меня за руку, она улыбалась, зная, что ее опыт пригодился хотя бы кому-то. Когда я объяснила Грейс, что больше десяти лет безо всякого удовольствия проработала в банковском секторе, она стала лучше меня понимать и слушать с бо́льшим интересом.

Первые пару лет после учебы мне было там даже весело. В офисе проходили обучение интерны, и работу я воспринимала как прежде всего место общения. Всем интернам было по семнадцать-восемнадцать лет, так что на работе мы в основном болтали с друзьями да зарабатывали деньги на выходные. Сама работа давалась мне легко, и так могло бы продолжаться и дальше, будь она мне по душе. Но это было не так. После недолгого начального этапа мне быстро стало скучно, и я начала задаваться вопросами о будущем. Однако я еще десять лет продолжала жить так, как мне полагалось. Хотя я и знала, что мне нужен какой-то другой образ жизни, мне не хватало смелости отправиться на его поиски.

Сильнее всего меня удерживал на месте страх перед теми насмешками, которые посыпались бы на меня со стороны родных, если бы я отказалась от предназначенной мне роли. Я жила не своей жизнью, и ничего хорошего из этого выйти не могло. Однако я продолжала тянуть лямку, переходя из банка в банк, регулярно меняя офисы и должности. В результате я стремительно росла по службе, потому что поработала почти во всех возможных банках и к тому же перепробовала куда больше должностей, чем любой другой нормальный человек моего возраста. Внезапно я оказалась успешной.

Совершенно несчастная, я продолжала посвящать пять дней в неделю делу, которое ничего не давало моей душе. Многие люди с удовольствием работают в банковской сфере, и я за них рада. Такие люди нужны. Кроме того, сегодня там появились должности, связанные с социальным сектором, и другие благородные возможности. Но я, как и Грейс, жила той жизнью, которую навязали мне другие, а не той, которой хотела жить.

Кое-кто в семье никогда не бывал мной доволен, поэтому, борясь за право оставаться собой, я долго не бросала «хорошую работу», надеясь, что хотя бы эта сфера моей жизни не вызовет нареканий. Я боялась, что уход с работы вызовет новую волну осуждения со стороны родных.

Быть белой вороной в собственной семье нелегко. Паршивая овца играет свою роль в семейной динамике, но это трудная роль. Когда одни члены семьи укрепляют свое положение в иерархии за счет других, наверх пробиться сложно. Однако работая сиделкой и наблюдая вблизи множество разных семей, я убедилась, что семей совсем без конфликтов нет и везде есть чему поучиться. Было чему поучиться и в моей семье, хотя в то время мне от этого не становилось легче.

С самого детства я служила любимой мишенью для семейных шуток и издевок. Все мои родные увлекались верховой ездой, а я — плаванием, семейным бизнесом было разводить скот, а я была вегетарианкой, моя семья вела оседлый образ жизни, а я кочевой, и так далее, и тому подобное. Часто мои родные отпускали шутки, искренне не понимая, что обижают меня, хотя любая шутка перестает быть смешной, если повторять ее несколько десятков лет подряд. Нередко, впрочем, мне преднамеренно говорились и обидные, и просто жестокие вещи. Даже самый сильный человек в мире устал бы годами это выслушивать. Я не помнила такого периода в жизни, когда родные не орали бы на меня, не высмеивали и не говорили, что я безнадежна.

Тогда мне проще всего было продолжать притворяться такой, какой меня хотели видеть другие. Постепенно в кругу семьи я замкнулась в себе — это стало моим способом справляться с ситуацией. Творческие люди часто сталкиваются с непониманием, а я была творческим человеком, хотя и не понимала этого. Я понимала только, что навязывать страховку людям, которые пришли в банк обналичить зарплатные чеки, мне не по душе. Мне хотелось лишь приветливо и сердечно обслуживать клиентов, и это у меня получалось очень хорошо. Но этого было мало: растущая банковская индустрия требовала от сотрудников продавать, продавать и еще раз продавать.

Говорят, что в жизни мы больше делаем, чтобы избежать боли, чем чтобы получить удовольствие. Только когда боль становится невыносимой, мы, наконец, набираемся смелости что-то изменить. Я терпела, сколько могла, но наконец сломалась.

Когда я бросила очередную «хорошую работу», чтобы отправиться жить на остров, в семье воцарилось смятение: «Зачем она это сделала? Куда она опять собралась?» Я же все это время радостно думала: «Я буду жить на острове!» Чем дальше от родных, тем лучше — вдали от них я была сама себе хозяйкой, и мне нравилась моя жизнь. Связь с континентом я поддерживала только ради мамы, которая всегда была мне поддержкой и бесценным другом.

Как раз в годы жизни на острове я впервые попробовала медитировать, и постепенно мне удалось найти внутри себя источник бесконечной доброты и сострадания. Оказалось, что сострадание обладает невероятной и прекрасной силой.

Та боль, которую мне причиняли родные, была всего лишь отражением их собственных страданий. Счастливые люди не осуждают других за то, что те живут иначе, чем они сами. Они уважают чужой выбор. Увидев, что я унаследовала страдания предыдущих поколений своей семьи, я приняла решение освободиться от них. Я решила, что никогда не стану контролировать других людей — да у меня и не было такого желания. Люди меняются, только если сами этого хотят, и только тогда, когда становятся к этому готовы.

Научившись смотреть на жизнь с состраданием, я приняла тот факт, что, возможно, у меня никогда не будет настоящей любви и взаимопонимания с родственниками. Это наполнило меня ощущением свободы. Пройдя долгий и нелегкий путь к исцелению, я осознала, что не каждому хватает силы посмотреть в лицо своему прошлому — во всяком случае, пока боль не станет невыносимой.

Отношение ко мне в семье еще несколько лет оставалось прежним, но теперь оно все меньше меня задевало. Со временем я увидела, что дело было вовсе не во мне, а в тех, кто пытался меня критиковать и осуждать.

Есть буддийская притча о том, как к Будде пришел рассерженный человек и начал кричать и оскорблять его, но тот оставался невозмутимым. Когда Будду спросили, как ему удалось сохранить полное спокойствие, он ответил вопросом: «Если вам хотят подарить подарок, а вы отказываетесь его принять, то кому принадлежит этот подарок?» Разумеется, он остается у дарящего. Так же было и с обидными словами, которые до сих пор иногда звучали в мой адрес. Я перестала их принимать; теперь я чувствовала к обидчикам только сострадание. В конце концов, они говорили мне гадости не от хорошей жизни.

Самое важное, чему я научилась в жизни, — самое-самое важное — это то, что *сострадание к другим начинается с сострадания к себе*. Научившись сочувствовать другим людям, я вступила на путь исцеления. Теперь, услышав обидный комментарий, я успевала дистанцироваться от ситуации. Я понимала, что мой обидчик страдает, а я просто попалась под горячую руку. Разумеется, это касалось не только отношений в семье, но и всех моих отношений с людьми: личных, общественных и рабочих. Мы все страдаем. Каждый человек без исключения носит в себе боль.

«НИКОГДА НИКОМУ

НЕ ПОЗВОЛЯЙ МЕШАТЬ

ТЕБЕ ДЕЛАТЬ ТО, ЧТО

ХОЧЕШЬ. ПООБЕЩАЙ

ЭТО УМИРАЮЩЕЙ

СТАРУХЕ».

Но научиться сострадать себе самой оказалось гораздо сложнее, чем другим. На это ушли годы. Мы все относимся к себе невероятно требовательно и жестко — и притом совершенно незаслуженно. Было очень сложно начать относиться к себе с теми же добротой и любовью, что и к другим, признать, что я тоже страдала и заслуживаю сочувствия. Временами мне было *почти* проще выслушать и принять несправедливое чужое мнение — в конце концов, к этому я давно уже привыкла. Ушло немало времени и усилий, прежде чем я научилась сострадать себе самой. Но только после этого началось мое исцеление.

Когда я твердо решила, что буду любить и уважать себя и относиться к себе с состраданием, положение дел в семье начало меняться. Я нашла в себе силы отвечать обидчикам, высказывать свое мнение, а не отмалчиваться, замыкаясь в себе. Теперь пришла моя очередь выражать свои чувства и высвобождать всю ту боль, которая копилась во мне годами. Сломать шаблоны, строившиеся десятилетиями, было нелегко. Но я черпала силы и смелость в своих страданиях: мне было нечего терять, а молчать сделалось невыносимым.

В конечном итоге и я, и мои родные хотели одного и того же: любви, принятия и понимания, так что единственным выходом из ситуации было сострадание и терпение. Несмотря ни на что, нас все еще связывала любовь, пусть и хрупкая.

Однако сколько я ни пыталась наладить отношения, ничего не получалось. Я как будто раз за разом плыла по одной и той же реке, каждый раз упиралась в громадный камень, который не пускал меня дальше. Однажды я поняла, что возможно, этот камень *никогда* не исчезнет. Тогда я решила: чем раз за разом терпеть неудачу, лучше попробую плыть в другом направлении, куда-то, где смогу двигаться свободно и естественно. Нет никакой нужды бесконечно биться в одну и ту же стену, которая мешает идти дальше и причиняет постоянную боль.

Пришло время выбрать новый путь, открыть рот и сказать: «Хватит». У меня исчерпалось желание терпеть поведение родных. Я решила, что даже если останусь одна, хотя бы попробую обрести душевный покой. Дома покой был невозможен.

После того как я перестала отмалчиваться и начала высказывать свое мнение, во мне что-то сдвинулось с места. Мое уважение к себе росло, и мне проще давалось самовыражение. Наконец мне удалось посеять в своей душе новые, более здоровые семена. Я еще не умела за ними ухаживать, но во всяком случае, они были посажены. Пришло время начинать жить своей собственной жизнью — понемногу, шаг за шагом.

После того как я рассказала Грейс свою историю, мы очень сблизились. Она согласилась, что в каждой семье свои сложности. Она не знала ни одной семьи, где не было бы проблем, и считала, что именно в семье большинство людей получают бесценные жизненные уроки. Мы обсудили с ней, что единственный способ любить — это принимать людей такими, какие они есть, и ничего от них не ждать. Конечно, это легко сказать и очень трудно сделать, но именно это и есть настоящая любовь.

Грейс много рассказывала мне о своей жизни, о детях, о районе, в котором жила, но почти неизменно возвращалась к своим сожалениям. Она жалела, что ей не хватило смелости жить так, как подсказывало ей сердце, а не так, как нужно было другим. Когда времени мало, его не остается на пустую болтовню, и общение становится предельно искренним. Мы с Грейс обсуждали самые важные и личные темы. Эти разговоры оказались целительными и для нее, и неожиданно для меня тоже.

Постепенно мы дошли до разговоров о том, какие у меня планы на жизнь, о моих музыкальных амбициях и о том, как я начала писать и исполнять песни. За чашкой чая Грейс попросила, чтобы на следующий день я принесла гитару и спела ей что-нибудь. Я с удовольствием согласилась. Мое сердце радовалось, когда я пела для Грейс, а она улыбалась и тихонько подпевала, сидя в своей кровати. Она наслаждалась каждой моей песней так, как будто это была лучшая песня в мире. Ее родные тоже заглянули на наш импровизированный концерт и оказались не менее благодарными слушателями. Грейс особенно полюбилась песня под названием «Под небом Австралии», потому что сама она всегда мечтала о путешествиях.

После этого она регулярно просила меня спеть ей. Можно и без гитары, говорила она, и вот я сидела в ее спальне и пела, а она улыбалась, закрыв глаза, впитывая мои песни. Она просила меня спеть еще и еще, и я никогда ей не отказывала.

Каждый день здоровье Грейс слабело. И без того крошечная, она как будто еще уменьшилась в размерах. Старые друзья заходили с ней проститься. Родственники сидели у постели, болтая и стараясь сдерживать слезы. Семья Грейс была очень дружной, так что ее навещали каждый день. Мне это нравилось, как и нежность, с которой все члены семьи обращались друг с другом. Но когда все уходили, мы с Грейс оставались вдвоем, и она снова просила меня спеть. Это были необыкновенные дни.

Теперь Грейс передвигалась с большим трудом. Иногда она соглашалась воспользоваться переносным туалетом, чтобы помочиться, однако, когда ей нужно было опорожнить кишечник, она неизменно шла в уборную, чтобы мне не пришлось мыть за ней горшок. Переубедить ее не представлялось возможным, хотя я и убеждала ее, что мне это совершенно не трудно. Поэтому каждый раз мы бесконечно долго ползли с ней в туалет, который, к счастью, был прямо рядом со спальней. Грейс была очень слаба. Я помогала ей встать с унитаза, одной рукой придерживала, а второй натягивала на нее трусы — это была весьма непростая задача.

Затем мы отправлялись в обратный путь к постели: Грейс впереди, опираясь на свои ходунки, а я позади, придерживая ее. Однажды, следуя за ней, я заметила, что в спешке заправила краешек ночной рубашки ей в трусы. Я улыбнулась ей, крошечной женщине на самом исходе жизни, ковыляющей к кровати, и вдруг она на ходу запела «Под небом Австралии». Мое сердце чуть не выскочило из груди от радости. Некоторые слова она перепутала, но от этого песня звучала только трогательней.

В тот момент я поняла, что моя музыкальная карьера достигла своей высшей точки. Я знала, что никакой успех в будущем не принесет мне больше радости, чем этот бесценный момент. Даже если бы я в жизни не написала больше ни одной новой песни, мне было бы все равно. Знать, что я порадовала мою дорогую Грейс своей музыкой, слышать, как она в свои последние дни поет мою песню, — мне больше нечего было желать от своего творчества.

Через пару дней, придя на работу, я увидела, что сегодняшний день станет для Грейс последним. Я объяснила, что позвоню ее родным, но она отрицательно помотала головой. Слабая и измученная, она протянула ко мне руки и обняла. Чтобы сберечь ее силы, я легла с ней рядом на кровать и тоже обняла ее. Мы полежали так некоторое время, негромко разговаривая, ее пальцы поглаживали мою руку. Я спросила, почему она не хочет видеть родных, и она сказала, что не хочет причинять им боль. Она слишком сильно их любила.

Но им нужно попрощаться, сказала я, и, если не дать им такой возможности, это не только причинит им боль, но и вызовет чувство вины на всю оставшуюся жизнь. Грейс поняла меня и согласилась, что не хочет этого. Я взялась за телефон, и вскоре приехали ее родные. Но перед этим она успела меня спросить, превозмогая слабость:

— Ты помнишь, что ты мне обещала, Бронни?

Кивнув ей сквозь слезы, я ответила:

— Да.

— Живи так, как велит тебе сердце. Не беспокойся о том, что думают другие. Обещай мне это, Бронни, — прошептала она еле слышно.

— Обещаю, Грейс, — тихо сказала я. Сжав мою руку, она задремала. После этого она уже почти не просыпалась, хотя открывала глаза и видела свою семью, сидевшую у ее постели до самого конца. В течение нескольких часов ее не стало. Ее время пришло. Сидя на кухне в тот день, я думала о своем обещании: я дала его не только Грейс, но и себе самой.

Через несколько месяцев, стоя на сцене во время концерта, посвященного выходу моего нового альбома, я посвятила Грейс ее любимую песню. Ее родные были в зале. Из-за прожекторов я не различала ничьих лиц, но мне и не нужно было их видеть. Я чувствовала их любовь и вспоминала маленькую Грейс, которая не сумела прожить жизнь так, как ей хотелось, но зато вдохновила на это меня.

## Мы все — продукты своего окружения

В то субботнее утро, когда мы познакомились с Энтони, ему еще не исполнилось сорока лет. У него были светлые кудрявые волосы, и, несмотря на болезнь, в нем сквозило какое-то озорство. Я совсем не привыкла работать с такими молодыми пациентами. Мы сразу же подружились, и, несмотря на обстоятельства, в нашем общении всегда находилось место юмору.

Энтони был старшим сыном в семье бизнесменов-миллиардеров и всю жизнь наслаждался роскошью. Стоило ему чего-то захотеть, он тут же это получал, и в молодости это работало ему на руку. Однако на Энтони также лежала огромная ответственность как на будущем наследнике семейной бизнес-империи. Это сильно давило на него, и, несмотря на несомненный ум, хорошее образование и прекрасные перспективы, Энтони страдал от низкой самооценки. Он пытался скрыть это за юмором и тягой к веселым выходкам. Энтони, у которого был младший брат и четыре младшие сестры, не мог быть тем, кем его хотела видеть семья, и это лежало на нем тяжелым грузом.

Юные годы Энтони провел, гоняя за рулем спортивных машин с полицией на хвосте, нанимая самых дорогих девушек по вызову и сравнивая с землей всех, кто становился на его пути. Между молодыми людьми из богатых пригородов шла фактически война за территорию. Некоторые из поступков Энтони никак не вызывали уважения. Из-за своей низкой самооценки Энтони часто вел себя необдуманно, даже рисковал жизнью. Одна из таких опасных выходок привела его в больницу, где он оказался с повреждением внутренних органов и конечностей, с угрозой навсегда лишиться и здоровья — и той свободы, которую несет с собой здоровье.

Врачи приложили все усилия, чтобы вернуть ему свободу, но надежды на исцеление было мало. Энтони, надо сказать, отнесся к этому мужественно. Понимая, что он, вероятно, уже нанес себе непоправимый ущерб, он попросил врачей поторопиться со следующей операцией, чтобы ситуация скорей разрешилась в любую сторону. Ему провели несколько операций, а затем целую неделю он проспал на обезболивающих препаратах, пока я сидела у его постели в больничной палате. После этого оставалось только ждать и надеяться, что он постепенно поправится.

Энтони любил, чтобы я читала ему вслух. Эта традиция родилась однажды вечером, когда он спросил меня, что я читаю. Я читала о Ближнем Востоке — после поездки туда меня постоянно тянуло обратно. Автор книги писал об истории и укладе в этом регионе умно и без предубеждения. Хотя я прекрасно знала и о подчиненном положении женщин во многих странах Ближнего Востока, и об экстремистах, совершающих ужасные поступки во имя своей религии, я также видела другую сторону ближневосточной культуры, которую, к сожалению, никогда не освещают средства массовой информации.

На Ближнем Востоке живут добросердечные, потрясающе гостеприимные люди, которые превыше всего ценят семью. Меня всюду принимали без малейшего колебания, и мне навстречу раскрывались прекрасные сердца. То же самое относится и к людям с Ближнего Востока, с которыми я познакомилась уже в Австралии. На Западе семейные связи очень сильно ослабли, особенно связи со старшим поколением. В этом я лично убедилась, глядя на количество одиноких стариков в домах престарелых, где иногда подрабатывала.

Меня всегда завораживали другие культуры и то, насколько разный образ жизни мы выбираем. Я также обожаю те кулинарные приключения, которые несет с собой знакомство с чужой культурой. Однако на глубинном уровне мы все похожи, поэтому я никогда не могла понять расизм. Большинство людей совершенно одинаковы: мы просто хотим быть счастливыми. И у каждого из нас есть сердце, способное страдать.

Энтони захотел поподробней узнать, о чем книга, так что я заварила нам чайничек ароматного травяного чая и пересказала ему прочитанные страницы. После этого я продолжила читать уже вслух. Так мы стали проводить час или два ежедневно, и нам обоим это приносило большое удовольствие. Шла неделя за неделей, и я знакомила Энтони с книгами, которые иначе никогда бы не попались ему на глаза. Я предлагала ему разные темы на выбор, но он неизменно настаивал, чтобы я читала то, что мне самой интересно.

Так я познакомила его с некоторыми классическими книгами для духовного роста. Я читала ему о жизни, философии, о нетрадиционном мышлении. Мы обсуждали прочитанное, пока я ухаживала за ним: поднимала неработающую руку, потом вторую, затянутую в гипс, меняла повязку на неработающей ноге, потом кормила его, причесывала и так далее.

Через какое-то время пришлось признать, что операции прошли не вполне успешно. Что-то врачам удалось исправить, но некоторые органы и части тела Энтони были повреждены навсегда. Он не мог вернуться домой: ему нужен был круглосуточный уход до конца жизни. Было принято решение отправить его в частный интернат — один из лучших в городе, судя по цене услуг и рекламному буклету.

Так Энтони, еще совсем молодой человек, оказался заперт в четырех стенах блеклого цвета, в окружении умирающих стариков. Мне это место казалось ужасным, я мечтала взять краску поярче и перекрасить стены. Но Энтони поначалу казался почти счастливым. Его успокаивало, что семья перестала о нем волноваться — они знали, что он под присмотром. Он также веселил и подбадривал пожилых пациентов, быстро став общим любимчиком. Однако со временем жизнерадостность Энтони померкла, а отсутствие внешних стимулов притупило когда-то острый ум. Он начал превращаться в продукт своего окружения.

Мы все очень податливые, изменчивые существа. Хотя мы вполне способны думать самостоятельно и у нас есть свобода воли, чтобы жить так, как подсказывает сердце, окружение оказывает на нас огромное воздействие — особенно пока мы не начнем осознанно принимать решения о своей жизни.

Например, бывает, что после повышения по службе вполне практичные и уже и без того счастливые люди резко меняются. Им перестает хватать того, что у них есть; в попытках угнаться за новыми друзьями с новым уровнем достатка они меняются изнутри, мимикрируя под свое окружение. Например, район, которым они раньше были довольны, теперь их не устраивает, и они переезжают в более подходящее место. Иногда это приносит им счастье, но не всегда.

Многие деревенские жители, перебравшиеся в город, адаптируются, переключаются на городскую моду и активный образ жизни. Другие люди, выросшие в городе, адаптируются к сельской жизни и замедляются, отказавшись от брендовых вещей, переодеваются в джинсы и резиновые сапоги и счастливо копаются в земле. Где бы мы ни оказались, со временем наше окружение непременно начинает на нас влиять.

Моя молодость прошла достаточно бурно, хотя и началась с задержкой: к девятнадцати годам я была обручена и вела совершенно взрослый образ жизни, у меня даже была ипотека. Наши отношения с женихом были нездоровыми, и сейчас я даже не представляю, как мне вообще удалось пережить это время. Я постоянно терпела с его стороны оскорбления и унижения, психологические игры и злость, доходящую до ярости; моя уверенность в себе таяла на глазах.

Чаша моего терпения переполнилась примерно тогда же, когда я в очередной раз сменила работу. Новые коллеги оказались потрясающими людьми, и я опять почувствовала вкус к жизни. Стабильная работа дала мне возможность спастись из ситуации: я перевелась в офис на северном побережье и начала все сначала.

Это был счастливый, беззаботный период, я получила полную свободу наслаждаться танцами и встречаться с мальчиками. Многие в нашей компании увлекались наркотиками. К тому моменту я уже знала, что не люблю алкоголь, и, хотя окончательно я бросила пить уже позже, даже тогда алкоголь занимал в моей жизни мало места. Впрочем, вокруг хватало и других соблазнов, и в течение года я экспериментировала с разными веществами. В то время еще не появились современные синтетические наркотики, названий которых я даже не знаю. Мои друзья баловались доморощенной травкой, а однажды мне предложили попробовать опиум, и я согласилась.

В тот момент я считала, что вполне могу попробовать что-то новое, и при этом мне хватит ума ограничиться одним разом — к счастью, я никогда не проверяла эту теорию на героине. От него я всегда держалась подальше. Я по одному разу экспериментировала с опиумом, грибами, ЛСД и кокаином — все в течение этих двенадцати месяцев, — после чего никогда их больше не употребляла. Думаю, что в результате тех ограничений, которые я терпела в родительском доме и со своим женихом, во мне накопилось желание совершать безрассудные поступки.

Но, кроме этого, на бессознательном уровне я чувствовала себя абсолютно никчемной.

Впрочем, я очень быстро поняла, что наркотики не для меня, и, хотя мне было интересно кое-что попробовать, я говорила себе, что делаю это ради нового опыта, а не чтобы «упороться». На сознательном уровне я быстро сообразила, что мне нравится вести здоровый образ жизни. На бессознательном уровне мне предстояло еще долго освобождаться от влияния на меня чужих мнений. Мое счастье по-прежнему очень сильно зависело от окружающих.

Несколько лет спустя, уже уехав с острова, я жила в Англии и работала в деревенском пабе. Вокруг было много спидов[1]. Местные парни, занюхав пару дорог, приходили в паб с расширенными зрачками, скрипя зубами. Их жизнь была абсолютно монотонной изо дня в день, из года в год. Поэтому, когда им удавалось раздобыть спиды, это достаточно изменяло их реальность, чтобы они могли по-новому посмотреть на привычное окружение. Они всего лишь пытались спастись от скуки, и, глядя, как на следующий день они страдают от хандры и усталости, я спрашивала себя, а стоила ли игра свеч.

Пару раз мы с Дином к ним присоединялись, но очень быстро нам это разонравилось. Отходняк от спидов был чудовищным, и я просто не могла так жестоко обращаться с собственным телом. Однако в тот же период я пережила опыт, который изменил меня навсегда — и вновь это случилось, потому что я поддалась своему окружению, вместо того чтобы сознательно принять решение повести себя правильно.

---

[1] От английского слова «скорость» (speed), так называют стимуляторы амфетаминового ряда (амфетамин/метамфетамин). — *Примечание ред.*

В те выходные Дин был занят на работе, поэтому я вместе с другими деревенскими парнями поехала на электричке в Лондон. Хотя мне уже было под тридцать, я раньше никогда не была на рейве, просто потому, что мне не нравилась такая музыка. Но мои деревенские друзья никак не хотели, чтобы я сидела одна дома. Они убеждали меня, что это будет лучший вечер в нашей жизни, и я согласилась поехать.

Мне уже доводилось один раз пробовать экстази, и ничего страшного не случилось. Я забавно провела вечер и пережила отходняк, хотя он мне определенно не понравился. Несколько дней у меня болел живот и совершенно не было сил. Этого опыта мне вполне хватило, и с тех пор я всегда вежливо отказывалась от экстази. Кроме прочего, каждый раз, принимая наркотики, я потом мучилась угрызениями совести, а я и без того была склонна к самобичеванию. Однако в электричке по пути в Лондон друзья убедили меня проглотить таблетку экстази.

Настоящие тусовщики принимают по несколько таблеток каждую неделю, так что почему бы мне не съесть всего одну? Впрочем, я ни в чем не виню своих друзей. Они всего лишь хотели поделиться со мной тем, что нравилось им самим. Выбор оставался за мной, и я проглотила таблетку, как раз когда поезд подходил к вокзалу Виктория. Была середина зимы, и на улице стоял дикий холод, как всегда в это время в Лондоне.

Как только мы вошли в клуб, я поняла, что ночь будет долгой. Мне сразу же не понравилась музыка: насколько я люблю акустическую музыку, настолько же не люблю электронную. Из динамиков неслось техно. Зная, что мне никуда не деться до самого утра, я решила принять ситуацию, расслабилась и присоединилась к друзьям на танцполе. Они прекрасно проводили время, а я с трудом терпела происходящее.

Затем таблетка подействовала в полную силу, и я поняла, что мне нужно выбраться из толпы. С меня градом лил пот. Любое прикосновение вызывало приступ клаустрофобии. Я с трудом пробиралась через переполненный танцпол, чтобы глотнуть свежего воздуха. Пол вибрировал от басов, которые отдавались у меня во всем теле. Улыбающиеся лица людей вокруг начали сливаться. Я стремительно теряла контроль над собой, и мне нужно было спрятаться в безопасном месте.

Шум, смеющиеся лица и свет искажались все сильнее, пока я отчаянно пробиралась к женскому туалету. Я заперлась в кабинке, но, как мне ни хотелось остаться там всю ночь, это было невозможно. В дверь начали барабанить, и я неохотно покинула свое убежище.

На улице было слишком холодно, а поезда в сторону дома начинали ходить только в шесть утра. От шума и смеха в женском туалете у меня кружилась голова. Подняв голову, я заметила подоконник. Вот оно, мое убежище, решила я. Забравшись на раковину, я сумела перебраться на подоконник, достаточно широкий, чтобы на нем можно было сидеть без риска свалиться вниз. Я незаметно устроилась в уголке над раковинами. Хаос и суета остались внизу, и я смогла немного отдышаться.

С меня продолжал градом лить пот, так что я с облегчением прижалась к ледяному окну. Теперь я чувствовала себя в безопасности и мне проще было справиться с ситуацией. Мое бедное сердце колотилось с нездоровой скоростью, и я молилась о том, чтобы пережить эту ночь. Мне почему-то не пришло в голову обратиться за медицинской помощью. Может быть, подсознательно я боялась проблем с полицией из-за наркотиков. Не знаю. Но в тот момент мне казалось, что самое лучшее — это сидеть, прислонившись головой к холодному стеклу.

— Эй, ты в порядке? — спросила незнакомая женщина, дернув меня за штанину, которая болталась у нее примерно на уровне глаз.

Я слышала ее, но продолжала сидеть с открытым ртом, откинув голову назад и глядя в потолок. У меня не было сил ей ответить. Сердце стучало как бешеное, и я не могла пошевелиться.

— Ты в порядке? — повторила она настойчиво. Я собрала все силы, опустила на нее глаза и кивнула.

— Вода у тебя есть? — спросила она. Я пожала плечами, и тогда она исчезла, но вскоре вернулась с бутылкой воды.

— Пей, — велела она. Я послушно выпила, и она вновь наполнила бутылку водой из-под крана.

— Спасибо, — выдавила я. Разговаривать было тяжело, но полезно, потому что разговор вынуждал меня сосредоточиться на реальности, а не теряться в трипе. Нам удалось немного поболтать. Эта женщина оказалась моим ангелом-хранителем.

Всю ночь я просидела на подоконнике, не в силах сдвинуться с места, с бьющимся сердцем. Она регулярно заходила меня проведать, каждый раз наполняла бутылку водой и разговаривала со мной. По сей день я не знаю ее имени, но мне страшно подумать, что бы со мной было, если бы не она. Примерно за полчаса до закрытия клуба она помогла мне спуститься с подоконника. Я все еще была не в себе, но теперь хотя бы могла разговаривать. Мы немного поболтали. Хотя мы и шутили над ситуацией, мы обе понимали, через что я прошла, и я с благодарностью обняла свою спасительницу. Она вывела меня из туалета, и вместе мы нашли моих друзей, которые всю ночь меня разыскивали и были страшно счастливы, что я нашлась живой и невредимой. «Приглядывайте за ней», — сказала им женщина, вложила мою руку в руку одного из них и ушла.

По пути домой мои друзья смеялись и повторяли, что ночь была просто супер и как жаль, что наркотики выветрились. Я прислонилась лбом к стеклу и делала вид, что сплю, хотя знала, что заснуть мне удастся еще нескоро. Сердце у меня по-прежнему так и рвалось из груди, а в голове была одна-единственная мысль: поскорей бы это все закончилось. С этого дня я больше никогда не травила свой бесценный организм ядовитыми веществами. Проспав двое суток подряд, я проснулась новым человеком, благодарная за полученный урок. Лежа в постели, глядя в потолок, все еще без сил после этого безумного приключения, я была счастлива, что жива. Как никогда раньше я чувствовала, что здоровье — это великий дар, что нужно его ценить и обращаться с собой с уважением.

Несколько лет спустя на концерте мне предложили таблетку экстази, и я отказалась от нее вежливо, но без малейших колебаний. Наркотики стали чем-то совершенно чуждым моему миру. В тот момент я поняла, что снова стала продуктом своего окружения — на этот раз, к счастью, совершенно другого. Теперь я вела здоровый образ жизни. В моей новой компании было принято проводить время за долгими прогулками, вылазками на природу, здоровой пищей и чаем у костра. Такое окружение подходило мне куда лучше прежнего, и я была совсем не против стать его продуктом.

Энтони сделался продуктом своего окружения в самом худшем смысле слова. Когда я навещала его в интернате в первый год, он с удовольствием обсуждал политику и новости, за которыми следил по радио и телевидению. Он был весьма проницателен, не лез в карман за остроумным мнением или саркастическим замечанием. Кроме того, он расспрашивал, как у меня дела, и слушал с искренним интересом. Я выкатывала его кресло на улицу, и мы гуляли, радуясь солнцу и болтая с прохожими, а иногда просто сидели в садике во дворе интерната, наблюдая за птицами и разговаривая.

Однако со временем его запал угас до такой степени, что он отказался от этих прогулок. Когда друзья или родные предлагали ему поучиться чему-нибудь новому и изменить свою жизнь к лучшему, он не хотел их слушать.

— Не вижу смысла, — говорил он мне раз за разом. — Мне и здесь нормально, я принял свою судьбу.

Энтони считал, что заслужил все, что с ним случилось, потому что в прошлом сам причинил другим немало вреда.

— Ты уже заплатил по счету, Энтони, — говорила я. Ты усвоил урок, и это главное.

Но он отказывался себя простить. К тому же он не хотел напрягаться, чтобы менять что-то. Энтони привык к ритму жизни, принятому в интернате, и не собирался возвращаться к обычной действительности. В некотором смысле инвалидность сняла с него тяжелый груз ответственности, потому что теперь он был ничего никому не должен. Ему было неважно, что в мире полно людей с инвалидностью, которые живут полной жизнью и служат источником вдохновения для других.

На самом деле, Энтони использовал свое состояние здоровья как оправдание, чтобы ничего не делать и не рисковать потерпеть еще одну неудачу. Он признался мне, что у него просто не осталось смелости на новые попытки. Лишившись остатков мотивации, он принял решение доживать свою жизнь в полусне, пока за стенами интерната всходило и садилось солнце.

Я еще год продолжала иногда навещать его, несмотря на гнетущую обстановку в интернате. Но наши отношения на глазах становились односторонними. Энтони перестал звонить друзьям, в том числе и мне, а раньше мы часто разговаривали по телефону. Когда я приходила, наши разговоры вращались вокруг работы его кишечника и грубости персонала. Было трудно закрывать глаза и на то, что он полностью потерял интерес к своему внешнему виду.

Энтони состарился раньше своего срока, и, хотя он по-прежнему был лет на тридцать моложе остальных обитателей интерната, теперь он казался одним из них. Он превратился в продукт своего окружения. Глядя, как он угасает, я не могла не думать о мужестве, без которого невозможно следовать зову своего сердца. К несчастью, жизнь Энтони стала наглядным примером того, чего сама я всеми силами старалась избежать.

Через несколько лет мне позвонил его младший брат, чтобы сообщить, что Энтони умер. До самого конца его жизнь оставалась неизменной, и он наотрез отказывался покидать стены интерната, даже ради семейных праздников. Я невольно задумалась: о чем он думал перед смертью, окидывая мысленным взглядом прожитую жизнь?

Страх Энтони потерпеть неудачу подтолкнул меня двигаться вперед. Отказавшись от любой борьбы, он лишил себя возможности меняться и расти. Он зря боялся неудачи: рискни он предпринять хоть что-то, сама попытка уже была бы успехом. Настоящим провалом Энтони было то, что он превратился в продукт своего окружения и потерял желание прикладывать усилия, а значит, улучшать свою жизнь. Мне было безумно жаль, что этот добрый и умный человек умер, так и не воспользовавшись всеми замечательными качествами, с которыми был рожден.

Тогда я приняла решение: если мы все становимся продуктами своего окружения, то лучшее, что можно сделать, это внимательно выбирать свое окружение. Оно должно помогать, а не мешать нам идти к намеченным целям. Чтобы жить так, как я хочу, мне по-прежнему требовалась смелость. Но сознавая, как на меня влияет окружение, я могла немного облегчить себе путь. Этот урок придал мне смелости, чтобы осознанно творить свою жизнь, и напомнил о том, какую силу имеет свобода выбора.

## Ловушки

Не всегда отношения с пациентами сразу складывались удачно. Я работала преимущественно с умирающими, но отдельные мои пациенты нуждались в уходе из-за психического расстройства. Поскольку на некоторых таких эпизодических клиентов мое присутствие оказало успокаивающий эффект, мне начали предлагать более сложные случаи. Так в очередной раз подтвердилось, что в жизни не бывает бесполезного опыта: в прошлом я не раз сталкивалась с иррациональным поведением, и теперь это помогало мне справляться со сложными пациентами.

Как правило, меня не слишком обескураживало поведение проблематичных больных. Я нарочно пишу «как правило», потому что бывали и исключения. Иногда при всем моем спокойствии я никакими усилиями не могла умиротворить пациента. Как раз таким случаем была Флоренс, жившая в роскошном особняке — одном из красивейших домов в городе. В первый раз стоя перед ее дверью, я вспомнила предупреждения начальства. Флоренс решительно отказывалась от ухода, настаивая, что ей он не нужен. В этом не было ничего нового — многие пожилые люди неохотно признают, что уже не столь независимы, как раньше.

Но я никак не ожидала, что моя новая пациентка выскочит из дома с метлой в руках и с визгом погонится за мной. Она выглядела совершенно безумной: волосы

давно не чесанные, под ногтями земля или еще что по-
хуже. Скача за мной в одном тапке, она ничем не напоминала Золушку. Платье, похоже, она не меняла уже год.

«Убирайся! Убирайся с моей территории! — кричала
она. — Я тебя убью. Убирайся! Ты такая же, как все они!
Выметайся, или я убью тебя!»

Швабра просвистела совсем рядом с моей головой. Я, конечно, со многим могу справиться, но я не идиотка и не му-
ченица. Я все же попыталась успокоить Флоренс, но она
меня не слушала, угрожая разбить мне стекло в машине.
Это было уже слишком. «Хорошо, хорошо, — сказала я. —
Я уезжаю, Флоренс. Все в порядке». Дикая и неукрощен-
ная, она стояла перед крыльцом, защищая свою территорию, крепко сжимая в костлявых руках швабру.

Уезжая, я видела ее отражение в зеркале заднего вида.
Она не шевельнулась, пока я не скрылась из виду. Наверное, стороннему наблюдателю эта сценка могла бы показаться забавной, но я не могла не посочувствовать Флоренс. Невольно я гадала, кем она была раньше, какую вела
жизнь и как оказалась в такой ситуации.

Месяц спустя я получила ответы на свои вопросы, вновь
приехав по тому же адресу. За прошедшее время Флоренс
принудительно увезли в больницу с применением успо-
коительного. Вероятно, это была чудовищная сцена, и она
ужасно испугалась. Но несколько недель в психиатриче-
ской клинике пошли ей на пользу, и теперь ей стало лучше. Врачи были довольны тем, как она реагирует на лекарства, и согласились отпустить ее домой, порекомендовав
круглосуточный уход.

Когда я вошла в дом, меня ждала участковая медсестра.
«Она спит, но скоро должна проснуться. Я подожду вместе
с вами», — объяснила она. Войдя в особняк через двуствор-
чатые двери, я увидела громадную мраморную лестницу,

роскошные люстры и великолепную старинную мебель. Все это сопровождалось невыносимой вонью.

«Мы как раз закончили с прихожей. Давайте я покажу вам дом», — сказала медсестра, кивнув на команду уборщиков в соседней комнате. Флоренс уже десять лет жила буквально в свинарнике, и никто об этом не догадывался, пока недавно сосед не пожаловался медсестре на ее странное поведение. Та зашла навестить Флоренс и узнала о ее бедственном положении — не от самой Флоренс, разумеется, которая никого к себе не подпускала, а заглянув в окно дома.

Питалась она одними консервами, и в кладовке у нее хватило бы запасов еще на год. Никаких других продуктов я не увидела — ничего свежего, ничего, что требовало готовки. Кухонный пол почти целиком скрывался под завалами мусора, а тот клочок, который было видно, покрылся толстенным слоем грязи. Ванная комната выглядела не лучше: повсюду сваленные в кучу грязные полотенца и высохшие куски мыла. Было также очевидно, что ни душем, ни ванной никто давно уже не пользовался.

Медсестра провела меня вниз, где мы увидели еще где-то шесть спален и пару ванных комнат в таком же запущенном состоянии. Чтобы убраться в доме, были наняты профессиональные уборщики, и ожидалось, что это займет не меньше нескольких недель. Мы вышли к грязному бассейну, в котором, наверное, не смогли бы выжить даже лягушки. Стоя во дворе и глядя на этот великолепный дом, я гадала, что за печальную историю скрывают его стены.

В больнице Флоренс отмыли, и она лежала в кровати в чистой нарядной ночной рубашке. Ей расчесали и подстригли волосы, а также вычистили ногти. Она совершенно преобразилась.

●

**У КАЖДОГО ИЗ НАС**

**ЕСТЬ СВОИ ЛОВУШКИ,**

**ИЗ КОТОРЫХ НУЖНО**

**ВЫСВОБОДИТЬСЯ.**

●

Вместо старой кровати Флоренс в комнате стояла специальная больничная койка. Мне дали строжайшие указания: пока мы дома одни, пациентка постоянно должна оставаться в кровати с поднятыми бортиками. Вставать с кровати ей разрешалось только на два часа утром и еще на два часа днем, когда к нам присоединялась вторая сиделка. Утром она помогала с душем, завтраком и походом в туалет. Днем мы выводили Флоренс в сад или на балкон, чтобы она подышала воздухом. Кроме того, она все время должна была принимать мощные успокоительные препараты, благодаря которым стала более управляемой, чем раньше.

Прошел месяц, и теперь мы с Флоренс проводили время в сияющем чистотой доме. Уборщики, наконец, закончили работу, и теперь приходили раз в неделю. У Флоренс иногда прояснялось в голове, и она стала понемногу рассказывать о себе. Она прожила замечательную жизнь, полную приключений. Она путешествовала по миру на роскошных яхтах и побывала во многих удивительных странах. Я протягивала ей фотографии, на которые она указывала, и она рассказывала мне про каждую из них. С большим трудом я узнавала ее в красивой молодой женщине, смеявшейся с этих карточек.

Я не сказала бы, что мы сильно сблизились, но мы достаточно свыклись друг с другом, чтобы мирно сосуществовать. Иногда во Флоренс по-прежнему проскальзывала та безумная, дикая женщина, которая когда-то грозила мне шваброй. Безусловно, помощь второй сиделки была нам совершенно необходима. Флоренс послушно принимала лекарства, но сопротивлялась, как бешеная, когда доходило до принятия душа. А того дня, когда мы мыли ей голову, я каждый раз ждала с ужасом. Впрочем, после душа она всегда приходила в хорошее настроение и прихорашивалась перед зеркалом, как роскошная светская дама, какой когда-то была.

Флоренс была единственной наследницей очень богатой и аристократической семьи. Семья ее мужа тоже была богатой, но он все равно был ей не пара. В результате какой-то сомнительной деловой сделки он на несколько лет попал в тюрьму. Единственный родственник, с которым Флоренс поддерживала отношения, рассказал мне, что примерно в это же время она начала относиться ко всем окружающим с подозрением.

Выйдя из тюрьмы, муж Флоренс скоропостижно умер, так что у нее не было возможности излечить или смягчить свою паранойю. Ее состояние ухудшалось. Она бесконечно доверяла мужу и считала, что все остальные охотятся за ее деньгами, а он оказался в тюрьме из-за чужих козней. Мне было неважно, почему ее муж попал в тюрьму, так что я об этом не задумывалась.

Большую часть времени Флоренс не возражала лежать в постели. Она радовалась тому, что находится у себя дома, и иногда признавалась мне и другим сиделкам, что ей приятна наша компания. Однако каждый день, за несколько часов до дневного прихода второй сиделки, Флоренс совершенно преображалась. Это случалось почти в одно и то же время по часам.

«Выпустите меня! Выпустите меня из этой чертовой кровати! Помогите. Помогите! Помогите!!!» — кричала она изо всех сил, и ее голос отражался от мраморных полов и раздавался по всему особняку. Я входила в комнату, и иногда мне удавалось ее ненадолго успокоить, но всего на несколько секунд. Не больше, чем на три. Затем она снова начинала кричать. «Помогите! Помогите! Помогиииииитееееееее!»

Если бы мы с Флоренс не были в таком дорогом доме, с толстыми стенами и огромной территорией, соседи бы наверняка каждый день звонили в полицию. Ей было неважно, одна она в комнате или нет: она звала на помощь и умоляла выпустить ее из кровати, пока не приходила вторая сиделка. Вместе мы освобождали ее.

Успокоить Флоренс во время приступов было невозможно, и мне было так жаль ее, что иногда хотелось ей уступить. Однако я уже видела ее в приступе паранойи и не готова была рисковать своей безопасностью. Я так и не забыла, как она гналась за мной со шваброй в руках и бешеной решимостью в глазах. Каждый день на время приступа Флоренс вновь превращалась в эту фурию, и я понимала, что лучше довериться мнению профессионалов, назначивших ей определенный уход и лечение. И тем не менее я не могла ей не сочувствовать. Наверное, это ужасно— оказаться пленницей в собственном доме.

Бортики на кровати, требования закона и решения врачей — все это удерживало Флоренс на месте. Но задолго до всех этих факторов она оказалась в ловушке собственной паранойи. Болезнь Флоренс давно лишила ее возможности выходить из дома, заставляя подозревать, что ее могут обокрасть. Хотя большинство людей не заперты в своих домах в прямом смысле слова, нередко мы сами создаем ограничения, которые мешают нам жить.

В детстве старший брат как-то запер меня в ящике. Это был большой деревянный ящик в саду, в стороне от дома. Брат убедил меня залезть внутрь и запер дверь. Но я не чувствовала, что попала в ловушку — я сидела в темноте довольная, ощущая себя в полной безопасности. Уже в три года я любила одиночество и спокойствие. Через некоторое время я услышала голос мамы, которая в панике меня разыскивала. Она выпустила меня на свободу, и я вернулась к хаосу семейной жизни.

Став взрослой, я столкнулась с совсем другими ловушками. Пока я пыталась найти в себе смелость шаг за шагом двигаться по жизни туда, куда мне хочется, мне ужасно мешали прежние шаблоны мышления. Пытаясь высвободиться из этих мной же созданных ловушек, я обнаружила, что особенно нелегко будет побороть страх перед сценой.

Если бы кто-то мне сказал, что фотография и писательство со временем приведут меня на сцену, я бы рассмеялась над абсурдностью этой мысли. Все началось с того, что я стала продавать свои снимки на рынках, а потом в галереях. Их продавалось не так много, чтобы на эти деньги можно было жить, но достаточно, чтобы не бросать фотографию.

Вдохновившись своим скромным успехом, я решила поработать в сфере фотографии и устроилась в профессиональную лабораторию в Мельбурне. К сожалению, это оказалась офисная работа, и, год проскучав в помещении без окон, я признала, что она ничем не лучше моей прежней работы в банке. Мне не представилось ни одной возможности вникнуть в творческую сторону фотографического бизнеса, и я потеряла интерес к этой работе до такой степени, что начала делать глупые ошибки. Помню, что в то время я часто вздыхала; поставив локти на стол и положив подбородок на руки, я пыталась придумать, как мне найти удовлетворение в работе, — и снова вздыхала.

Впрочем, из лаборатории я вынесла понимание, что совершенно необязательно работать в сфере фотографии, чтобы хорошо снимать. С помощью новых друзей, которые хорошо разбирались в цифровых технологиях, я создала небольшую книжку о фотографии и вдохновении. И вновь качество моей работы вызвало много похвал, но недостаточно, чтобы книжку напечатали. Существенным фактором отказа была цена цветной печати, о чем мне и писали

издатели, хотя некоторые добавляли, что книга получи-
лась очень красивой.

Несколько лет я безуспешно пыталась найти издателя,
отдавая этому предприятию все свои силы. Но мне продолжали приходить письма с отказами, хотя иногда к ним до-
бавлялись слова поощрения. Именно тогда, донельзя рас-
строенная и разочарованная провалом своих попыток,
я взяла в руки гитару. Играть я почти не умела, но все равно сочинила половину своей первой песни. В тот момент
я даже не представляла, что он окажется судьбоносным.

Зная о том, как важно принимать настоящее, не сопро-
тивляясь ему, я постепенно признала, что моя книга может так и не увидеть свет. Я решила, что это неважно —
в своих глазах я уже преуспела, хотя бы потому, что мне
хватило смелости попытаться. Успех не связан с тем, что
кто-то согласится или не согласится опубликовать твою
книгу. Он связан только с тем, хватит ли тебе смелости
быть собой независимо ни от чего. Придя к выводу, что
попытки издать книгу преподали мне ценный жизненный
урок, я, наконец, сумела отказаться от этой затеи. Возможно, идея этой книги пришла мне только для того, чтобы
я могла чему-то научиться. А может быть, для ее выхода
еще не наступило время.

Как бы там ни было, мне пришлось отказаться от идеи
издать книгу. Я и так уже вложила в это предприятие слишком много сил и теперь чувствовала себя полностью опу-
стошенной. Пришло время вернуться к настоящей жизни и бросить попытки контролировать реальность. Пока
я приходила в себя и искала ответы на вопросы, все глубже уходя в медитацию, недописанная песня тоже лежала
забытая. Но однажды, приехав домой с очередной практики молчания и медитации, я почувствовала непреодолимое желание вернуться к ней. С этого момента я знала, что

писать песни — часть моего предназначения, и в тот же день не только закончила первую песню, но написала вторую. Стоило только начать, и я уже не могла остановиться. Песни так и лились из меня.

В детстве мы с братьями и сестрами устраивали концерты для родных и друзей. Любовь к музыке передалась мне по наследству: позже у моих родителей были другие, более «нормальные» профессии, но, когда они познакомились, он был гитаристом, а она певицей. При всем при этом меня никогда не тянуло на сцену. Даже начав писать песни, я ужасалась при одной мысли о живом выступлении. Многие авторы песен сами их не исполняют, и именно этот вариант меня устраивал. Но чтобы быть услышанной, для начала нужно было выйти на сцену самой.

Долгое время эта мысль пугала меня и тревожила. После длительных поисков работы, которая была бы мне по сердцу, я наконец нашла любимое дело, но оно требовало публичности, а я всегда так любила и берегла свое личное пространство! Я мечтала затеряться в толпе и продолжать жить тихо и незаметно. Жизнь автора и исполнителя песен, как она мне представлялась, была совершенно не для меня.

Иногда нам выпадают уроки, которые можно назвать скорее полезными, чем приятными. Меня раздирали внутренние противоречия. Не помогало и то, что вовсе не все близкие одобрили мое новое поприще.

В тот период я часто приходила на реку и подолгу купалась, пытаясь принять новое направление своей жизни. Прохладная вода очищала меня с каждым взмахом рук. Когда я ныряла и плыла под водой, весь остальной мир исчезал. У реки не было слышно ничего, кроме пения птиц и шума ветерка в кронах деревьев. Этот покой был целителен, и я впитывала его всей кожей. Однажды я даже видела утконоса — очень робкое животное, которое почти никогда не выходит к людям.

Как-то раз, сидя на берегу, чувствуя, как природа магически исцеляет мою усталую душу, я вынуждена была признаться себе в очевидном. В глубине души я всегда знала, что моя жизнь будет до какой-то степени на виду. Все равно я смогу выбирать, что оставить на виду, а что утаить. Моя жизнь принадлежит мне, и я сама буду решать, как ей распоряжаться.

Если мне суждено писать песни, если я смогу этим помочь другим людям, то со временем сумею привыкнуть к этой роли. Это решение меня успокоило. Мне помогла также мысль о том, что этот путь непременно поспособствует моему личному росту, независимо от того, кто услышит мою музыку.

Вспоминая свои первые выступления, я глубоко сочувствую не только себе, но и слушателям. Хотя сама музыка была неплохой, люди в зале не могли не видеть, что выступления даются мне с большим трудом. У меня дрожали руки, гитара дергалась, пальцы не попадали по струнам, а голос срывался. Это было мучительно, и часто я так нервничала, что мне становилось физически плохо. Выручала только медитация, а также постоянная практика. Упорная практика обязательно ведет к прогрессу в любом деле. Что-то не давало мне свернуть с пути, несмотря на постоянный ужас и нервы: это было принятие своего места в жизни и стремление быть полезной другим. Это также было желание быть услышанной — наконец-то у меня появилась возможность поделиться с людьми мыслями, которые я так долго держала в себе!

Мне было уже хорошо за тридцать, когда я написала свою первую песню, и прошел еще год или два, прежде чем я вышла на сцену. К этому времени я совсем отказалась от алкоголя, так что приходилось смотреть в лицо своим страхам на трезвую голову. В конечном итоге сцена пошла мне на пользу и помогла раскрыться. В тот период, когда я ухаживала за Флоренс, я выступала в разных барах города, причем в основном через силу. В то время я была очень одинока, потому что из-за своих эмоциональных ран полностью замкнулась в себе. Мне удавалось выходить на сцену и петь свои песни, но долгое время это не приносило мне ни малейшего удовольствия.

Однако это действительно способствовало моему развитию. Делясь своими мыслями с целым залом незнакомых людей, я вынуждена была вновь и вновь раскрываться, вылезать из своей раковины. Кроме того, мои песни и мысли встречали теплый отклик, и это поощряло меня как автора.

Надо признать, что особенно тяжело было выступать в местах, не подходивших мне ни по стилю, ни по характеру. За несколько лет концерты в шумных барах и пабах надоели мне настолько, что я завязала с ними навсегда. Период обучения был завершен. Возможно, это решение ограничило круг доступных мне площадок, но я все равно не стремилась к популярности и выступлениям, так что это меня мало беспокоило. Я уже побывала на нескольких фолк-фестивалях и ощутила, какое это счастье, когда аудитория принимает тебя с уважением и не только слушает твои песни, но и понимает их. Эта связь со слушателями дает просто потрясающее чувство. Так что с этого момента я выступала либо на прекрасных площадках, либо на тематических фестивалях.

Вспоминая те первые выступления, я с трудом узнаю себя. Сегодня на сцене я полностью уверена в себе, потому что играю в правильных местах перед правильными людьми. Мои песни наполнены смыслом, и, как правило, я пою их негромко, ведь мне больше не нужно перекрикивать разговоры выпивших посетителей бара и бояться потерять внимание публики, потому что по телевизору начался бокс. Если мне случается ошибиться, я просто смеюсь над собой и продолжаю играть. В конце концов, музыканты тоже люди.

Приятно также, что мне больше не досаждает главный местный красавчик — посетитель бара, который выпил больше остальных и внезапно решил, что он двойник Джонни Деппа. Он стоит перед самой сценой и пожирает меня глазами, пошатываясь и только чудом не проливая восемнадцатый стакан пива. Он уверен, что сам Бог создал его на радость всем женщинам, и вот он кивает мне и подмигивает, покачивая бедрами. Если мне повезет, после концерта он будет ждать меня возле сцены, чтобы стать ответом на все мои молитвы. Таких мне встречалось немало. Бог с ними.

Помимо работы над своим страхом выступлений, я каждый день шаг за шагом продвигалась по выбранному пути. Решив побольше узнать о музыкальной индустрии, я подучила музыкальную теорию и сдала вступительные экзамены в колледж. На одном экзамене мне пришлось дрожащим голосом исполнить одну из своих песен, но в конечном итоге я поступила, и вот в возрасте тридцати с лишним лет я оказалась студенткой. Каждая минута учебы была для меня счастьем.

Чтобы побороть страх, мне приходилось использовать разные инструменты. Одним из них, безусловно, была практика. Регулярно выходя на сцену, я росла как музыкант и исполнитель, росла и моя уверенность. Но больше всего мне помогали методы, позволявшие высвободиться из плена ума. Они применимы к любой сфере жизни, не только к выступлениям, и до сих пор помогают мне во всем.

Если во время выступления я начинала паниковать или у меня возникали упаднические мысли, вроде «*да как мне вообще в голову пришло подняться на сцену*», я принималась медитировать прямо посреди песни. Нет, я не переставала петь и играть, а также не усаживалась в позу лотоса. Я просто сосредотачивалась на дыхании, внимательно наблюдая каждый вдох и выдох. При этом мне приходилось довериться мышечной памяти и надеяться, что пальцы сами будут брать правильные аккорды, а голос не перестанет звучать. Этот метод работал просто замечательно: я быстро успокаивалась и возвращалась к песне с новыми силами и чувством.

Второй метод, который помог мне навсегда распрощаться со страхом сцены, был еще проще: я стала обращать на себя меньше внимания, решив, что выступление — это время, которое я дарю аудитории. Перед выходом на сцену я про себя произносила простую молитву, благодаря музыку за то, что она идет сквозь меня и доставляет людям радость. Затем я просто убиралась у себя с дороги и наслаждалась концертом вместе со слушателями.

Сцена научила меня многим полезным вещам. Я благодарна, что даже когда мне очень хотелось все бросить, жизнь вынуждала меня продолжать выступать. Как мы узнаем, что за дары ожидают нас в конце жизненного урока, если откажемся его проходить? Только прожив его, мы сможем это выяснить. Сегодня мне уже неважно, продолжу ли я выступать. Если да, то да, и я буду получать от этого громадное удовольствие. Если нет, то нет, и я буду получать громадное удовольствие от чего-то другого. Это совершенно неважно. Я просто буду идти туда, куда ведет меня сердце.

Совладав со страхом сцены, я научилась обуздывать свой ум и в других сферах. Я понемногу высвобождалась из тех ловушек, которых немало создала за целую жизнь благодаря своим нездоровым шаблонам мышления. У каждого из нас есть ловушки, из которых нужно высвободиться. Большинство из них не физического свойства, и даже те, которые имеют физическую природу, с большой вероятностью имеют нефизическое происхождение — например, нездоровое мышление и негативные убеждения.

К несчастью для Флоренс, она так и оставалась в ловушке своей кровати, во всяком случае, до прихода второй сиделки. Поскольку мое присутствие никак не влияло на ее приступы паники, я начала пережидать их в другой комнате. Иногда я заглядывала в дверь. Увидев меня, Флоренс на две секунды замолкала, затем отворачивалась и снова начинала звать на помощь. Жаль, что она не стала певицей — дыхалка у нее была превосходная.

По Сиднейской гавани проплывали яхты. Глядя на них, я вспоминала прежних друзей, ходивших под парусом, и гадала, где они теперь. Мои размышления прерывал звонок в дверь.

Как только мы со второй сиделкой опускали бортики кровати, крики прекращались, как по волшебству. Флоренс лучезарно нам улыбалась.

— Здравствуйте, дамы. Как у вас сегодня дела? — спрашивала она.

Мы с улыбкой переглядывались, помогая ей встать. Хотя второй сиделке не надо было ежедневно по несколько часов переносить крики Флоренс, она все равно слышала их каждый день.

— Все замечательно, Флоренс, спасибо, а как ваши? — спрашивала я.

— Неплохо, милочка. Я как раз любовалась лодками в гавани. Вы знаете, у них по средам соревнования.

— Да, действительно, — соглашалась я.

Вместе гуляя по саду, мы восторгались цветами. Сад тоже много лет стоял заброшенным, но недавно родственник Флоренс, уполномоченный распоряжаться ее деньгами, настоял, чтобы его привели в порядок. Он хотел, чтобы в дни хорошего самочувствия Флоренс могла радоваться саду. Поэтому теперь в саду регулярно трудились садовники, а бассейн вновь сверкал чистой водой.

«Посмотрите, какой у меня великолепный сад, — говорила нам Флоренс. — Как он прекрасен в это время года». Мы искренне соглашались. Несмотря на долгое отсутствие ухода, сад сохранил свою красоту и теперь расцветал на глазах.

«Я буквально на днях посадила эти цветы. В садоводстве нужно всегда быть начеку, особенно со всеми этими сорняками». Улыбаясь, мы вновь соглашались. Учитывая, что всего месяц-другой назад сад был похож на настоящие джунгли, было занятно слушать, каким его видела Флоренс.

Выдергивая из клумбы вьюнок, она продолжала: «Садоводу нельзя лениться. Саду постоянно нужны любовь и забота». Мы расспрашивали ее о цветах, и она отвечала с поразительной ясностью, демонстрируя глубокие познания в ботанике. «Этот вьюнок задушит цветы, и они погибнут, как в ловушке, — объясняла Флоренс, выпутывая цветок из объятий сорняка. — Я никому и ничему не позволю загнать меня в ловушку, и цветы свои тоже не дам в обиду».

Пока Флоренс освобождала свой прекрасный сад от всего, что мешало ему процветать, я про себя произнесла благодарственную молитву. Я благодарила за смелость, которая позволила мне заняться освобождением своей жизни от ненужных ограничений. Теперь я тоже могла расти и распускаться, как цветок.

# ВТОРОЕ
# СОЖАЛЕНИЕ

•

*Жаль, что я так много работал*

Вытирая посуду, я слышала, как мой пациент Джон в своем кабинете хихикает, словно школьник. «Да, и возраста она как раз подходящего», — сказал он в трубку. Речь шла обо мне. Джону было под девяносто, а мне еще не было сорока. Я покачала головой и улыбнулась, вспомнив слова одного семидесятилетнего знакомого: все мужчины — мальчишки.

Выйдя из кабинета через пару минут, Джон выглядел точно так же, как всегда: дипломатичный джентльмен без малейшего признака игривости. Очень вежливо он предложил мне сходить в ресторан пообедать, и кстати, есть ли у меня розовое платье? Если нет, он с удовольствием мне его купит. Я рассмеялась и вежливо отказалась от подарка, потому что розовое платье у меня как раз было. Хотя в мои профессиональные обязанности не входило наряжаться для клиентов или ходить с ними по ресторанам, мне было приятно доставить умирающему старику удовольствие. Он был на седьмом небе от счастья.

Джон забронировал для нас столик в дорогущем ресторане. Это был самый лучший столик, у окна, с видом на парк и гавань. Джон в своем темно-синем пиджаке с золотой отделкой выглядел настоящим франтом и благоухал дорогим одеколоном. Положив руку мне на талию, он подвел меня к нашему столику. Полюбовавшись видом, я перевела взгляд на своего спутника и заметила, что он подмигнул четырем мужчинам за соседним столом. Они хихикали и разглядывали нас, но, перехватив мой взгляд, тут же сделали серьезные лица.

«Это ваши друзья, Джон?» — спросила я с улыбкой. Смутившись, он признался, что хотел похвастаться перед друзьями, какая красивая ему досталась сиделка. Я расхохоталась. «Любая женщина моего возраста покажется красивой, если вокруг всем под девяносто!» Манеры у Джона были безупречные, и я невольно пожалела, что мои ровесники так редко обладают старомодным обаянием и знанием этикета. Обед прошел просто замечательно. Джон заранее позвонил в ресторан и предупредил, что я веганка, так что меня ждал специально испеченный вкуснейший овощной рулет.

Друзьям Джона было запрещено вмешиваться в наш обед и даже подходить к столу. Он обещал представить меня им после еды, поэтому они терпеливо сидели и ждали, пока мы закончим есть и разговаривать. Затем Джон, вновь положив руку мне на талию, подвел меня к их столику, где я идеально сыграла роль его подруги, обаяв всех, но продолжая уделять основную часть внимания своему спутнику. Он напоминал мне петуха, распушившего перья от гордости. Выход в свет удался.

Все это время я оставалась сиделкой умирающего. Что плохого было в том, чтобы невинной игрой порадовать Джона, которому осталось не так-то много походов в ресторан? Вернувшись домой и, к разочарованию Джона, переодевшись из розового платья в рабочую одежду, я помогла ему лечь в постель. Наше маленькое приключение доставило ему море удовольствия, но совершенно лишило сил.

Умирающие люди так слабы, что ненадолго выйти в свет им так же тяжело, как неделю отработать грузчиком. Любящие родные и друзья часто не понимают, насколько их визиты утомляют больных. В последнюю неделю или две жизни любые посещения, которые длятся более пяти — десяти минут, становятся для пациентов тяжелым трудом, но как раз в это время их начинают особенно активно навещать.

Впрочем, в тот день мы с Джоном были дома одни, и он уснул глубоким сном. Складывая розовое платье в сумку, я радовалась, что мне удалось доставить ему удовольствие. Мне наш обед тоже очень понравился.

Моя молодость выручала Джона и в других областях. Я лучше него понимала в компьютерах, и вот уже месяц пыталась навести порядок в его файлах. Для своего возраста Джон справлялся с компьютером просто отлично, не пасуя перед новыми технологиями. Но все его документы были в страшном беспорядке, потому что он ничего не знал о папках и организации файлов. Пока он спал, я отправлялась в кабинет и разбирала по категориям и папкам сотни документов, одновременно создавая алфавитный указатель, чтобы каждый легко было найти.

На следующей неделе Джону стало заметно хуже, и я порадовалась, что мы сходили на тот обед. Было очевидно, что больше Джон из дома не выйдет. Он мог прожить еще несколько недель, но силы покидали его на глазах. В тот день мы сидели на балконе, глядя, как солнце заходит за Сиднейский мост и здание оперного театра. Джон был в халате и тапочках, он пытался есть, но безуспешно. «Ничего, Джон, если вам не хочется, не ешьте», — сказала я, и мы оба знали, что это значит. Джон умирал, и времени оставалось уже немного. Кивнув, он положил вилку на тарелку и отдал их мне. Я отставила поднос в сторону, и мы продолжили любоваться закатом.

Прервав наше мирное молчание, Джон вдруг произнес: *«Жаль, что я так много работал, Бронни*. Каким же я был идиотом». Не дожидаясь поощрения, он продолжил: «Я убивался на работе, и теперь я одинокий умирающий старик. А самое страшное — я остался один с тех самых пор, как вышел в отставку, а ведь этого можно было избежать». Я слушала, не перебивая, а он рассказывал мне свою историю.

Джон и Маргарет вырастили пятерых детей. Четверо из них сами уже стали родителями, а пятый умер в тридцать с небольшим. Когда все дети выросли и уехали из дома,

•

«ТЕПЕРЬ,

НА ИСХОДЕ ЖИЗНИ,

Я ПОНИМАЮ: ПРОСТО

БЫТЬ ХОРОШИМ

ЧЕЛОВЕКОМ — БОЛЕЕ

ЧЕМ ДОСТАТОЧНО.

ПОЧЕМУ МЫ

ТАК ЗАВИСИМЫ

ОТ УСПЕХА?»

•

Маргарет попросила Джона уйти с работы. Они оба были в хорошей физической форме, и им хватало денег на безбедную старость, но Джон всегда считал, что нужно подзаработать еще. Маргарет говорила, что в крайнем случае они продадут свой громадный, теперь полупустой дом и купят что-то небольшое. Так они препирались целых пятнадцать лет, а он все продолжал работать.

Маргарет было одиноко. Она мечтала, что они с Джоном снова будут вдвоем, без детей и работы. Годами она изучала туристические буклеты, предлагая Джону съездить то в одну страну, то в другую. Он тоже хотел путешествовать и охотно соглашался на любые предложения. К несчастью, он никак не мог расстаться с тем статусом, который давала ему работа. Сама работа ему даже не особенно нравилось, но зато очень нравилась роль, которую он играл в обществе и среди друзей. К тому же он пристрастился к тому адреналину, который получал во время гонки за сделками.

Однажды вечером, когда Маргарет в очередной раз в слезах попросила Джона уйти в отставку, он посмотрел на нее и вдруг заметил, что они оба успели состариться. Его жена так терпеливо ждала, пока он выйдет на пенсию. Она казалась ему такой же красивой, как и в день их знакомства. Но именно в тот день Джон впервые задумался о том, что они не будут жить вечно. Испугавшись, он согласился уйти с работы. Маргарет вскочила и обняла его, заливаясь уже слезами радости, а не горя. Но ее улыбка тут же погасла, потому что он добавил: «Через год». В компании шли переговоры о важной сделке, и Джон хотел дождаться ее конца. Маргарет ждала его увольнения пятнадцать лет — конечно, она могла подождать еще год. Она пошла на этот компромисс, хотя и неохотно. Солнце исчезло за горизонтом, а Джон объяснил мне, что уже тогда чувствовал себя эгоистом из-за этого решения, но никак не мог отказаться от последней сделки.

Его жена мечтала об этом моменте годами, и вот он наконец приближался. Маргарет начала планировать первую поездку, активно советуясь с туристическим агентством. Каждый вечер, когда Джон возвращался домой, она ждала его ужинать. Сидя за столом, вокруг которого раньше собиралась вся их семья, Маргарет с энтузиазмом делилась с Джоном своими мыслями и идеями. Он тоже понемногу начал смиряться с идеей выхода на пенсию, хотя и настаивал, что дождется окончания года.

Прошло четыре месяца с тех пор, как Джон согласился уйти с работы. Оставалось подождать еще восемь, когда Маргарет впервые почувствовала себя неважно. Сначала ее просто немного тошнило, но шли дни, а ей не становилось лучше. «Завтра я иду к врачу», — сказала она Джону, когда он пришел с работы. На улице было уже темно. Вдали был слышен шум машин — люди ехали домой с работы. «Наверняка это какая-нибудь ерунда», — добавила она с деланым оптимизмом.

Джон, конечно, переживал, что Маргарет плохо себя чувствует, но не слишком тревожился до следующего вечера, когда выяснилось, что врач попросил ее сдать анализы. За семь дней, что они ждали результатов, состояние Маргарет ухудшилось настолько, что серьезность ситуации стала очевидной. Впрочем, им и в голову не приходило, насколько все серьезно: Маргарет оставалось жить несколько месяцев.

Мы столько времени проводим, строя планы на будущее, откладывая счастье на потом, как будто у нас в запасе целая вечность. На самом деле у нас нет ничего, кроме сегодняшнего дня. Нетрудно было понять, почему Джона терзает глубокое раскаяние. Любить свою работу нормально, в этом нет ничего плохого. Я и сама любила свою работу, хотя сиделке нередко приходится грустить.

Но когда я спросила Джона, насколько его радовала бы работа, не имей он поддержки семьи, он только покачал головой. «Ну, моя работа мне скорее нравилась. И определенно нравился статус, но какой сейчас от него прок? Я не уделял времени тому, что было в моей жизни самым важным: семье и Маргарет, моей милой Маргарет. Она всегда дарила мне любовь и поддержку. А я всегда был на работе. И ведь нам с ней было так весело. Мы бы с ней отлично проводили время вдвоем».

Маргарет умерла за четыре месяца до намеченной даты увольнения Джона, хотя к этому времени он уже бросил работу, чтобы ухаживать за женой. С тех пор жизнь Джона была отравлена чувством вины. Даже если ему удавалось договориться с собой об относительном принятии своей «ошибки», как он ее называл, он тосковал о том, что мог бы сейчас путешествовать и смеяться с Маргарет.

«Думаю, что я боялся. Да. Я был просто в ужасе. Работа определяла мое место в жизни. Конечно, теперь, на исходе жизни, я понимаю, что просто быть хорошим человеком более чем достаточно. Почему мы так зависимы от материального подтверждения своего успеха?» — рассуждал Джон вслух. В его словах звучала грусть за всех людей, которые оценивают себя не за то, какие у них сердца, а за то, чем они владели и что сделали в жизни.

«Нет ничего плохого в том, чтобы стремиться к комфортной жизни. Пойми меня правильно, Бронни, — сказал Джон. — Но постоянная гонка за деньгами и успехом, постоянная потребность получать признание за свои достижения часто заслоняет от нас самые важные вещи в жизни — время, которое мы проводим с любимыми людьми и за любимыми занятиями, а также баланс. Если как следует подумать, то все дело в балансе, верно?»

Я молча кивнула, соглашаясь с ним. Над нами загорелось несколько звезд, разноцветные огни города отражались в темной воде. У меня тоже в жизни бывали проблемы с балансом. Слишком часто я следовала принципу «всё или ничего», даже в работе сиделкой. Мой обычный рабочий день длился двенадцать часов, и чем меньше оставалось жить пациентам, тем меньше они сами и их семьи хотели менять сиделок. Поэтому в последний месяц жизни пациента я нередко работала по шесть дней в неделю, иногда оставаясь и на ночную смену, то есть проводя с пациентом тридцать шесть часов подряд. Работать по восемьдесят четыре часа в неделю вредно, даже если очень любишь свою работу.

Иногда я не могла никуда отлучиться, несмотря на накопившиеся дела, даже если мои пациенты спали. В такие моменты мне казалось, что моя собственная жизнь поставлена на паузу, хотя теперь, конечно, мне понятно, что работа была такой же частью моей жизни, как и все остальное. Когда очередной пациент умирал, я оставалась совершенно без сил. Обычно новый регулярный пациент появлялся не сразу, поэтому я с радостью отдыхала от работы, встречалась с друзьями, возвращалась к музыке и текстам, а потом весь цикл повторялся с начала. «Каникулы» между пациентами обычно длились достаточно долго, прерываясь на одну-другую случайную смену, и я любила это время. Однако вместе с работой прекращался и заработок, поэтому с финансовой точки зрения каникулы были тяжелым бременем.

Примерно в это же время мне предложили раз в неделю работать офис-менеджером в перинатальном центре. Это оказалась стабильная и очень приятная работа. В центре проводились курсы и занятия для беременных и мамочек с маленькими детьми. Нередко в один день я ухаживала за умирающим человеком, а на следующий работала в окружении едва начавших ходить карапузов, забиравшихся мне на колени и целовавших мои щеки.

Для меня это было здоровое напоминание о радости и о полном жизненном цикле. Один из моих пожилых пациентов умирал, и одновременно в центре появлялся новый малыш, хрупкий и прекрасный. Моя начальница, Мари, была потрясающей женщиной с огромным добрым сердцем. Я полюбила ее сразу же и люблю по сей день. В мои обязанности среди прочего входило обновлять учебные материалы к занятиям для беременных, поэтому я много читала о подходе к беременности и родам в разных культурах мира. Я узнала, насколько естественно относятся к этому процессу во многих культурах — его считают от начала и до конца радостным, прекрасным торжеством. Это укрепило меня во мнении, что в нас, западных людях, с детства воспитывается ненужный страх перед многими естественными сторонами жизни.

Мне было очень полезно оказаться так близко к жизни и рождению. Из-за того, что я много времени проводила с умирающими и сильно сопереживала пациентам и их семьям, я регулярно чувствовала упадок сил. В мире множество людей, посвятивших жизнь работе с умирающими. Возможно, они лучше меня научились отстраняться от этого занятия и находить баланс в жизни — я не знаю, но безмерно уважаю их. Однако, когда я стала всего один день в неделю посвящать началу жизненного цикла, а не его концу, мне удалось вернуть в свою жизнь такую легкость, о которой я давно уже забыла и думать. Как будто кто-то открыл окна и впустил в помещение чистый воздух, наполнивший меня свежей энергией.

Постоянно наблюдая как смерть, так и рождение, я начала видеть в своих умирающих пациентах младенцев, какими они когда-то были. А когда мамочки гордо показывали мне новорожденных, я думала о том, как эти дети вырастут и проживут долгую, наполненную впечатлениями жизнь. Затем однажды и они достигнут конца своего пути, как мои пациенты. Это было захватывающее время — так близко видеть обе противоположности. Это был бесценный дар.

Именно с того времени я с новым состраданием начала смотреть на окружающих людей. Я вдруг поняла, что когда-то все они были хрупкими детьми и что однажды они все умрут, как и я сама. В родителях, братьях, сестрах, друзьях и даже совсем чужих мне людях я начала видеть беззащитных детей, когда-то смотревших на мир бесконечно доверчиво, с невинностью и надеждой. Я представляла, какими они были до того, как их ранили другие люди — семья, друзья или общество, — лишив их открытости, с которой они были рождены. Мне стало ясно, что каждый человек рождается с добрым сердцем, и я начала любить всех людей без разбору, как нежная и заботливая мать.

Я стала понимать, что все те обидные слова, которые годами говорили мне родные и близкие, происходили на самом деле не от них. Это говорили нанесенные им раны, а не те прекрасные, чистые создания, которыми они родились на этот свет много лет назад. В каждом из них все еще жил невинный малыш. И однажды каждый из них сможет увидеть свою жизнь новыми глазами — с той мудростью, которая приходит ко многим на смертном одре.

Да, порой мне казалось, что я не люблю каких-то людей в своей жизни. Но теперь я поняла, что не любила на самом деле не их самих, а их поведение и слова. Зато я искренне любила их невинные сердца — тех детей, которые когда-то верили, что мир позаботится о них и подарит им счастье. Когда этого не случилось, боль и разочарование стали толкать их на недостойные поступки. Я и сама не была исключением. Я тоже причиняла боль другим из-за собственных страданий, разочарованная, что жизнь не оправдала моих надежд.

В сердцах моих родных, как и всех людей в мире, еще жила изначальная чистота. Ее лишь нужно было уметь разглядеть за болью. Я не была уверена, что смогу восстановить гармоничные и счастливые отношения с некоторыми близкими, но это уже было не так важно. Я знала, что когда-то они тоже были крошечными и прекрасными малышами, доверчивыми и невинными, как все дети. Их злые слова были лишь следствием страданий — страданий ребенка, который заблудился точно так же, как и я сама. Этого было достаточно, чтобы я смогла всем сердцем полюбить их.

Сидя на балконе рядом с Джоном, я и в нем видела хрупкого ребенка: маленького мальчика, который почему-то решил, что будет счастливее, самоутверждаясь за счет работы, чем путешествуя с женой. Теперь он стал глубоким стариком, но я совершенно отчетливо видела в нем невинного малыша. Он глубоко вздыхал, а по щекам его медленно катились слезы. Оставив его наедине со своими мыслями, я унесла в дом тарелки и прибралась на кухне. Вернувшись, я укрыла Джону колени пледом, поцеловала его в щеку, а затем снова села рядом.

— Если я что-то и понял о жизни, Бронни, то только одно. Не живи так, чтобы потом пожалеть, что слишком много работала. Я не знал, что мне придется об этом пожалеть, пока не оказался одной ногой в могиле. Но в глубине души я знал, что слишком много работаю, и не только по мнению Маргарет. Зря я волновался, что обо мне подумают другие, — теперь мне это совершенно все равно. И почему только я не смог сообразить этого раньше.

Покачав головой, Джон продолжил:

— Нет ничего плохого в том, чтобы любить свою работу и отдавать ей много сил и времени. Но в жизни есть еще столько всего кроме работы. Баланс, вот что важно — поддерживать правильный баланс.

— Я с вами согласна, Джон. Жизнь уже преподала мне несколько уроков на эту тему, но я продолжаю над ней работать, так что не волнуйтесь, — призналась я.

Он знал, что я имею в виду. Мы уже достаточно рассказали друг другу о себе, чтобы он меня понял. Вдруг Джон рассмеялся, и я попросила его поделиться шуткой.

— Ну, я сказал, что дам тебе только один совет — не работать слишком много. Но мне только что пришел в голову другой совет, не менее важный.

— Что за совет? — улыбнулась я.

Он посмотрел на меня с озорным блеском в глазах и произнес:

— Не вздумай выбросить то розовое платье!

Смеясь, Джон жестом предложил мне пододвинуть стул поближе. Я придвинулась к нему, тоже смеясь, и мы еще пару часов сидели рядом, глядя на гавань, кутаясь в пледы. Разговор то и дело прерывался долгими паузами, в которых не было никакой неловкости. Иногда Джон глубоко вздыхал. Я брала его за руку, и он в ответ пожимал мои пальцы.

Повернувшись ко мне с печальной улыбкой, он сказал:

— Если мне суждено оставить на земле что-то хорошее, кроме своей семьи, пусть это будут такие слова: не работай слишком много. Старайся сохранять баланс. Пусть работа не становится всей твоей жизнью.

Ласково ему улыбнувшись, я поднесла его руку к губам и поцеловала.

Через несколько дней Джон умер. Мне еще не раз предстояло услышать его совет от других пациентов. Но он сумел донести до меня эту мысль, и я никогда ее не забывала.

## Предназначение и сила намерения

Прошло много времени с тех пор, как я присматривала за домом Рут в ожидании его продажи. Но ее семья рассказала обо мне своим знакомым, и вот уже другие люди стали регулярно предлагать мне пожить у них дома, приглядывая за хозяйством, пока сами они в отъезде. Переезжать каждые несколько недель или месяцев было нелегко, зато мне довелось пожить во многих прекрасных домах. Один из них даже стоял рядом с домом самого богатого человека во всей Австралии, так что жаловаться на условия мне определенно не приходилось.

Во многих домах были приходящие уборщики и садовники, а порой даже мойщики окон. Мне оставалось только жить в доме и наслаждаться им, как своим собственным. Это, разумеется, было совсем несложно. Мои клиенты часто оказывались не только обеспеченными, но и творческими людьми, и их дома были яркими, разноцветными и уютными.

Через владельца одного из этих домов я познакомилась с Перл. Ее дом был жизнерадостным, как и она сама — насколько это вообще возможно для умирающего человека. Мы сразу друг другу понравились. У Перл было три собаки, одна из которых обычно боялась незнакомых людей, но ко мне сразу забралась на колени — животные чувствуют тех, кто их любит. Симпатия этой маленькой черной собачки сразу помогла нам с Перл наладить контакт.

За несколько месяцев до этого, незадолго до шестидесятитрехлетия, Перл узнала о своей смертельной болезни. Она так любила свой дом и собак, что была твердо намерена умереть дома. Друзья Перл уже пообещали взять к себе всех троих собак, когда придет время, поэтому она не беспокоилась, что их разлучат. Она также с принятием относилась к своему приближавшемуся концу.

Многие из моих пациентов поначалу отвергали мысль о том, что скоро умрут. Перед тем как принять неизбежное, они проходили целую гамму эмоций. Другие пациенты, узнав о своей болезни, впадали в шок, потому что новость сообщалась им слишком неосторожно — небрежно, без глубокого понимания тяжести ситуации. Иногда такую неосторожность проявлял кто-то из родных, иногда врач. В таких случаях всегда необходима искренняя доброта.

Перл без возражений принимала мысль о том, что ее время пришло. Она рассказала мне, что ей было чуть проще смириться с болезнью, потому что она потеряла и мужа, и дочь более тридцати лет назад. Теперь она надеялась наконец увидеться с ними вновь.

Муж Перл погиб в результате несчастного случая на работе, хотя ей и не нравилось выражение «несчастный случай»: она считала, что случайностей не бывает. «Так было предназначено, — сказала она мне. — Мне это было невыносимо больно, но прожив еще тридцать лет, я поняла, что эта потеря помогла мне стать тем человеком, которым я стала, и помогать другим. Я никогда не стала бы собой, не пережив его уход».

Она философски относилась и к смерти дочери. Тоня умерла в возрасте всего восьми лет, от лейкемии, спустя меньше года после смерти своего отца. «Потерять ребенка действительно чудовищно. Родители не должны хоронить детей. И тем не менее это происходит ежедневно, по всему миру. Я лишь одна из многих таких матерей». Я слушала и восхищалась покоем, исходившим от Перл, когда она говорила о дочери. «Счастье, что она не слишком долго страдала. Я верю, что она пришла в мою жизнь, чтобы научить меня безусловной любви. С тех пор я способна дарить ее другим, даже если они мне не родственники. Милая Тоня, мой маленький ангел».

Воспоминания потеряли былую четкость в мыслях Перл, но сохранили прежнюю яркость в ее сердце. Она любила дочь так же сильно, как и раньше; любовь не умирает. После смерти Тони, рассказала Перл, ей было бесконечно тяжело, прошло немало лет, прежде чем она пришла в себя. Но она никогда не считала себя жертвой. Хотя Перл довелось узнать, как больно потерять ребенка, — и она не желала этого злейшему врагу, — ей также выпала радость иметь ребенка, а ведь это, заметила она, дается далеко не всем.

Мы согласились, что любые трудности несут в себе какой-то скрытый дар. «Люди годами притворяются жертвой ситуации, — сказала Перл. — Но кого они пытаются обмануть? Они обманывают лишь сами себя. Жизнь нам ничего не должна. Нам никто ничего не должен, *кроме нас самих*. Так что лучший способ прожить жизнь — это ценить ее дары и принять решение не быть жертвой».

Я рассказала Перл, что встречала многих жертв, но настоящим потрясением было однажды увидеть жертву в себе самой. Внезапно осознать: я так погрузилась в свои травмы, что больше ни о чем не могу думать, кроме своих былых страданий.

Она согласилась со мной безо всякого осуждения. «Это иногда случается со всеми. Между состраданием и ощущением себя жертвой проходит тонкая грань. Сострадание — это целительная сила, которая рождается из доброты к себе. Разыгрывать жертву — токсичная и напрасная трата времени, это не только отталкивает других людей, но и лишает возможности истинного счастья. Никто нам ничего не должен, — повторила она. — Только мы должны самим себе: встать с пятой точки, поблагодарить судьбу за все хорошее и отправляться решать свои проблемы. Когда смотришь на жизнь с такой позиции, она начинает осыпать тебя дарами». В тот день я буквально влюбилась в свою новую пациентку.

Перл говорила о том, как трудно приходится многим людям, с какими они сталкиваются огромными сложностями, но несмотря ни на что ухитряются выстоять и найти радость в мелочах жизни. Другие, наоборот, непрестанно жалуются на свою жизнь, даже не представляя, что по сравнению с другими у них все просто замечательно. Я охотно согласилась с ней: как бы мне ни было плохо, я всегда помнила, что мне во многом повезло — большинству людей живется гораздо тяжелее.

Когда Перл удалось восстановить относительно нормальное течение жизни после потери мужа и дочери, она на несколько лет с головой ушла с работу. Работа ей нравилась: она любила коллег и клиентов, считала одной из своих главных задач поддерживать и воодушевлять их, и это ей неизменно удавалось. Но при этом она всегда ощущала внутри пустоту. Почти двадцать лет она объясняла такое ощущение болью утраты семьи.

Ее жизнь изменилась совершенно случайно: однажды она согласилась после работы помочь одному из клиентов, который разрабатывал новую программу поддержки бедных семей. Даже не замечая этого, Перл постепенно все больше втягивалась в проект, потому что ей нравилась его идея и цели. «Впервые за двадцать с лишним лет я вновь ощутила, что живу. И знаете почему? — спросила она. — У меня появилось предназначение, смысл жизни.

Вот причина той внутренней пустоты: я не видела смысла в своей работе».

Это было мне очень понятно. Я рассказала Перл про свою работу в банке, про то, как мне было сложно, пока я не нашла себя в паллиативном уходе за больными и в музыке — занятиях, которые приносили мне все большее удовлетворение. Она согласилась, что моя новая работа гораздо осмысленней предыдущих. Впрочем, Перл, как и я, считала, что в совершенно любой работе можно найти свое истинное предназначение, главное — найти правильную область. Все дело в точке зрения.

В доме Перл была красивейшая застекленная терраса, где зимнее солнце грело нас через прозрачную крышу. В эту светлую и уютную комнату я выкатывала кресло Перл каждое утро — обычно у нее на коленях лежала хотя бы одна собака, а чаще все три. Мы литрами пили свежие травяные чаи и радовались каждому новому дню. Однажды я сказала Перл, что это времяпрепровождение совершенно не кажется мне работой. Она просияла и ответила: «Конечно, так и должно быть. Когда занимаешься любимым делом, это кажется не работой, а естественным продолжением тебя».

Социальный проект рос и превратился для Перл в дело всей жизни. Через год она ушла с прежней работы и полностью посвятила себя новой роли. Вначале она получала меньше денег, чем раньше, но ей было все равно. Со временем ее зарплата выросла. «Иногда перед прыжком нужно сделать несколько шагов назад, чтобы разогнаться, — смеялась Перл. — Люди совершенно не понимают, что такое деньги. Из-за денег они торчат на неподходящей работе, потому что боятся, что не смогут заработать любимым делом. На самом деле все наоборот. Если ты любишь свое дело, то лучше открываешься потоку денег, потому что сильнее погружен в свою работу и к тому же счастлив. Конечно, понадобится время, чтобы изменить свое мышление и придумать, как заработать побольше».

Одна моя подруга как-то удачно высказалась на эту тему, и я поспешила поделиться ее мыслью с Перл. Мы слишком много значения придаем деньгам. На самом деле нам надо понять, что мы хотим делать, каким проектом заниматься, и работать над ним сосредоточенно, решительно, не теряя веры. Деньги не должны быть целью. Целью должен быть сам проект. Тогда деньги придут к вам естественным образом, зачастую самыми невообразимыми путями.

Я уже убедилась в этом на собственном примере. Когда мне переставало хватать денег, это происходило обычно потому, что я сосредотачивалась на своем страхе остаться без денег, и этот страх воплощался в реальность. Когда я сосредотачивалась на хорошем, помня, как мне повезло, и работала над достижением той цели, к которой меня подталкивала жизнь, все плыло мне прямо в руки.

Одной из величайших наград за то, что я смело шла своим путем, стала для меня запись первого альбома. В то время я жила в доме, за которым присматривала чаще других и который особенно любила. Там-то мы и записывали альбом — в великолепном темно-розовом доме, выходившем окнами на лес. Мы выбрали время, которое подходило всем — и моему звукорежиссеру, очень занятому человеку, и другим музыкантам. Не хватало только одного: денег! У меня были сбережения, но их не хватало.

Внутренний голос велел мне готовиться к записи, как будто она была решенным делом, и я так и поступила. Музыканты поставили запись в свои графики, а я много времени проводила за репетициями, шлифуя песни. Но чем ближе подходил назначенный срок, тем слабее становилась моя вера. В глубине души я знала: жизнь не подтолкнула бы меня к записи альбома, будь это невозможно. Поэтому в хорошие дни я была уверена, что все завершится успешно — в конце концов, мне уже случалось рисковать. Я верила в себя и свою способность притягивать все необходимое. Но страх все равно бурлил во мне, понемногу поднимаясь на поверхность, так что моя вера уже не справлялась с ним.

Начало записи назначили на понедельник. Наступила пятница, а деньги я так и не нашла. Страх сделался невыносимым. Звукорежиссер не мог позволить себе неоплачиваемые выходные. Музыканты тоже были очень занятыми людьми. В панике я села медитировать, и по моим щекам хлынули слезы. Они копились месяцами, пока я пыталась оставаться сильной, и вот теперь выплеснулись наружу. Всхлипывая, я выпустила из себя все отчаяние, признавая, что у меня больше не осталось сил. Я делала все так, как подсказывала мне жизнь, но продолжать я уже *не могла*. Это было слишком тяжело.

Затем, наконец, наступил момент полного принятия. Я больше ничего не могла сделать. Мне оставалось только передать ситуацию в руки высших сил. Перепуганная и опустошенная, я решила выбраться из дома и послушать музыку, чтобы отвлечься. В этот момент мне позвонила подруга по имени Габриэла, ничего не знавшая о моей ситуации, и позвала в кафе/книжный магазинчик с ней и еще одной знакомой. Эта мысль понравилась мне больше, чем идти на концерт в одиночестве, и я согласилась. Пообещав себе хорошо провести время и ненадолго забыть о своем бедственном положении, я вышла из дома. Завтра будет новый день, и я займусь проблемами с новыми силами. Сегодня мне просто нужно выкинуть их из головы.

Габриэла листала книги, а мы с ее подругой Лианн сидели на диванчике и болтали. До этого мы с Лианн виделись

только раз, несколько лет назад и ненадолго. Она спросила, где я живу, и я объяснила, что своего жилья у меня
нет, я переезжаю из дома в дом. Это ее заинтриговало,
но также оказалось полезным, потому что она как раз собиралась покупать дом, и ей очень кстати пришлось мое
знание разных районов города. Я рассказала ей, что веду
такой образ жизни, чтобы не платить за жилье и одновременно продолжать работать над творчеством, особенно
над своей музыкальной карьерой.

Сама Лианн находилась в процессе затяжного развода
и раздела имущества с бывшим мужем, поэтому ей не меньше хотелось отвлечься от своей жизни, чем мне от моей.
Мы продолжали непринужденно болтать, но, когда она
спросила меня об альбоме, это вернуло меня к реальности.
Сожалея, что дала разговору зайти в эту сторону, я честно
рассказала ей обо всем, в том числе поделилась, что мне
осталось надеяться только на чудо.

Она подробно расспросила меня об альбоме, о других
музыкантах, о том, какие планируются инструменты, что
заставило меня начать писать музыку, — я обо всем ей
рассказала. Затем без малейших сомнений она объявила,
что всегда мечтала поддерживать искусство, но не знала,
с чего начать, что в ее жизни наступил ужасно противный
период и ей срочно нужно сделать что-то позитивное, поэтому она будет у меня дома в понедельник утром с необ-
ходимой суммой денег.

У меня из глаз брызнули слезы облегчения и радости.
Ни о чем не думая, я обняла Лианн, борясь с собой, чтобы не разрыдаться по-настоящему. Проблема решена. Все
уладилось. Альбом будет записан. Деньги сами приплыли
ко мне в руки.

Лианн присутствовала на некоторых сессиях записи. Она
лежала на ковре, слушая через наушники, как мы играем

и поем. Она не вмешивалась в процесс — ей довольно было того, что запись происходит. Что за чудесная, щедрая женщина. Каждый раз, оказываясь на распутье, я вспоминала этот случай, и он придавал мне сил. Помощь всегда приходит. Нужно только не загораживать ей путь.

Перл была в восторге от этой истории, потому что она подтверждала ее собственные мысли. «Да, именно так. Страх блокирует поток благополучия. Деньги — это всего лишь вид энергии, которая хочет принести нам добро и счастье. Но мы неверно с ними обращаемся: наделяем их особой силой, преследуем их, боимся их, теряем баланс в жизни в погоне за ними, — сказала она. — Деньги так же доступны нам, как воздух. Мы же не тратим время, беспокоясь, что нам не хватит воздуха, не нужно волноваться и по поводу денег. Эти мысли блокируют естественный поток этой любящей, творческой энергии». Я согласилась.

Когда Перл только начинала работать в социальном проекте, ее коллеги постоянно беспокоились о деньгах. Вся их энергия уходила на мысли о том, как и где найти денег, а не *зачем* это делать. К счастью, они с интересом отнеслись к философии Перл. Хотя они не сразу поверили, что смогут привлечь необходимые средства для каждой стадии проекта, уверенность Перл оказалась заразительной. Было решено продолжать работать над проектом, верить, что деньги появятся, и прикладывать все возможные усилия для их поиска. Сделав все возможное, они принимали ситуацию и продолжали работать так, как будто деньги вот-вот найдутся. Перл, впрочем, не сомневалась в успехе предприятия и служила огромным источником вдохновения для всей команды.

Вскоре, к великой радости сотрудников, деньги потекли в проект из самых неожиданных источников. Программа расширялась, помогая все новым и новым людям.

**«ДЕНЬГИ ТАК ЖЕ ДОСТУПНЫ НАМ, КАК ВОЗДУХ. МЫ ЖЕ НЕ ТРАТИМ ВРЕМЯ, БЕСПОКОЯСЬ, ЧТО НАМ НЕ ХВАТИТ ВОЗДУХА, НЕ НУЖНО ВОЛНОВАТЬСЯ И ПО ПОВОДУ ДЕНЕГ».**

Через несколько лет Перл и остальные зарабатывали уже вполне приличные деньги, продолжая расти, помогать все большему количеству нуждающихся людей и наслаждаться своей работой, как лучшим в мире отдыхом.

Солнце ушло за дом, и мы вернулись в гостиную, где я уже разожгла камин. Перл была без сил, но ложиться в постель до наступления вечера было против ее правил, поэтому днем она только отдыхала на кушетке у огня. Я поправила подушки, чтобы ей удобней было сидеть, и накрыла ее большим пледом. Как и все в доме Перл, включая саму хозяйку, плед был разноцветным и ярким. Огонь уютно освещал комнату. Как только Перл устроилась на кушетке, к ней под бок запрыгнули собаки и тоже улеглись. Эта прекрасная картина — Перл, собаки, огонь в камине, яркие краски того дома — так и стоит у меня перед глазами спустя годы.

«С деньгами все дело в намерении», — вдруг произнесла Перл. Пододвинув стул поближе к ней, я приготовилась слушать. «Деньги текут нам в руки особенно свободно, если намерение благородное. Мы нашли финансирование для своего проекта, потому что он был задуман на благо других людей. Конечно, мы тоже были в выигрыше, потому что заработали, занимаясь любимой работой, и к тому же обрели свое предназначение».

Если мы находим в работе свое предназначение, считала Перл, то естественным путем подходим к ней с правильными намерениями. Любая работа, наделенная предназначением, каким-то образом приносит благо другим людям. Тогда на поддержку нашего намерения деньги придут сами, при условии, конечно, что мы сделаем все от нас зависящее и не позволим страху преградить путь потоку благополучия. Люди среднего и старшего возраста особенно часто задаются вопросами о смысле жизни и стремятся установить связь с миром через работу. Именно об этом естественном стремлении к предназначению Перл и говорила.

Она была образованной и мудрой женщиной и охотно делилась своими мыслями. Я думаю, что, даже если бы она не умирала, мы бы общались точно так же непринужденно и откровенно. Перл продолжила развивать свою мысль, заметив, что не все родители, например, уважают свою работу, а ведь намерение вырастить счастливых детей — это огромный вклад в общество. Благодаря ему в мире появляются хорошие взрослые. Ей больно слышать, сказала Перл, как матери говорят о себе «я просто мама», ведь материнство — важнейшая работа, наполненная глубочайшим смыслом. По мнению Перл, даже люди, возделывающие свой сад, занимаются значительной и осмысленной работой: они прославляют красоту планеты.

Я тут же вспомнила одну замечательную женщину из Перта, чей сад наполнял мое сердце радостью каждое утро по пути на станцию. Мне настолько приятно было любоваться ее цветами и кустарниками, что однажды я кинула в ее почтовый ящик открытку со словами благодарности. Этот сад повышал мне настроение каждый день. Красочные цветы и экзотические растения в нем удивительно сочетались, причем каждый день взгляду открывалось что-то новое. Люди не всегда знают, что приносят другим радость. Однажды я все же встретила саму хозяйку сада, женщину лет восьмидесяти, и призналась, что обожаю ее произведение. Ивонн сразу же поняла, что это я оставила ей открытку, и между нами завязалась теплая дружба. Теперь я с удовольствием рассказала об этом Перл.

«Да, это и было ее предназначение и призвание — сад. Найти в жизни призвание — одна из самых важных задач, — продолжила Перл. — Я немного жалею, что потратила столько лет на работу, которая не имела никакого отношения к делу всей моей жизни, к социальной работе. Впрочем, эта работа привела меня именно туда, куда мне нужно было попасть, ведь это клиент с работы подтолкнул меня к переменам. Иногда уходят годы, чтобы выяснить свое предназначение, у меня так и вышло. Но удовлетворение, которое приносит найденное предназначение, стоит усилий, затраченных на его поиски».

Подумав о том, как долго я сама разыскивала подходящую работу, я согласилась, что оно того стоило. Сидя у камина с Перл и тремя добрейшими собаками, я чувствовала огромную благодарность за свою работу. Я рассказала об этом Перл, и она согласно улыбнулась.

«Если бы я о чем-то жалела, Бронни, так только о том, что слишком много лет потратила на работу, которая мне нравилась, но не была моим предназначением. Жизнь так быстро заканчивается. Я поняла это, когда потеряла свою семью. Но иногда мы не торопимся действовать, даже когда уже точно знаем, что это неизбежно. Так что я могла бы об этом жалеть, но не стану. Я предпочитаю простить себя за то, что мне не удалось раньше уйти с той работы». Я согласилась, что простить себя гораздо лучше, чем жалеть об упущенных возможностях, и рассказала Перл, как многому учусь у своих пациентов.

Она рассмеялась. «Все верно. Когда ты будешь умирать, у тебя не будет шанса сказать, что ты поздно поняла свои ошибки — слишком многому ты научилась на чужих ошибках!» Рассмеявшись в ответ, я согласилась с Перл, но заметила, что разговор ее утомил. Поэтому я устроила Перл поудобнее и задернула занавески, оставив отдыхать ее при свете камина. У двери я задержалась, глядя на нее и собак, чувствуя, как по щеке медленно катится слеза.

Меня переполняла благодарность за то, что мне наконец удалось найти себе работу по сердцу. Отправившись на кухню, я налила себе чашку чая, а потом села ждать пробуждения Перл в другой комнате. На улице понемногу вечерело, хотя внутри дома это никак не сказывалось — там всегда царили покой и умиротворение.

Мы провели с Перл еще несколько недель, но с каждым днем она все слабела, пока наконец ей не стало слишком тяжело вставать с кровати. Признав, что она больше не сможет перемещаться по дому, Перл попросила меня продолжать любоваться им за нее. Я с улыбкой обещала выполнить ее просьбу. Но на самом деле я больше любовалась самой Перл, чем ее (безусловно замечательным) домом.

В последние недели нас часто навещали друзья Перл, чтобы проститься с ней, в том числе коллеги по социальной работе. Они говорили о том, как она изменила их жизнь и помогла множеству людей, как ее работа оставила в мире неизгладимый след. Впрочем, чтобы считаться истинным предназначением, работе необязательно иметь большой размах. Кто-то за свою жизнь поможет тысячам, а кто-то всего двум или трем людям. Нельзя сказать, что чья-то работа менее важна. У каждого из нас есть предназначение, и его поиски способствуют благу всех людей — включая нас самих. Когда предназначение найдено, работа перестает быть работой и превращается в приятное и естественное продолжение нас самих.

В день смерти Перл я в последний раз вышла из дома и закрыла за собой дверь. На улице стоял солнечный зимний день. Задержавшись на крыльце, я глубоко вдохнула воздух и подставила лицо солнцу. Думая о Перл, о том, каким она была прекрасным человеком, я улыбнулась. Долгие годы работая то в одном банке, то в другом, я безуспешно пыталась найти свое предназначение. Теперь я наконец обрела его, и меня переполняла благодарность. Размышляя о благодарности и посылая Перл любовь, я еще долго не могла сдвинуться с места. Но это было неважно: я улыбалась, и причиной тому была моя работа.

## Простота

Последние недели моих пациентов были тяжелыми не только для них самих, но и для их детей. Их средний возраст составлял от сорока до шестидесяти лет, и, как правило, у них давно уж были собственные дети.

Страх потерять мать или отца, как и страх предстоящей боли, многих толкал на необдуманные поступки. Поведение родственников моих пациентов постоянно напоминало мне, как вредно жить в обществе, где смерть замалчивается. Перед лицом смерти оказывается, что люди не просто не готовы справляться со своими чувствами — они испытывают отчаянный ужас, причем в большей степени даже не сами умирающие, а их родные. Мои пациенты перед смертью всегда обретали покой; их дети часто так и оставались во власти бушующих эмоций, охваченные паникой.

Работая в разных домах, я вблизи наблюдала образ жизни и отношения в большом количестве семей. Этот опыт убедил меня, что почти в любой семье есть свои сложности: есть травмы, требующие исцеления, и уроки, которые люди преподают друг другу. Порой люди совершенно не осознавали, что вызывают у родных острую реакцию, но мне она была хорошо заметна. В случае ссор я с уважением к чужим чувствам оставалась в стороне, стараясь сохранять глубокое сострадание.

Во многих семьях смерть обостряла вопросы контроля. Когда умирает член семьи, право быть рядом и помогать есть у каждого, особенно учитывая, что времени остается мало. Но нередко я видела, что один из детей пытается контролировать все безраздельно: хозяйство, список покупок, работу сиделок, будущие похороны и так далее. Если другие дети пытались помочь или высказать свое мнение, возникали споры, и властный член семьи только крепче вцеплялся в вожжи. Смотреть на эту демонстрацию силы было больно, потому что в основе ее лежал лишь страх.

Моим первейшим приоритетом всегда было благополучие пациента. Поэтому, услышав, что в комнате Чарли начался спор на повышенных тонах, быстро перешедший в крики, я бегом бросилась в комнату. По разные стороны кровати моего пациента стояли его взрослые дети, Грег и Марианна, и орали друг на друга через голову отца.

— Пожалуйста, хватит, — сказала я вежливо, но решительно. — Если вы еще не закончили, отправляйтесь в другую комнату. Посмотрите на своего отца! Он же умирает.

Марианна, разразившись слезами, стала извиняться перед отцом — кротким и спокойным человеком.

— Просто он меня все время доводит, — сказала Марианна, кивнув на брата.

У нее были прекрасные голубые глаза и длинные черные волосы, и, будь я художником, мне непременно хотелось бы написать ее портрет. Но сейчас глаза у нее покраснели и опухли от слез.

Грег отреагировал молниеносно:

— А я не вижу, с какой стати ты должна получить по завещанию столько же, сколько и я. Ты уехала. Ты ему не помогала. Это я взял на себя все заботы, я был с ним после смерти мамы.

Слова Грега отзывались во мне болью. За его рассуждениями скрывался хрупкий раненый мальчик. В обоих детях были заметны черты отца, но Грег, видимо, был похож еще и на мать. Волосы у него были русые, а кожа светлее, чем у сестры. Он не плакал. Он буквально плавился от ярости.

Я повернулась к Чарли, взглядом спрашивая, что мне сделать, но он лишь пожал плечами и грустно посмотрел на меня своими большими голубыми глазами. Подталкивая Грега и Марианну к дверям, я сказала:

— Я думаю, вам обоим лучше сейчас выйти. Этот спор никому не на пользу, особенно вашему отцу.

Втроем мы сели за стол на кухне; я заварила чай, а они продолжали выяснять отношения. Марианна почти ничего не говорила, и когда я спросила ее, почему, она ответила, что это бесполезно. Но в тех обидных словах, которыми обменивались брат и сестра, я все равно слышала любовь. Вспомнив, что честность когда-то помогла мне исправить ситуацию в своей собственной семье, я не давала им замолчать, задавая все новые вопросы.

Мои отношения с отцом раньше тоже были сложными, и это принесло мне немало страданий. Но честность, сострадание и время все исправили, и теперь нас связывали нежная дружба и глубокое уважение. Когда-то я и помыслить не могла, что это возможно, но на самом деле любую семейную ссору можно разрешить — главное, чтобы между людьми еще оставалась любовь, и чтобы оба хотели помириться. Было очевидно, что Грег и Марианна любят друг друга. Просто сейчас их чувства искажала боль.

После того как каждый из них высказал свои претензии, я спросила, а есть ли что-то, что им друг в друге нравится. «Нету», — угрюмо ответил Грег. Мне удалось разрядить обстановку шуткой, и Грег все же вспомнил пару хороших качеств сестры. Марианна тоже назвала несколько хороших черт брата. Их эго сопротивлялись этому разговору — особенно сложно было Грегу, который хотел и дальше ненавидеть сестру. Но я предложила им это упражнение, потому что на собственном опыте знала, что оно работает. В те годы, когда мои отношения с родными были крайне напряженными, я старалась почаще думать о том, что мне в них нравится. Вначале я, точно так же как сейчас Грег, ничего хорошего придумать не могла. Но это боль застила мне глаза, мешая видеть хорошее. Со временем я поняла, что все мои родственники — хорошие и добрые люди, даже если мы с ними ведем кардинально разный образ жизни и, возможно, никогда не будем особенно близки.

Я вспоминала все добрые поступки своих родных, а также все поступки, совершенные из добрых намерений, даже если их последствия были неоднозначными. Мне удалось осознать, что иногда родные пытались показать мне свою любовь, но я отталкивала их, ослепленная собственной болью. Несмотря на наши многочисленные претензии друг к другу, все они были прекрасными людьми, ведь любой человек по своей природе прекрасен. Так что сегодня пришел черед Грега и Марианны разобраться со своими претензиями друг к другу.

Оказалось, что Грег уже давно обижен на сестру лишь за то, что ей хватило смелости жить по-своему, а ему нет. Но ведь Марианна не мешала Грегу жить по велению сердца — он сам связал себе руки. В тот день брат и сестра многое высказали друг другу, и, хотя о примирении говорить было рано, им удалось существенно продвинуться. Перед уходом каждый из них по очереди немного посидел с Чарли. Затем мы с ним остались вдвоем.

Я вошла в его комнату, и он поднял на меня глаза, посмеиваясь и качая головой: «Ну что же, моя милая. Этот конфликт назревал уже лет двадцать. Я все ждал, когда плотину наконец прорвет. Хорошо, что это случилось до моего ухода, может быть, мне еще доведется увидеть их друзьями».

За окном в ветвях деревьев пели птицы, мимо пролетела оранжевая бабочка. Мы оба проследили глазами за ее полетом, улыбаясь, а потом продолжили болтать. Чарли рассказал мне, что когда-то его дети были неразлучны. Маленький Грег защищал младшую сестру, а она его боготворила. Но когда она стала независимым подростком, они начали ссориться, и с тех пор их дружба закончилась.

«Впрочем, за Марианну я не волнуюсь. Она относительно счастлива. А вот Грег меня беспокоит. Он постоянно пытается показать мне, на что способен. Когда он говорит, что всегда больше для меня делал, чем Марианна, он в общем-то прав. Она тоже мне помогала, хотя и менее очевидным образом. Но Грегу необязательно было так напрягаться — в основном он помогал с тем, с чем я с удовольствием справился бы сам». Вздохнув, Чарли продолжил: «Он с утра до ночи занят на ненавистной работе, дети его почти не видят, и я не знаю, зачем он все это делает».

— А он знает, что вы его любите, Чарли? — спросила я отважно. Он посмотрел на меня озадаченно.

— Наверное. Я всегда хвалю его, если он что-то сделал хорошо. Он знает, что я им горжусь.

— Откуда? Вы говорите ему прямо, что гордитесь им как человеком, а не только его достижениями или поступками? — спросила я. Он на секунду задумался.

— Прямо не говорю. Но он знает.

— Откуда? — настаивала я.

Чарли рассмеялся. «Вот вы, женщины. Обязательно вам надо докопаться до самой сути всего, да?» Улыбнувшись, я поделилась с Чарли своими мыслями. Он слушал внимательно и с уважением. Я предложила ему подумать, не связаны ли попытки Грега «показать, на что он способен», с потребностью заслужить любовь и одобрение отца. Мы продолжали разговаривать, пока я мыла Чарли и катила его кресло в спальню. Вообще-то он предпочитал принимать душ днем, но ему уже не хватало на это сил. У Чарли начались проблемы с легкими, и вернувшись в кровать, он некоторое время восстанавливал дыхание. Он слабел с каждым днем. Я оставила его немного отдохнуть.

Когда через пару часов я заглянула к нему в комнату, он повернулся ко мне и улыбнулся. Я села у кровати, дала ему воды и спросила, не нужно ли что-нибудь еще. Он отрицательно покачал головой и вновь заговорил о своих детях. «Я всего лишь хочу, чтобы они были счастливы. Это все, чего любой родитель хочет от своих детей. Я мечтаю, чтобы Грег перестал так много работать и зажил бы попроще. Он хороший человек, но он не счастлив, — сказал Чарли. — Простой образ жизни гораздо счастливей: такой, какой вели мы с их матерью. Правда, у нас не было выбора. Времена тогда были тяжелые. Но просто жить можно и сегодня, и это хорошее решение».

На самом видном месте комнаты на каминной полке стояла фотография, запечатлевшая нарядного молодого Чарли рядом с невестой. Я представила себе, как они с женой растили маленьких Грега и Марианну. Чарли всегда говорил то, что думает, и мне это нравилось. В его честности было что-то старомодное. Он делился со мной всем, что приходило ему в голову:

— Знаешь, мне кажется, он действительно не знает, что я люблю его. Я никогда не говорил ему об этом напрямую.

— Мы все такие разные, Чарли, — сказала я. — Некоторые люди обо всем догадываются по поступкам, но большинству нужно обо всем говорить прямо. Может быть, Грег как раз такой. Да и кому повредит такое признание в любви?

Он кивнул. «Да, мне нужно сказать ему об этом. В каком жутком мире мы живем, если семидесятивосьмилетний старик боится сказать сыну, что любит его. Видишь ли, у меня было не так много практики в этой области», — он рассмеялся, но быстро посерьезнел. На его лице появилась решимость. «Как думаешь, я смогу убедить его сделать свою жизнь проще, если ему больше не нужно будет завоевывать мое одобрение, если он будет знать, что я люблю его? Ведь я на самом деле его люблю».

Я ответила, что невозможно предсказать реакцию Грега. Нет никаких гарантий, что он захочет изменить свой образ жизни. Но зато, если он точно будет знать, что отец любит его и во всем одобряет, ему куда легче будет жить в мире с собой.

Тема простого образа жизни становилась все важнее для Чарли по мере того, как его дни подходили к концу. Он считал, что люди слишком много работают — по самым разным причинам. Часто им кажется, что у них нет выбора, потому что каждый месяц им нужно где-то брать деньги на регулярные платежи и бесконечные семейные траты. Чарли это было знакомо. Он соглашался, что многие люди с трудом сводят концы с концами, но настаивал, что всегда можно что-то изменить. «Иногда нужно посмотреть на ситуацию под новым углом. Действительно ли нам нужен такой большой дом? А что, если взять машину подешевле?» — говорил он. Иногда, по мнению Чарли, нужно изменить свой образ мыслей и найти новое решение, как следует задуматься о своих приоритетах и всей семьей работать над поиском равновесия.

Помогать друг другу — вот еще один способ жить проще, объяснял Чарли. Если мы чаще будем объединять усилия с другими людьми, хотя бы с соседями, нам понадобится меньше ресурсов. Мы меньше будем тратить зря и научимся помогать друг другу. Эго и гордость мешают людям объединяться в сообщества, говорил он. Но если мы хотим жить проще и мудрее распоряжаться ресурсами, то должны осознать необходимость объединяться с окружающими людьми. Его печалило, что в наше быстрое и неуравновешенное время об этом забыли.

Чарли признавал, что с финансовой стороны жизнь стала очень сложной. Он говорил, что общество потеряло из виду истинные приоритеты и что ему нужен урок простоты. Но это возможно только в том случае, если вначале изменятся отдельные люди. Тогда постепенно общество последует за большинством, как это всегда бывает. Он также считал, что люди у власти нуждаются в хорошем пинке под зад. В мировой политической системе, говорил Чарли, изредка попадаются приличные люди, но им не дает действовать бюрократия, а также те, у кого больше денег и власти. Поэтому для заметных изменений потребуются усилия каждого из нас. Упростить свою жизнь — прекрасное начало.

Чарли и сам был главой семейства, так что ему было отлично известно, какое это нелегкое дело — выжить и обеспечить семью всем необходимым. Но сейчас, на смертном одре, жизнь виделась ему под новым углом, и он вслух жалел, что не понял этого раньше и не успел иначе воспитать Грега. «Дети станут счастливей не от того, что у них больше игрушек, а от того, что больше времени проводят с родителями. Да, сначала они будут жаловаться. Но самые счастливые дети — это те, что с удовольствием проводят время с родителями, желательно с обоими. Мальчикам необходимо мужское влияние. Откуда его взять моим внукам, если их отец все время работает, стараясь доказать миру свою ценность?» Чарли сидел в задумчивости, и я видела, что он осмысливает новые идеи. «Я ведь очень люблю его. Мне нужно сказать ему об этом, да?»

Я с радостью кивнула. Затем внезапно он спросил:

— А ты ведешь простой образ жизни?

— Да, с материальной точки зрения моя жизнь довольно проста, Чарли. И я понемногу пытаюсь упростить и свою внутреннюю жизнь тоже, — честно ответила я, мысленно перебирая все перипетии своей эмоциональной жизни за последние годы. От простоты она была довольно далека.

— Медитация очень помогла мне упростить мышление. Благодаря ей постепенно улучшаются все сферы моей жизни. Она меня буквально преобразила и позволила преодолеть все то, что раньше мешало двигаться вперед. Так что сегодня мой образ мышления стал намного проще, чем был раньше. Ну а моя материальная жизнь уже и так довольно проста.

Чарли принадлежал к другому поколению и вел совсем не похожий на мой образ жизни, так что при слове «медитация» он представлял себе, как где-то в экзотических странах, закрыв глаза, сидят люди, одетые в оранжевые одежды. Он с любопытством стал меня расспрашивать, и я объяснила ему эту практику максимально просто: когда мы учимся фокусировать внимание, у нас лучше получается наблюдать за собственным мышлением. Благодаря этому мы начинаем понимать: наша жизнь во многом сформирована беспорядочным движением ума, которое порождает никому не нужные страдания и страхи. По мере того как эти нездоровые шаблоны мышления растут и крепнут, мы начинаем отождествлять себя с ними и строить вокруг них всю свою жизнь. Но на самом деле мы не равны своему мышлению, мы гораздо больше него.

Мы мудрые, интуитивные создания, но нас ослепляют страхи и заблуждения, которые наш ум создавал много лет, рефлекторно реагируя на окружающую среду. Так что когда во время медитации мы учимся фокусировать внимание, — например, на дыхании, — то возвращаем себе контроль за собственным мышлением. Мы можем осознанно выбирать хорошие мысли, а значит, строить более счастливую жизнь.

Чарли сидел, уставившись на меня, лишившись дара речи.

— Вот это да, — наконец произнес он. Почему ты мне не встретилась пятьдесят лет назад?

Я рассмеялась, встала и поднесла ему к губам стакан.

— Почему я сама себе не встретилась раньше? Я бы избежала стольких страданий!

Разговор свернул в сторону моей жизни, и Чарли спросил, что я имела в виду, говоря, что моя материальная жизнь проста. Я объяснила, что вот уже много лет регулярно переезжаю с места на место, и этот опыт заставил меня усомниться в необходимости имущества. У меня была мебель, но она не всегда переезжала со мной из дома в дом— нередко она оставалась меня дожидаться либо на ферме у родных, либо в хранилище. Живя без собственной мебели, я вспоминала, что для счастья она мне вовсе не нужна. Мне начало казаться странным, что у меня вообще есть мебель.

Так что я ее распродала, и из имущества у меня осталась только домашняя утварь — с ней я могла быстро обосноваться где угодно, когда придет время «бросить якорь». Я знала, что оно придет, потому что мне всегда хотелось иметь собственную кухню. Жить в свободном плавании мне нравилось, но у всего есть цена, даже у свободы. Больше всего в кочевой жизни мне не хватало именно собственной кухни, причем иногда настолько, что я решала на время вновь пустить корни.

Однако через год-полтора оседлой жизни мне неизменно становилось скучно, начинало тянуть все бросить и в очередной раз отправиться навстречу неизвестности и, желательно, налегке. Поэтому, сознавая особенности своего характера, я решила принять то, что пока мне лучше ограничиться самыми необходимыми вещами. Каждый раз на новом месте я начинала с нуля. Мебель я находила легко: по объявлениям, в комиссионных магазинах и через знакомых. Мне это нравилось. К тому же, покупая не новые, а бывшие в употреблении вещи, я радовалась, что берегу планету, экономя ее и без того убывающие ресурсы. Наше общество слишком охотно выбрасывает старые вещи и покупает новые, забывая, что все новое должно откуда-то взяться, а все старое — куда-то деться. Как правило, и о том, и о другом приходится заботиться именно планете. Эта нагрузка дорого обходится Земле, угрожая ее благополучию и выживанию всех ее обитателей, в том числе и нас, людей.

В конечном итоге я всегда обставляла свое новое жилище уникальными вещами. Мне никогда не приходило в голову, что мебель может не найтись, поэтому она всегда находилась сама собой. За годы скитаний в моих руках побывали потрясающие вещи.

Как-то раз, целый год продержав свои вещи в платном хранилище, я решила, что это бесполезная трата денег и ненужная мне обуза. Так что с помощью верного друга я устроила распродажу вещей у него дома. Столовые приборы, книги, ковры, постельное белье, украшения, картины — я продала все. Мне радостно было смотреть, как радуются люди тому, что мои любимые вещи становятся их удачными находками. Все, что не удалось продать сразу, я в тот же день отдала в ближайший благотворительный магазин.

В то время я водила крошечную машину: размером примерно с коробку для обуви. Джип уже год как приказал долго жить, причем весьма зрелищно, прямо посередине шестиполосного шоссе. Моя новая машина, безумно экономная и удобная для города, была крошечного размера. Я ласково называла ее «воздушная рисинка». Моей целью было оставить себе не больше вещей, чем можно было уместить в «рисинку».

У меня осталось всего пять коробок с пожитками — две из них с любимыми книгами. Я взяла себе только те, которые собиралась перечитывать сама или давать читать другим. Все остальные книги перешли в чужие руки. В оставшихся коробках были диски с музыкой, журналы и фотоальбомы, несколько памятных мелочей, лоскутное одеяло, сшитое моей мамой, и одежда. Под завязку набив «рисинку» и включив музыку погромче, я отправилась навстречу новой главе своей жизни.

В пути я слушала песни таких групп и авторов, как Гай Кларк, The Waifs, Бен Ли, Дэвид Хоскинг, Синди Бост, Шон Маллинз, Мэри Чапин Карпентер, Фред Иглсмит, ABBA, The Waterboys, Джей Джей Кейл, Сара Тиндли, Карл Броуди, Джон Прайн, Хезер Нова, Дэвид Фрэнси, Люсинда Уильямс, Юсуф и The Ozark Mountain Daredevils. Это потрясающая музыка, и каждая песня была мне верным другом в пути. Машина неслась вперед, а я подпевала своим любимым музыкантам, чувствуя себя легкой и свободной, зная, что все, чем я владею в этом мире, находится тут же, в рисинке. Примерно через тысячу километров я остановилась у дома родителей и выгрузила коробки. Дальше путешествовать отправились только я и моя одежда.

Чарли слушал эту историю с восторгом, потирая старые загрубевшие ладони. Я рассказала, что после этой поездки некоторое время провела в свободном плавании, а потом обосновалась в Сиднее, присматривая за чужими домами и постоянно переезжая из одного в другой. Моя материальная жизнь, действительно, была проще некуда. Теперь

Чарли убедился, что я понимаю его слова о важности простоты. Мы согласились, что не всем очевидно, как отягощает человека лишнее имущество, даже если он и не планирует переезжать. Избавившись от лишних вещей, мы всегда ощущаем свободное пространство не только снаружи, но и внутри себя.

На следующий день приехал Грег и до вечера оставался с отцом. По просьбе Чарли я заранее позвонила Марианне и попросила ее в этот день не приходить. Ее черед провести весь день вдвоем с отцом был завтра. Чарли попросил меня время от времени тихонько заглядывать в комнату под разными предлогами, на случай, если между ними с Грегом возникнет неловкость и нужно будет разрядить обстановку. Но эта предосторожность оказалась излишней. В те пару раз, что я все же заглянула к ним, — принести чайник чая или передать телефонное сообщение — Грег и Чарли были с головой погружены в важный личный разговор.

Незадолго до ухода Грега они позвали меня в комнату. Отец и сын держались за руки, у Грега были красные от слез глаза.

— Бронни, я просто хотел, чтобы ты тоже знала, — объявил Чарли. — Я всем сердцем люблю этого человека. Он прекрасный сын и хороший человек.

Теперь я и сама с трудом сдерживала слезы.

— Моему сыну ничего не нужно доказывать, — продолжил Чарли. — Ему ничего не нужно делать или иметь, чтобы стать лучше, потому что для меня он уже и так хорош. Я люблю его всего целиком, и быть его отцом — моя величайшая радость в жизни.

С улыбкой я ответила, что Грегу тоже невероятно повезло с отцом. Тот согласился, утирая слезы рукавом.

— И еще папа считает, мне есть чему у вас поучиться насчет простоты, — сказал он.

«В КАКОМ ЖУТКОМ

МИРЕ МЫ ЖИВЕМ, ЕСЛИ

78-ЛЕТНИЙ СТАРИК

БОИТСЯ СКАЗАТЬ

СЫНУ, ЧТО ЛЮБИТ

ЕГО. ВИДИШЬ ЛИ,

У МЕНЯ НЕ ТАК МНОГО

ПРАКТИКИ В ЭТОЙ

ОБЛАСТИ».

— У вашего папы еще есть достаточно времени, чтобы самому вам все рассказать, — рассмеялась я. — Ему совершенно не нужно поручать эту работу мне. Если я что-то могу сказать *от себя*, так это лишь одно: *будьте проще*.

Черед Марианны наступил на следующий день. Пока она разговаривала с отцом, я слышала из комнаты и смех, и слезы. В доме царила атмосфера любви, невольно охватывая и меня. В следующие несколько недель Чарли провел много времени с детьми, и все трое сильно сблизились. Чарли никогда не отпускал их, не сказав каждому по отдельности, что он любит их, и дети отвечали ему тем же. Они успели исцелить свои отношения до того, как Чарли умер.

Когда Чарли умирал, Грег и Марианна сидели по обе стороны от отца, и каждый держал его за руку. Они попросили, чтобы я тоже посидела с ними в комнате, пока он мирно уходил — его дыхание постепенно становилось все реже, пока не остановилось совсем. Стояло ясное утро, и за окном, как всегда, пели птицы. Мне пришло в голову, что это придает происходящему особую красоту — птицы провожали Чарли пением.

Оставив Грега и Марианну вдвоем, я вышла на веранду, вспоминая Чарли, молясь за него и желая ему хорошего пути, где бы он ни был. Когда я вернулась в комнату, брат с сестрой сидели рядом, держась за руки, и смотрели на отца, улыбаясь сквозь слезы.

Где-то год спустя я получила от Грега имейл. Он продал большой дом и перевелся работать в другое отделение своей компании — теперь он с женой и детьми жил в маленьком провинциальном городке. Хотя офис был неблизко от дома, без пробок Грег тратил на дорогу до работы в два раза меньше времени, чем раньше, и у него освободилось полтора часа на общение с сыновьями. В маленьком городке все оказалось дешевле, и несмотря на то что жизнь всей семьи стала проще, качество этой жизни существенно возросло. Жена Грега тоже была счастлива, и все четверо были довольны новыми друзьями и новым образом жизни. Грег благодарил меня за заботу об отце и с любовью писал о Марианне, которая как раз недавно приезжала его навещать.

Это письмо меня чрезвычайно порадовало. Я сразу вспомнила Чарли, его голубые глаза, добрую улыбку и наши разговоры. Было особенно приятно знать, что Грег не просто услышал слова отца, но претворил их в жизнь. Но больше всего меня обрадовала последняя строчка письма. Пожелав мне всего хорошего, Грег добавил два слова, и, прочтя их, я расплылась в улыбке: *будьте проще*. Золотые слова, Грег и Чарли. Золотые.

# ТРЕТЬЕ
# СОЖАЛЕНИЕ

•

*Жаль, что мне
не хватало смелости
говорить о своих чувствах*

Для девяностодвухлетнего человека на пороге смерти Йозеф выглядел на удивление хорошо — я отметила это при первом же знакомстве. Это был добрый мужчина с приятной улыбкой, которая превращала его в сущего мальчишку. Мне сразу полюбился и он сам, и его тонкое, безжалостное чувство юмора.

Семья Йозефа приняла решение не рассказывать ему, что он умирает. Мне это было нелегко, но я старалась уважать их выбор. В течение нескольких недель его состояние ухудшилось настолько, что игнорировать болезнь стало невозможно. Йозеф больше не мог стоять без поддержки и с каждым днем все больше полагался на мою физическую силу. Его болезнь заявляла о себе каждый раз, как он пытался сесть или встать, и мы оба это замечали. Так что пока семья продолжала врать Йозефу, он постепенно прозревал: его болезнь действительно была очень серьезной.

Йозефу были выписаны сильнодействующие лекарства, чтобы облегчать боль, насколько это возможно. Как это часто бывает, побочным эффектом обезболивающих был запор. От запора есть свои лекарства, но на Йозефа они не особо действовали, поэтому мне приходилось вводить ему специальные свечи в задний проход. Когда человек настолько болен, он перестает стесняться. Не приходилось говорить о достоинстве, когда Йозеф перекатывался на бок, чтобы я ввела ему лекарство. Я, разумеется, старалась как могла разрядить обстановку словами, которые потом еще много раз повторяла другим пациентам.

«Каждая жизнь начинается с еды и какашек, Йозеф, и заканчивается ими же», — шутила я. Работа с умирающими разложила жизненный цикл человека буквально по полочкам. В самом начале жизни комфорт ребенка зависит прежде всего от полноценного питания и опорожнения кишечника. В самом конце жизни эти же функции определяют состояние человека: мы всегда спрашиваем, как он ест и нормально ли работает его кишечник.

Когда умирающему человеку, сидящему на сильных обезболивающих препаратах, удается опорожнить кишечник и тем самым улучшить свое состояние, близкие радуются. Йозеф не был исключением — когда он смог сходить в туалет, за него радовалась вся семья. И я, разумеется, тоже — не только потому, что пациенту стало легче, но и потому, что мои усилия увенчались успехом.

Один из сыновей Йозефа жил неподалеку и каждый день заходил его проведать. Второй сын жил в другом штате, а дочь переехала за границу. Каждый день Йозеф с сыном болтали о всякой ерунде, в основном о бизнес-новостях из свежего номера газеты, пока Йозеф не уставал. Уставал он быстро, поскольку его здоровье таяло на глазах. Его сын мне нравился, хотя мы с ним и не подружились. Как-то раз я сказала Йозефу, что его сын приятный человек, а он ответил: «Его интересуют только мои деньги». Предпочитая верить собственной интуиции, я решила не давать этому комментарию влиять на мое сложившееся мнение.

В следующие несколько недель Йозеф рассказал мне множество историй, в основном про любовь к работе. И он, и его жена Жизела пережили холокост; после освобождения из лагеря они перебрались жить в Австралию. Иногда Йозеф что-то рассказывал о жизни в концентрационном лагере, но сама я никогда не расспрашивала его об этом. Если ему хотелось поделиться, я всегда внимательно его слушала, но он сам решал, что и когда рассказывать.

Мы с Йозефом быстро подружились и с удовольствием болтали обо всем на свете. Нас сблизило схожее чувство юмора, к тому же, мы оба были по натуре довольно тихими людьми. Разница в возрасте нам ничуть не мешала, и наше общение становилось все глубже с каждым днем.

Весь день напролет Жизела то и дело заходила в комнату с новым блюдом, уговаривая Йозефа поесть. Кухарка она была замечательная, но ее муж уже почти совсем не мог есть, а она все еще готовила помногу — отчасти по привычке, а отчасти из-за отрицания очевидного.

Семья каким-то образом убедила врача не говорить Йозефу о приближающейся смерти. Более того, родные не только скрывали от него, что он умирает, но даже пытались убедить его, что он поправляется. «Давай, Йозеф, поешь. Тебе скоро станет лучше», — повторяла Жизела. Я сострадала ей всем сердцем: ее страх перед истиной был невыносимым.

Йозеф теперь съедал за целый день не больше баночки йогурта, и сил у него почти не оставалось — даже с моей помощью он уже не мог дойти до гостиной. Однако родные по-прежнему убеждали его, что он вот-вот поправится. Я молчала, пока Йозеф не задал мне прямой вопрос.

Жизела как раз вышла из комнаты. Йозеф сидел в кровати, а я массировала ему ступни — до меня ему никто никогда не делал такого массажа, и в последние недели он к нему пристрастился. Я же с удовольствием баловала своих пациентов всевозможными приятными процедурами, вероятно, поэтому мы с ними так сближались. Многие наши беседы происходили, пока я массировала ноги, причесывала волосы, чесала спины или полировала ногти.

— Я ведь умираю, Бронни, да? — сказал Йозеф, когда жена вышла из комнаты. Я кивнула.

— Да, Йозеф.

Он тоже кивнул, явно испытывая облегчение от истины. Я же после опыта с семьей Стеллы поклялась никогда не говорить своим пациентам ничего, кроме правды.

Йозеф некоторое время смотрел в окно, пока я молча продолжала массировать ему ноги.

— Спасибо. Спасибо за правду, — произнес он наконец со своим сильным акцентом. Я улыбнулась и снова кивнула. Мы еще чуть помолчали, затем он заговорил:

— Они просто не могут этого выдержать. Жизеле слишком больно говорить со мной об этом. У нее все будет хорошо. Но обсуждать это она не может.

Йозефу стало легче от того, что он наконец узнал истинное положение дел, а мне — от того, что мне не нужно было больше врать. Он спросил:

— Мне уже недолго осталось, да?

— Думаю, что недолго, Йозеф.

— Недели, месяцы? — настаивал он.

— Я правда не знаю. Но я бы думала, что скорее недели или дни. Мне так кажется, но точно я не знаю, — честно ответила я. Он кивнул и вновь уставился в окно.

Очень немногие люди способны предсказать *точно*, сколько времени осталось человеку, если только он не находится очевидно на последнем издыхании. Но именно этот вопрос и пациенты, и их родные задавали мне регулярно, иногда по многу раз. Опыт уже позволял мне оценивать положение дел, и я знала, что ситуация может меняться очень быстро. Например, нередко перед финальным ухудшением пациентам ненадолго становилось существенно лучше.

Успех моей работы сиделкой напрямую зависел от интуиции. Опираясь на интуицию, я и ответила на вопрос Йозефа. Мне не хотелось этого делать, но еще больше не хотелось лгать, говоря, что ему остались месяцы, когда это было очевидно не так.

Массаж был закончен, и теперь мы оба смотрели в окно. Через некоторое время Йозеф прервал молчание.

— Как же я жалею, что так много работал.

Я молча ждала продолжения.

— Я очень любил свою работу, по-настоящему любил. Потому я так много и работал — ну и еще чтобы обеспечить своих родных и их родных.

— Но это же замечательно, раз так. О чем же тут жалеть?

Йозеф жалел, что родные так мало видели его с момента переезда в Австралию. Но больше всего он жалел о том, что не дал им шанса по-настоящему узнать себя:

— *Жаль, что мне не хватало смелости говорить о своих чувствах.* Поэтому я все работал и работал, а семью держал на расстоянии. Они не заслуживали такого обращения. Теперь я жалею, что мы с ними так по-настоящему и не узнали друг друга.

Йозеф признался, что и сам по-настоящему узнал себя только в последние годы, так что у его родных почти не было такого шанса. Его добрые глаза наполнились грустью, когда мы заговорили о привычных шаблонах в отношениях и о том, как трудно бывает через них переступить. Мы также обсудили, что это необходимо, если люди действительно хотят развивать отношения. Йозефу казалось, что он упустил возможность построить любящие и теплые отношения с детьми. Единственное, чему он за всю жизнь научил их на своем примере — как зарабатывать и ценить деньги.

— И какой теперь в этом прок, — вздыхал он.

— Ну, зато вы сделали то, что хотели, — утешала его я. — Благодаря вам у них комфортная жизнь. Вы обеспечили их всем, как и собирались.

По его щеке скатилась одинокая слеза.

— Но они меня не знают. Они не знают меня. А я хочу, чтобы они меня знали, — произнес Йозеф, и слезы потекли из его глаз рекой.

Я молча сидела рядом, пока он плакал.

Через некоторое время я предположила, что, возможно, еще не все потеряно, но Йозеф был со мной не согласен.

Ему уже не хватало сил, чтобы долго разговаривать — одно это затрудняло положение. Но кроме того, он признался, что не знает, как говорить с родными о своих тайных чувствах. Я предложила позвать его жену и сына, чтобы они смогли поучаствовать в нашей беседе — возможно, в моем присутствии разговор пойдет проще. Но Йозеф помотал головой и вытер слезы. «Нет. Слишком поздно. Давай не говорить им, что я все знаю. Им проще думать, что я им верю. Я знаю, что умираю. Все нормально».

Йозефу исполнилось примерно столько же лет, сколько было моей любимой бабушке, когда она умерла. Хотя они прожили совсем разные жизни, мне почему-то все равно было очень приятно находиться рядом с человеком этого возраста. С бабушкой мы говорили о смерти легко и непринужденно. Она утверждала, что со мной обсуждать смерть даже проще, чем с некоторыми из ее собственных детей.

Бабушка и ее брат-близнец были старшими из одиннадцати детей. Их мать умерла, когда им было всего по тринадцать, так что бабушка сама вырастила всех младших братьев и сестер. Отец ее был «жестким человеком», как она выражалась. Он обеспечивал детей едой, но больше практически ничего не мог им дать — особенно любви.

Примерно через год после смерти матери умерла самая младшая сестричка, Шарлотт. Вырастив всех остальных братьев и сестер, бабушка родила и воспитала семерых собственных детей, в том числе мою маму. Когда родилась я, в моих темных кудряшках и больших любопытных глазах бабушка узнала дорогие ей черты Шарлотты, поэтому с первого же моего дня мы с ней были особенно близки.

Приезд бабушки в наш дом всегда был праздником. Все дети обожают гостей, и мы не были исключением. В бабушке было никак не больше полутора метров росту, но она была сильной и подвижной. Она любила меня и принимала любой.

Однажды мама отправилась в заслуженный отпуск вдвоем с сестрой, а бабушка приехала за нами приглядеть, потому что папа несколько дней в неделю работал в другом городе. Мне было двенадцать, почти тринадцать, и я училась в католической школе. Школа стояла за трехметровой кирпичной стеной, и руководили ею монахини. Некоторые из них были замечательными женщинами, но директриса славилась своей жесткостью, за которую ее прозвали «железное лицо». Старшеклассники с первого дня в школе предупреждали нас не попадаться ей на глаза. Сегодня, когда я сама уже взрослая женщина и не верю слухам, я думаю, что за ее маской строгости скрывалось доброе сердце. Но школой она руководила железной рукой, и за все годы учебы я ни разу не видела, чтобы она улыбнулась.

Я была послушной девочкой, и директриса меня не замечала, что меня совершенно устраивало. Но в тот год я как раз подружилась с двумя самыми хулиганистыми девчонками в классе.

Однажды во время большой перемены мы забрались на дерево, перелезли через забор и отправились в город. Там мы прокрались в магазин, и каждая украла по паре сережек со своими инициалами. Успех нас опьянил, и мы зашли в другой магазин, где стащили губную помаду. Я как раз накрасила губы и радостно удивлялась тому, какие они сладкие, когда мне на плечо легла чья-то большая рука. «Дай-ка это сюда».

Почти парализованная от страха, я прошла за хозяином магазина в его кабинет вместе с одной из своих подруг — вторая успела сбежать. Он позвонил в школу, и директриса уже дожидалась нас в дверях, когда мы, понурые, брели к зданию. В руках у нее была линейка.

— Ступайте ко мне в кабинет, — сказала она.

— Да, сестра, — ответили мы хором.

Если бы у нас были хвосты, мы бы их поджали. Директриса договорилась с магазином, что о происшествии не будут сообщать в полицию, но мы должны были пойти домой и рассказать родителям обо всем, что случилось. Затем наши родители должны были позвонить директрисе и подтвердить, что они в курсе. Кроме того, нам было запрещено ходить на физкультуру в течение целой четверти — мы обе обожали спорт, так что это было весьма суровое наказание. Наконец, директриса отвесила каждой из нас дюжину ударов линейкой по попе. Жесткой ее называли вполне заслуженно.

Мама находилась в отъезде, но папа должен был вернуться домой на выходные, и я заранее пребывала в ужасе. Я была мягким, чувствительным ребенком и боялась даже разговора на повышенных тонах. Дома была только бабушка, и я отвела ее в сторону. Дрожащими губами я рассказала ей о своем проступке. Она слушала меня, не перебивая и никак не реагируя. К концу рассказа я уже рыдала в три ручья.

— Ну что, ты еще будешь так делать? — спросила она.

— Нет, бабушка. Обещаю, — заверила я с чувством.

— Ты все поняла?

— Да, бабушка, — повторила я. — Я больше так не буду.

— Хорошо, — сказала она наконец. — Папе мы об этом не расскажем, а в школу я завтра позвоню.

Вот и все. Инцидент был исчерпан. Но я натерпелась такого страху, что не только никогда больше не пыталась ничего украсть, но ни разу в жизни не вернулась в тот злополучный магазин.

Спустя несколько лет я закончила школу и уехала из городка, в котором выросла. Мне не терпелось расправить крылья и начать самостоятельную жизнь, и я согласилась на первую предложенную мне работу — в отделении банка в городе, где жила бабушка, в пяти часах езды от дома родителей. Поселиться с бабушкой и тетей было самым практичным выходом из ситуации.

Мне исполнилось восемнадцать, и после детства на ферме и учебы в католической школе я была открыта любым новым впечатлениям. Когда через несколько месяцев моя мама догадалась, что я больше не девственница, она была шокирована и почти что готова отказаться от меня. Она поверить не могла, что я, приличная девушка, так легко дала сбить себя с пути истинного. И снова бабушка спасла ситуацию, твердо сказав маме, что времена изменились, и я по-своему все еще приличная девушка. Наши отношения с мамой после этого стали только крепче.

Когда я открыла для себя алкоголь и заявилась домой к бабушке пьяной, она на всякий случай поставила у кровати ведерко. Она была мудрой и снисходительной женщиной, оказавшей на мою жизнь глубочайшее и очень благотворное влияние. Когда я довольно рано объявила, что алкоголь не для меня, она вздохнула с облегчением.

Бабушка пережила всех своих братьев и сестер, что было для нее невыносимо, потому что она относилась к ним как к собственным детям. Где бы я ни жила, мы с ней постоянно переписывались и все друг другу рассказывали без утайки. Я вместе с ней тосковала, когда она потеряла последнюю сестру, и печалилась, видя, как она стареет. Смотреть, как с годами она теряет былую живость и самостоятельность, было больно, потому что приходилось признать, что бабушка рано или поздно меня покинет.

Я с трудом сдерживала слезы каждый раз, как мы с ней разговаривали, поэтому однажды откровенно сказала ей, что очень люблю ее и буду безумно скучать, когда придет ее срок уйти из жизни. После этого мы стали разговаривать с ней о смерти открыто и честно, чему я радуюсь до сих пор. Не отрицая неминуемого, мы наслаждались каждым разговором, и бабушка делилась со мной своими мыслями об уходе из жизни. Она была готова к нему за несколько лет до срока.

Вернувшись на родину после нескольких лет за границей, я сразу же помчалась к бабушке. Она очень изменилась. Волосы ее полностью поседели, она ходила с палочкой и, казалось, уменьшилась в размерах. Моя обожаемая бабушка превратилась в старушку. Ей было уже за девяносто, но ум оставался совершенно ясным, и мы еще год или два регулярно и с удовольствием общались.

Однажды в понедельник мне позвонили на работу. Бабушка умерла накануне, ночью, во сне. Мой мир рухнул в момент. Закрыв дверь своего кабинета, я уронила руки на стол, голову на руки и рыдала, прощаясь с любимой бабушкой и оплакивая свою потерю.

Я ушла с работы пораньше, потому что из-за слез все равно ничего не видела и едва соображала. По пути домой я забрала почту. Машинально просматривая конверты, я замерла в изумлении: среди писем и счетов была открытка от бабушки! Она отправила ее в пятницу, а умерла в воскресенье ночью. По моим щекам хлынул поток слез одновременно горя и радости, и я прижала открытку к груди, всхлипывая и улыбаясь.

Я чувствовала безумную благодарность за нашу близость и за то, что мы честно поговорили с бабушкой о смерти. Между нами не осталось никакой недосказанности. Она знала, что я люблю ее, а я знала, что она любит меня, и подтверждение этому я читала в ее открытке: *«Я тебя очень люблю, моя милая, и постоянно о тебе думаю. Пусть тебе всегда светит солнце, Бронни. С любовью, бабушка».*

•

«Я ВСЕ ВРЕМЯ

РАБОТАЛ,

А СЕМЬЮ ДЕРЖАЛ

НА РАССТОЯНИИ.

МЫ С НИМИ ТАК

И НЕ УЗНАЛИ

ДРУГ ДРУГА

ПО-НАСТОЯЩЕМУ».

•

Мысли о ее предстоящем уходе не раз вызывали у меня слезы задолго до того, как она умерла. После того как это произошло, я тоже много плакала. Но при этом в глубине души я чувствовала покой, зная, что мы встретили то, от чего никому не суждено убежать, честно и открыто. Сознание этого утешает меня и сегодня. Бабушка улыбается мне с фотографии в рамке, которая стоит у меня на столе. Иногда я очень по ней скучаю, но знаю, что наша честность подарила нам совершенно особые отношения, которые и сегодня делают меня лучше.

Моему пациенту, к сожалению, было куда тяжелей. Честность оказалась для Йозефа и его семьи слишком болезненной. Я всем сердцем сочувствовала его боли и бессилию. Этому человеку уже пришлось пережить невообразимые страдания, и вот теперь, на смертном одре, он не находил себе места. Жизела по-прежнему заходила в комнату с полными тарелками еды, убеждая мужа поесть. Он ласково улыбался ей и отказывался. Вечерами меня сменяли другие сиделки, но днем за Йозефом ухаживала я. Мы очень сблизились, и ему было со мной удобно и легко, особенно теперь, когда он раскрыл мне душу.

Поэтому я крайне удивилась и расстроилась, узнав, что мне нашли замену. Сын Йозефа счел, что мои услуги обходятся слишком дорого. Я объяснила, что его отцу осталось жить не больше недели или двух, но он считал, что Йозеф может прожить в таком состоянии еще несколько лет. Семья нашла нелегальную сиделку, готовую работать за копейки.

Я умоляла Жизелу переубедить сына, но это ни к чему не привело. Они приняли решение. Меня ждали другие пациенты — работа для меня всегда находилась. Я расстроилась только из-за того, что Йозеф открылся мне и ему явно было со мной хорошо. Мне казалось, что для его родных его комфорт в последние пару недель жизни должен быть превыше всего. С ужасом я думала о том, что новая сиделка может оказаться равнодушной, особенно потому, что Йозеф уже почти не мог разговаривать от слабости и одышки. Одновременно я жалела и новую сиделку, представляя, какие им с Йозефом предстоят языковые сложности.

Впрочем, сделать я ничего не могла, поэтому оставалось только поверить, что этот поворот событий — часть пути Йозефа. Разве нам дано знать, чему человек должен научиться в течение жизни? Нет. Так что мы с Йозефом обнялись, обменялись улыбками, которые говорили куда больше слов, и простились. В дверях спальни я задержалась, глядя на него в последний раз. Мы еще раз улыбнулись друг другу. Затем я ушла. Отъезжая от его дома, я подумала, как он сейчас смотрит в окно, думая о чем-то своем, и расплакалась. Работая сиделкой, я знакомилась с людьми, которых при других обстоятельствах ни за что бы не узнала. Мы многим делились и многому учились друг у друга, и, хотя иногда мне бывало тяжело, эта работа того стоила.

Через неделю мне позвонила внучка Йозефа, сказать, что он умер. Я была рада за него. Болезнь уже не позволяла ему сохранять нормальное качество жизни, так что его уход был облегчением. Думая о нем, я испытывала только благодарность. Учиться у милых моему сердцу пациентов было великим даром. Мы все умрем, но у нас есть возможность управлять своей жизнью, и моя работа не давала мне забывать об этом.

Мучения Йозефа, который не мог быть откровенным с близкими, наполнили меня решимостью всегда делиться своими чувствами с другими людьми. Я перестала понимать, почему мы так боимся быть открытыми и честными. Понятно, что мы хотим избежать боли, которой чревата откровенность. Но стена тайны, которой мы окружаем свои чувства, тоже может обернуться болью, ведь она мешает другим по-настоящему узнать нас. Глядя на слезы

Йозефа, мечтавшего быть понятым и принятым, я поняла, что никогда не буду прежней.

В тот день, когда мне сообщили о его уходе, я отправилась в парк возле пляжа и просто сидела, глядя по сторонам. Вокруг играли дети, и я наблюдала, как естественно они делятся друг с другом своими чувствами. Если им кто-то нравится, они прямо говорят об этом. Если им грустно, они плачут, высвобождая свои эмоции, а затем снова радуются. Они не умеют подавлять свои чувства. Я сидела и любовалась тем, как искренне дети выражают себя, как они все вместе играют и что-то строят.

Мы создали общество, в котором взрослые существуют по отдельности друг от друга, совершенно изолированно. Глядя на детей, я видела, как они естественны в своих проявлениях: они все вместе играли, свободно выражали свои чувства и радовались жизни. Я жалела, что, взрослея, мы утрачиваем искренность и открытость, но с другой стороны, эта картина вселяла в меня надежду. Если каждый из нас когда-то был таким, хотя бы в какой-то степени, то, возможно, мы еще не утратили это состояние.

В том парке возле пляжа я приняла решение. Мне никогда не придется жалеть о том, о чем пришлось пожалеть милому Йозефу. Пора набраться смелости и начать искренне говорить о своих чувствах.

Стены, которыми я окружила свое сердце, больше не нужны. Наконец я готова их снести.

## Никакого чувства вины

Прозвенел звонок, разбудив меня от крепкого сна в новом доме. Сунув ноги в тапки и завернувшись в халат, я отправилась наверх, проведать Джуд. Она промычала нечто невнятное — посторонний человек ни за что не понял бы, чего она хочет, но я легко разобрала просьбу перевернуть ее, потому что у нее болит нога. Устроив Джуд поудобней, я погасила свет, вновь пожелала ей спокойной ночи и вернулась вниз, в свою удобную и красивую кровать.

Мы с Джуд нашли друг друга через общих знакомых. Кто-то из моих друзей-музыкантов знал, что я работаю сиделкой, и передал мой номер ее семье. До сих пор большинство моих паллиативных пациентов были пожилыми людьми; многие умирали от рака и связанных с ним заболеваний, но не все. Джуд было всего сорок четыре, и она страдала от заболевания двигательных нейронов. Она жила с мужем и чудесной девятилетней дочкой с каштановыми кудрями и лучезарной улыбкой. Это были любящие и светлые люди — как и сама Джуд.

Семья Джуд решила больше не связываться с агентствами, которые постоянно присылали им новых сиделок. У Джуд было немало потребностей, причем весьма конкретных. Из-за болезни ее речь постепенно становилась все менее понятной, поэтому ей нужна была постоянная сиделка, знакомая с ее нуждами.

В мои выходные за Джуд присматривали другие сиделки — теперь у меня было достаточно опыта, чтобы обучить их всему необходимому. Поскольку Джуд уже не могла передвигаться сама, мы использовали гидравлический подъемник, чтобы перемещать ее в кресло или кровать. Ее болезнь прогрессировала каждый день. Я радовалась, что познакомилась с ней, пока она еще разговаривала относительно нормально, потому что теперь это позволяло мне намного лучше понимать ее мычание.

Джуд родилась в очень богатой семье. От нее всегда ждали, что она удачно выйдет замуж и будет жить так, как полагается женщине ее круга. Ее первая машина стоила куда больше, чем большинство людей зарабатывают за год. В обычном магазине одежды она впервые побывала лет в двадцать пять — до этого она носила только дизайнерские вещи. Об этом позаботились ее родители.

Однако при этом Джуд всегда привлекало искусство, и она вовсе не была рабой роскоши. Все, чего ей хотелось, — это жить простой жизнью, рассказывала она мне. Но родители настояли, чтобы она получила образование, и поставили ее перед выбором: изучать право или экономику. Хотя Джуд и говорила, что хотела бы заниматься искусством, такой вариант даже не рассматривался. Уступив родителям, она выбрала юриспруденцию. Она говорила себе, что однажды ее родители умрут, и тогда ей удастся применить себя в области, которая ее по-настоящему интересует: в искусстве или социальной сфере. Однако жизнь распорядилась иначе. Ее отец действительно умер, но матери суждено было ее пережить — впрочем, болезнь все равно лишила Джуд возможности работать.

Зато благодаря своей любви к искусству она познакомилась с молодым художником Эдвардом. Они сразу же понравились друг другу, и, хотя вначале оба немного робели, сила взаимного притяжения придала им смелости.

Очень скоро они влюбились друг в друга с головой, забыв обо всем остальном мире. Семья Джуд не одобрила ее выбор, потому что Эдвард вырос в бедной семье, занимался искусством и вполне довольствовался простым образом жизни. На своем поприще он достиг успеха, но родители Джуд считали любого представителя свободных профессий неприемлемой кандидатурой.

К сожалению, ее поставили перед выбором: родители или Эдвард. Она выбрала Эдварда. Разумеется, тут даже думать было не о чем, рассмеялась Джуд. Она всем сердцем любила Эдварда, а он любил ее. Тогда семья

Джуд разорвала с ней все отношения. У нее осталось несколько близких друзей из прежней жизни, но теперь она принадлежала к другому миру, более счастливому и открытому, поэтому у нее быстро появился новый круг общения.

Через несколько лет у Джуд и Эдварда родилась дочь, Лайла. Джуд хотела, чтобы девочка общалась с бабушкой и дедушкой, поэтому приложила все усилия, чтобы помириться с родителями. Ее отец со временем смягчился, и его последние годы были согреты любовью к обожаемой внучке. Отношения с дочерью у него тоже наладились. С Эдвардом он всегда был вежлив, но так и не смог принять, что сердце его дочери завоевал художник. Дружбы между ними не сложилось. Зато отец Джуд, несмотря на протесты жены, купил для молодой семьи дом недалеко от залива.

Все шло хорошо, пока Джуд внезапно не сделалась странно неуклюжей — это стало настолько заметно, что они с Эдвардом обратились к врачу. Все это они рассказывали мне хором, и вовсе не потому, что болезнь Джуд мешала ей говорить самой, а просто потому, что они были очень близки. Мы с ними были почти ровесниками, и, глядя на их любовь, я чувствовала одновременно восхищение и бесконечную грусть.

Мы часами разговаривали с ними втроем, и эти беседы были глубокими и честными. Среди прочего мы обсуждали и тему принятия смерти в таком молодом возрасте. Нам часто кажется, что мы будем жить вечно, но у жизни свои планы. Некоторым людям суждено умереть молодыми. Словно цветы, которые распустились, но не успели превратиться в плоды, они покинут мир, не успев полностью реализовать свой потенциал. Другим суждено дожить до зрелости и умереть в расцвете лет. Третьи переживут расцвет и постепенно состарятся.

Мы часто используем выражение «преждевременная смерть», но на самом деле каждый человек уходит в предначертанный ему срок. Миллионам людей не суждено дожить до старости. Мы всегда предполагаем, что будем жить вечно или хотя бы до глубокой старости, поэтому смерть молодого человека вызывает у нас ужас и отчаяние. Но это естественная часть жизни всех биологических видов. Кто-то умирает молодым, кто-то в среднем возрасте, а кто-то в глубокой старости. Конечно, больно видеть, как умирают те, у кого впереди могла бы быть вся жизнь. У меня есть друзья, потерявшие детей, и эта рана никогда не заживает полностью. Но этим детям или молодым людям было просто не суждено прожить долгую жизнь. Они пришли в мир, осветили его своим присутствием и навсегда останутся в нашей памяти благодаря тому, что успели сделать за свое недолгое время.

Хотя до сорока лет Джуд была совершенно здорова, было бы естественно поддаться мыслям о том, как несправедливо такой прекрасной женщине умирать всего в сорок четыре года. Но и она, и Эдвард смирились с судьбой, полные благодарности за то, что им довелось встретиться и полюбить друг друга. Кроме того, у них родилась чудесная дочь, и возможность быть рядом с Лайлой в ее первые девять лет приносила Джуд некоторое утешение. Конечно, ее мучило, что она не увидит, как ее девочка превратится во взрослую женщину, и что ее смерть неминуемо причинит дочери глубокую боль. Но ее утешало, что рядом с Лайлой останется любящий отец.

Джуд уже полностью утратила независимость и возможность передвигаться, но по-настоящему ее приводила в отчаяние потеря речи. Однажды ночью, когда я переворачивала ее в кровати, она рассказала мне о своем главном страхе. Джуд боялась, что, когда полностью утратит речь, не сможет никому сообщить о том, что ей больно, и ей придется просто лежать и терпеть мучения. Невольно я задумалась о том, какие тяжелые и разные испытания выпадают людям. Какой ужасный конец — провести последние недели или месяцы в сознании, но без возможности выразить свои мысли и чувства, да еще и страдая от боли, потому что никто о ней не догадывается или не знает, как ее облегчить. Это, должно быть, постоянно происходит с людьми, страдающими такими болезнями как инсульт или повреждения мозга. Какой кошмар. Эта мысль заставила меня взглянуть на собственную жизнь совершенно по-новому.

С каждым днем речь Джуд становилась все менее понятной. В хороший день я достаточно успешно разбирала, что она говорит. В плохой день мне удавалось понять ее только благодаря интуиции и опыту. В такие дни Джуд иногда прибегала к помощи специальной компьютерной программы и очков. Эти очки позволяли ей взглядом фокусировать луч лазера на экране компьютера, где был изображен алфавит. Если она достаточно долго задерживала взгляд на какой-то букве, программа печатала эту букву, и она переходила к следующей. После пары букв программа предлагала ей варианты слов, и так далее. Это был медленный способ общаться, но он хоть как-то давал ей высказаться. Я мысленно благодарила людей, разработавших эту программу. Впрочем, Джуд предстояло вскоре потерять и эту возможность: она постепенно теряла способность двигать головой.

Поэтому, если нам выпадал хороший день, я очень внимательно слушала Джуд. Поднеся к ее губам сок, я ждала, пока она медленно сделает один глоток, потом другой, чтобы увлажнить горло и говорить дальше. Одну мысль Джуд повторяла особенно часто, считая ее чрезвычайно важной. «Мы не должны бояться говорить о своих чувствах», — говорила она. Мне, учитывая мой собственный жизненный путь, эта мысль тоже была близка.

Хотя Джуд лишилась матери, когда выбрала Эдварда, она все равно была счастлива: ей хватило смелости принять верное решение, о котором она ни разу не пожалела. Но сейчас она мечтала рассказать матери о своих чувствах и проститься с ней. Признавая, что ее мечта может не осуществиться, Джуд написала матери письмо, которое теперь ждало своего часа в письменном столе у Эдварда. Мать Джуд знала о ее болезни, но упрямство не давало ей простить и навестить умирающую дочь.

«Мы должны говорить о своих чувства прямо *сейчас*, — настаивала Джуд. — Не когда-нибудь потом, когда будет уже поздно. Никто из нас не знает, когда станет слишком поздно. Мы должны говорить людям, что любим их. Должны говорить, что восхищаемся ими. Если они не могут принять эту честность или реагируют не так, как мы надеялись, это ничего не меняет. Важно только то, что мы высказались».

Джуд считала, что это одинаково важно и для тех, кто уходит, и для тех, кто остается жить дальше. Умирающие должны знать, что высказали все нужные слова. Это помогает обрести покой, говорила Джуд. А если те, кто остается жить, тоже смогут набраться смелости для откровенного разговора, им не придется до собственной смерти сожалеть об упущенной возможности. Им не придется жить с чувством вины, которое неизбежно возникает, если любимый человек умер, так и не услышав предназначавшихся ему слов.

Эта тема была вдвойне важной для Джуд, потому что годом раньше внезапно умерла ее подруга, и эта смерть ее потрясла. Трейси была веселой и доброй женщиной, которая без усилий становилась душой компании на любой вечеринке. Ее многие любили за бесконечную доброту и за то, что она никогда никого не осуждала.

«Жизнь стремительно несет нас вперед и мешает уделять время любимым людям, будь то родные или друзья. Но давай вернемся к разговору об отношениях и откровенности. Люди не понимают, насколько это важная тема, пока сами не окажутся на пороге смерти — или не останутся навсегда с чувством вины после смерти близкого человека», — говорила мне Джуд.

Чувства вины легко избежать, объясняла она. Достаточно знать, что мы приложили все усилия, чтобы провести побольше времени с любимыми людьми и рассказать им о своих чувствах. Но ни в коем случае нельзя и дальше жить, предполагая, что любимые люди всегда будут рядом. Любая жизнь может оборваться в секунду. Сама Джуд была благодарна, что ей хватило времени попрощаться с близкими, но не всем людям, говорила она, выпадает такая удача. Миллионы гибнут внезапно, так и не успев перед смертью сказать близким о своей любви.

Когда Джуд открыто заявила родителям о своей любви к Эдварду, эта откровенность стоила ей отношений с матерью, но она не жалела о своем решении. Она не только познала всю полноту любви, которая и сейчас связывала их с Эдвардом, но и осталась верна своему сердцу. Кроме того, именно после этого разговора она осознала, что раньше была всецело под контролем родителей, особенно матери. Если отношения строятся на контроле, говорила Джуд, разве они могут быть здоровыми? Поскольку никаких других вариантов отношений с матерью ей не предлагалось, она решила, что обойдется совсем без них.

Впрочем, Джуд все же умирала без чувства вины, потому что сделала все возможное, чтобы восстановить связь с матерью. Ей хватило смелости высказать свои чувства.

К счастью, так же вышло и с Трейси: хотя шок от ее внезапной смерти был огромным, Джуд не мучило чувство вины. Всего за несколько дней до фатального несчастного случая они вместе обедали. На прощание Джуд обняла Трейси и сказала ей, что очень любит ее и ценит их дружбу.

К сожалению, другим друзьям и родным Трейси повезло меньше. Она была настолько яркой и живой, что никому и в голову не приходило подумать о ее смерти. Однако внезапная автокатастрофа оборвала ее жизнь, и спустя целый год многие друзья и знакомые Джуд все еще страдали от шока и чувства вины.

«Она изменила жизни многих людей, а они так и не сказали ей об этом. Самой Трейси, разумеется, чужое признание было ни к чему. Но эти люди теперь вынуждены жить, зная, что упустили шанс сказать ей спасибо. Я видела, как им отравляет жизнь чувство вины — сознание, что они могли поступить иначе». Мне это, конечно, было понятно. «Кроме того, — добавила Джуд, — хотя похвала Трейси не требовалась, ей было бы так приятно услышать добрые слова. Она была невероятно открытым и щедрым человеком. А теперь ее больше нет».

Я соглашалась с ней, что открыто и честно выражать свои чувства очень важно. Жизнь уже преподала мне несколько уроков на эту тему, и разговоры с Джуд только укрепляли меня в этом мнении. Она была красивой женщиной, по-прежнему непринужденно элегантной, несмотря на потерю контроля за собственным телом. Иногда у нее изо рта текла слюна, и одежду ей теперь приходилось носить скорее практичную, чем стильную. Но ее сила духа и характера никуда не делась. Улыбнувшись в знак согласия, я поделилась с ней своими мыслями:

— Да. Гордость, апатия или страх перед реакцией другого человека заставляет нас многое держать в себе. Но ведь чтобы быть откровенными, требуется немало смелости, Джуд, и нам не всегда хватает на это сил.

— Да, это требует смелости, Бронни, — согласилась Джуд. — Ведь я это и пытаюсь сказать. Нужна большая смелость, чтобы раскрыть другому свои чувства, особенно если у тебя проблемы и тебе нужна помощь, или если ты никогда не говорил человеку о своей любви и не знаешь, как он воспримет эти слова. Но чем чаще мы говорим людям о своих чувствах, причем любых, тем лучше становится наша жизнь. Гордость — такая пустая трата времени. Серьезно, ну вот посмотри на меня. Я даже попу вытереть себе не могу. Ну и что? Мы все люди. Нам позволено быть слабыми и уязвимыми. Это часть жизненного процесса.

Перед тем, как я устроилась работать к Эдварду и Джуд, у меня в жизни был особенно сложный период. Я решила поделиться этой историей с Джуд, потому что она имела прямое отношение к теме нашего разговора: к тому, как сложно порой бывает говорить людям о своих чувствах.

Работы с паллиативными пациентами уже давно было мало. Так случалось регулярно: работы либо был вал, либо нет совсем. Обычно меня это не беспокоило, потому что в периоды затишья я занималась творчеством. Однако спустя два месяца совсем без работы деньги начали заканчиваться, а предложений все не поступало. Все заработанные деньги я обычно вкладывала в творчество, поэтому сбережений у меня не было. Но раньше я уже успешно переживала такие периоды, поэтому они меня не особенно пугали.

Предложения присматривать за домами тоже поступали непредсказуемо. Иногда, живя в каком-нибудь доме, я до последнего дня не представляла, куда поеду дальше — знала только, когда возвращаются хозяева. Как правило, новое предложение возникало в самый последний момент. В периоды большего благополучия мне даже нравился этот риск — он вызывал прилив адреналина. Часто все заканчивалось хорошо: кто-нибудь звонил мне в панике, спрашивая, могу ли я присмотреть за его домом, начиная прямо завтра, потому что ему срочно нужно уехать. В результате мы оба оказывались спасены, и все заканчивалось широкими улыбками и вздохами облегчения.

Иногда мои клиенты договаривались друг с другом, чтобы не упустить возможность нанять меня присматривать за их домом. Они знали, в какой день я освобожусь, и заранее планировали уехать в отпуск как раз тогда, когда их друзья возвращались. Случалось, что мое расписание было распланировано на месяцы вперед. Это, конечно, было очень удобно и сильно облегчало мне жизнь.

Но бывало и так, что мой срок пребывания в одном доме заканчивался, а до начала переезда в следующий оставалось еще несколько дней, неделя или даже две, и мне негде было жить. Тогда я устраивала себе отпуск и уезжала за город, навестить друзей и родных. Если в это время работа сиделкой не отпускала меня из города, я временно селилась у кого-нибудь из друзей. Вначале это давалось мне легко. Но через несколько лет такой жизни мне начало казаться, что я всех утомила своими визитами. Друзья пытались меня переубедить. Они поддерживали меня и понимали, что надолго я все равно не задержусь. Надо сказать, что, когда у меня было собственное жилье, в нем всегда непременно кто-нибудь гостил, но принимать помощь мне всегда было гораздо сложнее, чем оказывать ее другим.

Постоянно спрашивая друзей, можно ли мне у них пожить, я почувствовала себя совершенно никчемной и безнадежной. Мне уже удалось успешно проработать многие старые травмы, и благодаря этому я научилась сострадать другим. Но изменить отношение к себе самой мне до сих пор не удавалось. Мне предстояло разобраться с отрицательными шаблонами мышления, которые накапливались во мне десятилетиями, и этот процесс шел медленно и болезненно. Зерна нового, положительного отношения к себе уже были посеяны и даже дали всходы, по-разному проявляясь в моей жизни. Но мне предстояло еще избавиться от всех прежних, вредных зерен, которые тоже до сих пор прорастали.

В тот период, о котором я рассказываю, работы у меня не было давным-давно, деньги почти закончились, и ситуация казалась безнадежной. Я позвонила лучшей подруге и спросила, можно ли у нее остановиться. Но у нее в жизни тоже был непростой период, и она никак не могла меня приютить. Дело было не во мне — просто так сложились обстоятельства. Но из-за своего тогдашнего отношения к себе и общего эмоционального состояния я приняла ее отказ на свой счет. Я неохотно позвонила еще нескольким друзьям, но мне не везло — у одной был полный дом гостей, другой был в отъезде, а третьему нужно было полностью сосредоточиться на работе. У меня не хватало денег, чтобы уехать из города, а просить в долг я не решилась. Мне пришлось смириться с мыслью о том, что я буду спать в машине.

Раньше, в годы моих странствий на джипе, это не было проблемой. Я обожала спать на заднем сиденье своей старой машины, где был постелен удобный матрас. Но в «рисинке» это было почти невозможно — ложась, я даже не могла вытянуться в полный рост. К тому же в ней не было занавесок, а на улице стояла зима. Я не знала, к кому еще обратиться за помощью. Хотя мне было страшновато спать прямо на улице, я смирилась с этой мыслью, решив, что в безвыходной ситуации людям иногда приходится так поступать.

Вечером, в сумерках, я ездила по городу, подыскивая относительно безопасные и подходящие места для ночевки. Нужно было также позаботиться о доступе к уборной — пугать мирных жителей, писая среди ночи у них перед домом, мне сейчас было совершенно ни к чему.

Когда ты бездомный и стараешься привлекать к себе как можно меньше внимания, дни тянутся очень долго. Вставать нужно с восходом солнца, чтобы уехать с места ночевки, а вечером нельзя устраиваться на ночлег, пока все остальные не уйдут с улиц по домам. Да, дни были долгими, а ночи очень холодными и одинокими.

Однажды вечером я услышала в кафе музыку и зашла. Я заказала чашку чая и пила ее как можно дольше, чтобы растянуть удовольствие. Мне вспомнился старик из песни Ральфа Мактелла, который пьет одну чашку чая весь вечер, чтобы подольше посидеть в тепле. Какая ирония, подумала я, ведь именно эту песню я одной из самых первых выучилась играть на гитаре.

На восходе солнца я приезжала к общественным туалетам возле пляжа и ждала, пока служитель их откроет. Там я могла умыться, почистить зубы и воспользоваться уборной, стоически перенося косые взгляды служителя. Не знаю, что он обо мне думал — сама я думала о себе еще хуже, поэтому мне было все равно. Кроме того, работая с умирающими, я уже научилась не обращать внимания на чужое мнение о себе. Мне хватало проблем с собственными мыслями.

В другой раз я ходила к кришнаитам, которые бесплатно кормили всех нуждающихся горячим ужином. Когда у меня бывали деньги, я их не жалела, и, если мне встречались кришнаиты, собиравшие пожертвования на эти самые ужины для бедных, я нередко кидала им в ведерко десять или даже двадцать долларов. Стоя в очереди за тарелкой, я размышляла над иронией своей ситуации. Кришнаиты мне нравились. Они были вегетарианцами, играли жизнерадостную музыку и кормили голодных. Мне этого хватало, чтобы давать им деньги. Но теперь я сама обращалась к ним за помощью, и это был довольно унизительный опыт.

Как-то утром я сидела на камне в гавани, молясь о силе, выносливости и чуде. В этот момент подплыла стая дельфинов, и один из них, играя, выпрыгнул из воды. Это вселило в меня некоторую надежду. Внезапно я вспомнила о друзьях, которые могли бы меня приютить, и решила позвонить им и попроситься ночевать. Они наверняка не отказали бы мне, но чувство собственной никчемности и безнадежности мешало мне обратиться к ним раньше. Мне не хватало смелости честно выразить свои чувства, хотя я могла бы просто сказать им откровенно: «Слушайте, я в полной заднице. Пожалуйста, можно я приеду и немного у вас поживу?»

Твердо решившись на этот звонок, я отправилась погулять по берегу. Но внезапно у меня зазвонил телефон. Это был Эдвард, которому порекомендовали меня в качестве сиделки для Джуд. Он звонил спросить, свободна ли я, и если да, то не могу ли приступить к работе прямо сегодня. Он также добавил, что если мне нужно жилье, то в доме есть для меня прекрасная комната. Той ночью я снова спала в настоящей кровати, растянувшись в полный рост, и меня не мучили холод и затекшие ноги. Я приняла горячую ванну и закуталась в теплое одеяло, а перед этим поужинала здоровой пищей в компании трех замечательных людей, и к тому же у меня снова была работа! Как быстро меняется жизненная ситуация.

Вспоминая этот период, я могла бы сказать, что виной всему было отсутствие работы. На поверхностном уровне так и было. Но всю эту ситуацию я создала сама, потому что чувствовала себя никчемной и лелеяла семена старых вредных мыслей. Очевидно, что семена новых, хороших мыслей тоже были посеяны, потому что в другие периоды мне случалось подолгу жить в благополучии и изобилии. Но бороться со старыми шаблонами мышления было тяжело, и я только усложняла себе задачу, отказываясь просить о помощи.

Когда через некоторое время у меня снова возник перерыв между клиентами, я первым же делом позвонила друзьям, о которых вспомнила тем утром, глядя на дельфинов. Они с радостью пригласили меня пожить в свободной комнате. Я смогла вновь впустить в свою жизнь доброту. Мне предстояло еще долго учиться выражать свои чувства, но я встала на правильный путь.

Я рассказала Джуд о том, как мне приходится учиться открытости, потому что я привыкла никому не говорить о своих чувствах и особенно о своих сложностях. Поэтому мне было очень ценно услышать ее мнение и честно обсудить эту тему. «Всем нужно напоминание быть откровенными, Бронни. Мы все держим в себе то, что должно быть сказано — как приятные, так и неприятные слова. Чтобы расти, мы должны говорить о своих чувствах. Это помогает всем, даже если не все это понимают. Честность всегда окупается».

Улыбнувшись, я посмотрела в окно, на корабли в гавани, освещенной полной луной. Вид был потрясающий. Джуд снова заговорила о чувстве вины и о том, что мы можем избежать его, если будем честно рассказывать людям, что у нас на сердце. Тогда нам не придется сожалеть об упущенных возможностях, особенно если мы внезапно лишимся близкого человека. Мы также избавимся от ограничений, став свободными, как дети. Мы никогда не должны винить себя за то, что открыли кому-то свои чувства, и никогда не должны внушать другим чувство вины, если им хватило смелости поступить так же.

Я провела с Джуд около двух месяцев, прежде чем ее состояние ухудшилось настолько, что ей пришлось переехать в хоспис. У меня снова было много предложений о работе сиделкой, также меня попросили надолго поселиться в одном доме на время отъезда хозяев. Как-то я навестила Джуд в хосписе, где, к своей радости, встретила Эдварда и Лайлу. Кроме того, возле кровати больной сидела женщина, которую я раньше никогда не видела, но ее сходство с Джуд не оставляло никаких сомнений: это была ее мать.

Эдвард принял решение передать письмо Джуд ее матери, не дожидаясь ухода любимой. Она уже не могла говорить, но все необходимое было сказано в письме. Джуд написала матери, что любит ее и всегда любила. Она писала о тех прекрасных вещах, которым научилась у нее, и о совместных счастливых воспоминаниях. В письме не было ни слова упрека или жалобы, потому что Джуд ненавидела чувство вины и хотела, чтобы мать, несмотря на все сложности между ними, знала, как она ее любит. Через несколько дней мать Джуд внезапно пришла в хоспис и с тех пор заходила туда каждый день. Она садилась у кровати и держала дочь за руку, глядя, как ее постепенно покидает жизнь.

Немного поговорив с Джуд, я поцеловала ее в щеку, поблагодарила и простилась. «Увидимся на той стороне, Джуд», — сказала я, улыбаясь сквозь слезы. Она хмыкнула мне в ответ, и глаза ее улыбались, хотя рот оставался неподвижным.

Мы с Эдвардом и Лайлой вместе дошли до «рисинки», держась за руки. Все трое плакали. Но день был наполнен такой искренней любовью, что эти слезы не были горькими. Эдвард рассказал, что мать Джуд много разговаривала с ней, и что он видел, как по щекам Джуд текут слезы, особенно когда мать говорит, что любит ее. Она извинилась за свое отношение к дочери и призналась, что втайне завидовала ей, особенно тому, как смело она пренебрегла мнением общества, — самой ей это так и не удалось.

На прощание обняв Эдварда и Лайлу, я от души пожелала им всего самого лучшего. Уезжая, я думала о Джуд, которую держит за руку ее мать, и о силе любви. Сердце мое было полно печали, но одновременно мне было радостно на душе.

Пару лет спустя мне неожиданно пришло письмо от Эдварда. Он рассказал, что Лайла провела с бабушкой несколько замечательных месяцев, прежде чем та тоже перешла в мир иной. Он писал, что перед смертью она совершенно изменилась и даже временами напоминала ему любимую Джуд. После похорон Эдвард и Лайла решили уехать из города и поселиться в горах, поближе к его отцу и чистому воздуху. Около года назад он встретил новую любовь, и теперь у Лайлы должна скоро родиться сестричка.

Я с радостью ответила на письмо, поздравив Эдварда и желая всем счастья. Я с удовольствием поделилась с ним своими воспоминаниями о Джуд: ее улыбке, терпении в болезни, принятии, о решимости донести до других свою мысль. Чувство вины отравляет. Чтобы жить счастливой жизнью, необходимо говорить о своих чувствах.

Я и сейчас помню, как сидела у ее кровати, за окном полная луна освещала залив, а Джуд все говорила и говорила — пока еще у нее была такая возможность, — твердо намеренная быть услышанной.

Я ее услышала. Благодаря ей я узнала счастье выражать свои чувства так же искренне, как тот дельфин, что от радости выскочил из воды.

«ВСЕМ НУЖНО НАПОМИНАНИЕ БЫТЬ ОТКРОВЕННЫМИ. МЫ ВСЕ ДЕРЖИМ В СЕБЕ ТО, ЧТО ДОЛЖНО БЫТЬ СКАЗАНО, — КАК ПРИЯТНЫЕ, ТАК И НЕПРИЯТНЫЕ СЛОВА».

## Неожиданные дары

В домах престарелых мне уже случалось работать с пациентами, страдавшими от болезни Альцгеймера, но Нэнси была моей первой домашней пациенткой с этим заболеванием. До болезни она была доброй и ласковой женщиной, матерью трех детей и бабушкой десяти внуков. Ее муж тоже был жив, но крайне редко заходил к ней в комнату — легко было забыть, что он вообще живет в одном с ней доме.

Три сестры и два брата Нэнси по очереди приходили ее навещать. Вначале заглядывали и друзья, но постепенно их визиты становились все реже. Уход за Нэнси был тяжелым изматывающим трудом. Она была беспокойной пациенткой, и уследить за ней было очень трудно: она не желала оставаться на одном месте дольше минуты и бо́льшую часть времени мучилась от тревоги и тоски. Спокойные и умиротворенные минуты выпадали Нэнси — а вместе с ней и мне — редко и ненадолго.

Со временем ее болезненное беспокойство настолько усилилось, что врач и родственники решили увеличить дозу лекарства. После этого Нэнси стала спать днем. Когда она бодрствовала, все, что она говорила, звучало набором бессмысленных звуков и слогов, как часто бывает у людей с Альцгеймером. В ее речи перемешивались части разных слов. Временами в ней можно было узнать английский язык, но нельзя было разобрать ничего структурированного, формального или понятного. Тем не менее я обращалась с Нэнси точно так же, как со всеми своими пациентами, с любовью и лаской, и много разговаривала с ней. Иногда она замечала мое присутствие, а иногда витала мыслями где-то очень далеко и не обратила бы на меня внимания, даже если бы у меня выросла третья рука.

Водить Нэнси в душ входило в обязанности ночной сиделки, хотя иногда этим занималась и я. Мыть ее выпадало мне, если ночь была особенно беспокойной, и в восемь утра, когда я заступала на смену, Нэнси еще спала. Как правило, приходя на работу, я заставала Нэнси в душе. Иногда она улыбалась мне, сидя на специальном табурете, пока ночная сиделка намыливала ее. Так выяснилось, что одна из сиделок использует в работе очень странные методы.

Первый тревожный звонок прозвучал однажды холодным зимним утром. Зайдя в комнату Нэнси, я обнаружила ее лежащей на кровати поверх одеяла, совершенно голой и трясущейся от холода. Она только что была в душе, и во время мытья опорожнила кишечник. Это была довольно типичная ситуация — так происходило со многими пациентами, когда они садились на табуретку для мытья, потому что в ней было отверстие, и они путали ее с сиденьем унитаза. Эту табуретку действительно можно было использовать над унитазом, если пациенту требовалось сиденье выше стандартного. Так что неудивительно, что иногда в душе случались подобные недоразумения.

Нэнси была стеснительной женщиной из скромной семьи. Лежать на кровати совершенно голой, не прикрытой даже простыней, было для нее само по себе травматично. Но кроме этого, она дрожала от холода и казалась хрупким маленьким ребенком. Войдя в комнату и обнаружив ее в таком виде, я немедленно схватилась за полотенце, вытерла ее и накрыла теплым одеялом. Другая сиделка в это время убиралась в ванной комнате. Я не удержалась и сделала ей замечание, сказав, что убраться можно и потом, ведь комфорт пациента важнее чистого пола. Ночная сиделка только пожала плечами.

Второй тревожный звонок прозвучал, когда я сменяла эту же сиделку несколько недель спустя. Я редко ношу наручные часы и вообще предпочитаю не жить по часам, когда это возможно. Поэтому, если по работе мне нужно следовать строгому расписанию, я предпочитаю во избежание стресса выходить намного раньше. Так я больше удовольствия получаю от дороги, будь она долгой или короткой, и куда больше замечаю по пути. В то утро дороги были на удивление свободными, и я приехала на работу очень рано.

После первого неприятного случая в душе ночная сиделка стала мыть Нэнси раньше, так что я больше не заставала их в ванной комнате. Нэнси была не первой нашей совместной пациенткой — за последние несколько лет мы регулярно встречались на пересменке. Вообще-то мы с этой сиделкой нормально ладили, но меня всегда немного смущал ее недостаток эмпатии по отношению к пациентам, из-за которого я сомневалась в ее профессионализме. Мои сомнения возросли, когда я заглянула в ванную комнату поздороваться и увидела, что бедная Нэнси сидит на табурете, синяя от холода, и трясется так, что у нее зуб на зуб не попадает.

На вопрос что происходит, ночная сиделка ответила, что ее учили мыть пациентов именно так. Пару минут, сказала она, пациента нужно поливать ледяной водой, потом пару минут теплой, еще пару минут холодной, потом снова теплой, но заканчивается душ всегда холодной водой. Это улучшает циркуляцию крови, пояснила она. Не исключено, что она даже была права — я и сама всегда чувствовала себя особенно бодрой после купания в холодной реке, — но сейчас это не имело значения.

Дело в том, что на улице стояла зима, и ветер завывал так, что дрожали окна. Даже в помещении нужно было тепло одеваться, чтобы не замерзнуть. Наша пациентка была смертельно больна. Вряд ли улучшение кровообращения могло ей помочь. Нэнси уже была слишком слаба, и прежде всего нуждалась в тепле и комфорте. Нашей задачей было обеспечивать ее благополучие, в том числе следить, чтобы ей было удобно и хорошо, а не оставлять ее сидеть на табуретке, замерзшую и напуганную. По моему глубокому мнению, больше всего ей был нужен уют и любящий уход.

Я совсем не напористый человек, но, если нужно, могу проявить характер, особенно когда вижу жестокость или несправедливость. Я высказала ночной сиделке все, что думаю о ее методах, хотя и в мягких выражениях. Мы договорились, что отныне она будет мыть Нэнси только теплой водой.

Дни продолжали течь в привычном распорядке. Эта сиделка надолго уехала в отпуск, и на смену ей вышла другая — тоже моя знакомая, по имени Линда. Я всегда с удовольствием сменяла ее, потому что с ней приятно было поболтать, и мне нравились ее профессионализм и рабочая этика. Я вздохнула с облегчением, радуясь за нашу пациентку.

Нэнси продолжала разговаривать так же бессмысленно, как и обычно. Если она не спала, то основную часть времени проводила в тревожном возбуждении. Однако благодаря лекарствам эти приступы тревоги уже не длились так долго, как раньше. Бортики кровати Нэнси должны были постоянно оставаться поднятыми, но, если она была спокойна, я опускала их, чтобы между нами не было преграды. Иногда Нэнси хорошо реагировала на заботу, например, когда я мазала ей ноги кремом. Но даже в спокойные моменты она разговаривала на собственном, никому не понятном языке. В нем не было ни ясности, ни структуры, только неразборчивые слоги, которые никак не складывались в единое целое. К моменту нашего знакомства она уже несколько месяцев разговаривала только так.

Однажды после похода в туалет Нэнси медленно шлепала назад к кровати, держа меня за руку. Я уронила на пол тюбик, который несла в другой руке, и, рассмеявшись, нагнулась его поднять. Я всегда обращалась с Нэнси так же, как со всеми остальными пациентами, даже если она ни на что не реагировала и ничего не понимала. Так что я выпрямилась, продолжая разговаривать с ней, и вдруг, посмотрев мне прямо в глаза, она произнесла совершенно отчетливо: «По-моему, ты очень милая».

Я расплылась в улыбке, и некоторое время мы стояли, улыбаясь друг другу. Передо мной была совершенно вменяемая женщина. Она прекрасно сознавала все, что происходит вокруг. Я искренне ответила: «Я тоже считаю, что вы очень милая, Нэнси». Она улыбнулась еще шире, и мы обнялись, а потом вновь улыбнулись друг другу. Это был прекрасный момент.

С равновесием у Нэнси было неважно, поэтому мы пошлепали дальше к кровати, держась за руки. Когда я посадила ее на краешек кровати и начала поднимать ей ноги, Нэнси произнесла длинную и абсолютно бессмысленную фразу на «языке Альцгеймера». Ее сознание вновь затуманилось, но недолгое время она видела и понимала происходящее с полной ясностью.

Страдающие болезнью Альцгеймера могут большую часть времени не понимать, что происходит. Но, даже если они не в состоянии четко выражать свои мысли, и нередко эти мысли крайне спутаны, это еще не значит, что они не воспринимают происходящее хотя бы частично. Убедившись в этом на собственном опыте, я навсегда изменила свое мнение об этой болезни.

Несколько недель спустя я рассказала об этом эпизоде Линде, ночной сиделке, и она согласилась, что это редкий случай. Однако вскоре и Линда столкнулась с проявлением осознанности у Нэнси, хотя и в менее трогательной форме. В ее обязанности входило ночью каждые четыре часа перекладывать Нэнси с боку на бок, чтобы избежать пролежней. Часто Нэнси при этом глубоко спала, но доктор категорически запрещал нам пропускать эту процедуру. Однажды ночью, около четырех часов, Линда подошла к кровати, и Нэнси совершенно четко сказала ей:

— Не смей меня трогать.

— Как скажете, Нэнси, — ответила изумленная Линда. — Сладких снов.

Родные Нэнси каждый день отпускали меня на полчаса пообедать. Смены были долгими и утомительными, и я с радостью пользовалась передышкой. Дом Нэнси был недалеко от пляжа, так что я спускалась с холма и стояла на скалах, глядя на море. Скалы почти везде были покрыты морскими желудями и лужицами соленой воды, но все равно можно было подойти к самому краю. Вдыхая океанский воздух, я радовалась свежему бризу и бескрайней глади воды. Иногда я встречала на берегу человека, игравшего на саксофоне. Его музыка звучала просто волшебно, паря над океанскими волнами, идеально попадая в такт. Я стояла как зачарованная, впитывая происходящее, пока мне не пора было возвращаться на работу. Воспоминания об услышанной музыке потом поддерживали меня до самого конца смены.

Разумеется, вернувшись, я сообщала об этом Нэнси, хотя она и казалась совершенно безучастной. Меня это не смущало. Я хотела лишь сделать ее жизнь немного разнообразней, рассказывая ей о внешнем мире. Ведь весь мир Нэнси теперь сводился к спальне, ванной и гостиной.

В течение пары месяцев я рассказывала ей о саксофонисте, не замечая никакой реакции или интереса с ее стороны. Но однажды, вернувшись с перерыва в особенно приподнятом настроении, я попыталась описать мелодию, которую музыкант играл в тот день (как будто музыку можно описать словами). И тут Нэнси посмотрела мне в глаза и улыбнулась. Через несколько минут, убирая в шкаф постиранное белье, я вдруг услышала, что она негромко что-то напевает. В это время суток Нэнси обычно бывала особенно тревожной и беспокойной, но в тот день приступа не было, она просто мурлыкала и мурлыкала какой-то мотив без слов, довольно долго. Затем пение прекратилось так же внезапно, как началось, и Нэнси вновь сделалась отрешенной.

Видя эти проблески ясности, я радовалась, что не прекращала разговаривать с Нэнси, несмотря на отсутствие реакции. Даже если человек не реагирует на наши слова так, как нам хочется, это еще не повод жалеть о предпринятой попытке.

Реакция других людей — это их выбор, точно так же, как наша собственная реакция — наша ответственность. По мере того, как я кирпичик за кирпичиком разбирала стены вокруг своего сердца, во мне росла потребность самовыражения. Во-первых, я хотела свободно говорить о своих мыслях и чувствах, а во-вторых, мне стало не так уж важно, что обо мне подумают люди. Гораздо важнее для меня теперь было то, что я думаю о себе сама. В любом случае я решила быть всегда смелой и искренней. Кроме того, чем лучше у меня получалось быть открытой, тем больше мне это нравилось.

Я понимала, что меняюсь в лучшую сторону, но это еще не означает, что другие люди охотно примут мои метаморфозы. Я медленно освобождалась от своего прошлого, становясь все сильнее. Окружающие не всегда положительно на это реагировали, но я хотела быть собой, а не тем человеком, которым они привыкли меня видеть. Внутри меня рождался новый человек, и этот человек хотел выйти на свободу и показаться миру.

Особенно у меня разладились отношения с одной старой подругой, причем уже давно. Они стали казаться мне «игрой в одни ворота», и наконец я набралась смелости откровенно сказать ей о своих чувствах. Я не критиковала ее, а просто поделилась тем, что мне тяжело брать на себя всю инициативу в наших отношениях.

Мы дружили очень давно, и я думала, что честность поможет нам наладить отношения. Но вышло иначе: моя искренность показала, что нас объединяют только привычка и общие воспоминания. Подруга обрушила на меня целую бурю гнева. Я понимала, что виной тому страх и обида, но все равно поразилась, сколько злости она на меня выплеснула. Я поняла, что совершенно не знаю этого человека. Когда она полностью порвала со мной отношения, я приняла это спокойно.

В любом случае я до сих пор вспоминаю годы нашей дружбы как прекрасный дар. У меня остались о ней только хорошие воспоминания, но отказаться от этой дружбы было относительно легко, потому что, если в отношениях нет честности и равноправия, в них также нет и смысла. Совершенных людей не бывает, и я, безусловно, несовершенна. Я тоже способствовала нашему разладу, осознанно или бессознательно. Но если один человек никогда не высказывает своих истинных чувств, потому что боится ссоры, то это неравные и нездоровые отношения, в которых доминирует кто-то один.

И наоборот, честность помогла мне наладить отношения с другой подругой. Я тогда переживала сложный момент, поэтому иногда звонила ей. Но у нее редко находилось время меня выслушать, если только ей самой не было от меня что-нибудь нужно. Наконец, у меня лопнуло терпение, и я откровенно сказала ей, что вообще-то мне сейчас очень нужна поддержка. Эта искренность немедленно сблизила нас, и мы замечательно поговорили. Она тоже многое мне рассказала, и наша дружба только выиграла от взаимного уважения и эмоциональной зрелости. На эту подругу действительно не всегда можно было рассчитывать, и мы обе признали и приняли это.

Вместо того чтобы всецело полагаться на поддержку этой подруги, я стала самостоятельней и чаще общалась со старыми друзьями. Теперь я чуть меньше в ней нуждалась, а ей пришлось привыкнуть к тому, что я не всегда готова прийти ей на выручку. У меня иногда не хватало на это сил, да я уже и не чувствовала необходимости играть эту роль. Признав хрупкость друг друга и найдя в себе смелость быть искренними, мы во многом стали гораздо ближе. Сегодня наша дружба полностью свободна от давления с обеих сторон. Это зрелые, честные и радостные отношения.

Мы не так часто общаемся, как раньше, и наши жизни не так тесно переплетены, как когда-то. Но ведь все отношения меняются, в том числе дружеские. Несмотря на все, что случилось, сегодня мы ближе, чем были раньше. Мы честны друг с другом и на все сто процентов принимаем друг друга такими, какие мы есть, а не такими, какими хотели бы друг друга видеть. Встречаясь и созваниваясь, мы обе наслаждаемся каждой минутой, проведенной вместе.

Искренность стоит дорого, я убедилась в этом с первой подругой. Но зато теперь уверена, что у меня в жизни остались только честные и качественные отношения. Сегодня самовыражение — одна из моих основных движущих сил. Со временем мне становится все легче быть искренней и раскрываться перед людьми. Хотя мой путь к открытости был долгим, он определенно стоил затраченных усилий.

Кроме того, этот путь показал мне, как сложно приходится другим людям, идущим к той же цели. Глядя на то, сколько хорошего я приобрела, искренне говоря о своих чувствах, я всем желаю однажды обрести такую же свободу.

Наш короткий разговор с Нэнси, островок взаимопонимания посреди моря бессмысленности, в котором она жила, был одним из прекраснейших моментов в моей жизни. Если бы я не разговаривала с ней до этого, раскрывая ей себя и ничего не ожидая взамен, я бы никогда не пережила этого момента.

Считать, что другие знают о ваших чувствах, что у вас еще будет время поговорить, — это риск, ведь каждый из нас может погибнуть в любой момент. Мы все порой переживаем тяжелые дни, но всегда можно найти и хорошие мысли, которыми можно поделиться друг с другом. Вот почему обязательно нужно регулярно делиться с людьми своими чувствами и мыслями, а также внимательно слушать, что они говорят. Слишком легко мы позволяем себе погрузиться в собственный маленький мирок и забыть об этом.

У известного австралийского певца Мика Томаса есть песня о человеке, который не ценит окружающих. Герой этой песни настолько занят собой, что даже не заметил, что его подруга сменила цвет волос, и вообще невнимателен к ней. Основная мысль песни вынесена в название: «Он забыл, что она прекрасна».

Хотя в этой песне говорится о мужчине, который не ценит свою женщину, она применима к любому человеку. Женщины тоже перестают ценить своих мужчин, не замечая их внутренней или внешней красоты; они также не всегда понимают, что мужчины могут выражать свою любовь не словами, а делами. Дети не ценят родителей. Иногда родители не ценят детей. Друзья, братья, сестры, коллеги, бабушки и дедушки, соседи — всех этих людей мы регулярно не ценим.

Легко зациклиться на качествах людей, которые нам не нравятся (и которые все равно являются лишь отражением нас самих). Но очень часто мы не говорим и о том, что нам *нравится* в других. Да, иногда нужна смелость, чтобы искренне высказать свои чувства, и при этом мы не знаем, как на них отреагируют другие люди. Их потребности тоже требуют уважения.

Впрочем, я обнаружила, что честность всегда вознаграждается, хотя и не всегда так, как мы ожидаем. Иногда наградой оказывается уважение к себе, а иногда жизнь без чувства вины после смерти близкого человека. Иногда это исчезновение из жизни нездоровых отношений, а иногда что-то совсем неожиданное. Главное, что, находя в себе смелость открыто говорить о своих чувствах, мы делаем только лучше себе и другим. Чем дольше мы откладываем откровенный разговор, тем дольше носим в себе то, что должно быть сказано и услышано.

Нэнси больше ни разу не говорила со мной осмысленно, но это было уже неважно. Та радость, которую подарил мне наш короткий диалог, была достаточной наградой за все усилия. Однажды днем внук Нэнси пел ей песню и заметил, что она вынырнула из забытья, хотя на этот раз она ничего не сказала. Она просто посмотрела ему в глаза и улыбнулась — не как улыбаются люди с болезнью Альцгеймера, а как обычная бабушка, которая гордится талантливым внуком. Мы никогда не знаем заранее, какие дары преподнесет нам жизнь, но я твердо уверена в одном: смелость и честность *всегда* вознаграждаются.

# ЧЕТВЕРТОЕ СОЖАЛЕНИЕ

*Жаль, что я растеряла друзей*

Иногда, в перерывах между регулярными пациентами, за которыми я ухаживала у них дома, я выходила поработать смену-другую в дом престарелых. Это случалось нечасто — к моей большой радости, потому что я терпеть не могла эти заведения. Не все пациенты в них были паллиативными: многие из них просто нуждались в квалифицированной помощи. Я не ухаживала за каким-то конкретным человеком, а помогала персоналу везде, где было нужно.

Если вы хотите и дальше закрывать глаза на состояние нашего общества, никогда не ходите в дома престарелых. Но если однажды вы почувствуете в себе силы узнать правду, загляните в одно из этих заведений. В них живет много одиноких людей — очень много. И любой из нас может к ним присоединиться.

Глядя на работников домов престарелых, я испытывала одновременно отчаяние и надежду. Некоторые из них были замечательными людьми, явно нашедшими свое призвание. Это счастье, что в мире есть такие жизнерадостные и добросердечные люди. Но в большинстве домов престарелых нехватка персонала, и этим людям нелегко заражать остальных своим оптимизмом.

Много было и таких сотрудников, которые либо устали от своей работы, либо никогда ее не любили. Умение сострадать людям — очень полезный навык, и как раз его катастрофически не хватало в той команде, в которую я попала в ночь своего знакомства с Дорис.

Обитатели дома престарелых медленно шаркали в сторону общей столовой, опираясь на свои трости и ходунки. Это были люди из достаточно обеспеченных семей, потому что дом был частный, «класса люкс». Интерьеры в нем действительно были красивыми, садик — ухоженным, везде было чисто, но вот кормили там просто ужасно. Вся еда привозилась уже готовой и разогревалась в микроволновке, лишаясь по пути всякого вкуса и запаха. Я ни разу не видела на кухне свежих и полезных продуктов. Обитатели дома престарелых заранее заказывали еду на всю следующую неделю, и во время обеда сотрудники молча, не здороваясь и не произнося ни единого доброго слова, расставляли перед ними тарелки.

Мне поручили разносить тарелки, и, видя мое приветливое лицо, старики касались моей руки, чтобы я задержалась и поговорила с ними. Это были обычные люди с совершенно ясным умом, и им хотелось общаться. Да, их тела состарились и сделались хрупкими, но всего год или два назад эти очаровательные люди были независимы и жили собственной жизнью у себя дома. Вернувшись на кухню за новым подносом тарелок, я увидела косые взгляды других сотрудников. Они были недовольны тем, что, разнося еду, я немного поболтала и посмеялась с пациентами. Я проигнорировала это недовольство.

Возвращая одной из сотрудниц тарелку с бараниной, я дружелюбно сказала:

— Берни заказывал курицу, а не баранину.

Усмехнувшись, она ответила:

— Будет есть то, что дают.

— Да ладно, — сказала я, — наверняка мы можем найти ему курицу.

— Пусть ест баранину, или вообще ничего не получит, — ответила она жестко. Я почти посочувствовала ее очевидной неудовлетворенности в жизни, но мне не понравилось, как она выполняет свои рабочие обязанности.

Я вернула баранину Берни, и тут ко мне подошла другая сотрудница, Ребекка:

— Не обращай на нее внимания, Бронни. Она всегда такая.

Обрадовавшись, что встретила понимающего человека, я улыбнулась:

— Она меня совершенно не волнует. Мне просто жаль стариков, которые день за днем вынуждены терпеть такое обращение.

Ребекка согласилась:

— Меня это тоже сначала расстраивало. А теперь я просто делаю все, что могу, чтобы им лучше жилось, и принимаю то, что нельзя изменить.

— Ну и хорошо, — ответила я.

Похлопав меня по плечу, она ушла. «Тут есть неравнодушные люди, нас немного, но мы есть».

Раздав еду, собрав посуду и прибравшись на кухне, часть персонала отправилась на улицу покурить. Некоторые сотрудники остались в столовой пообщаться с подопечными. Вокруг нас собралось с дюжину человек, мы беспечно болтали и смеялись. Я поражалась хорошему настроению и чувству юмора местных обитателей, удивляясь тому, как хорошо они приспособились к новым условиям жизни.

В этом доме престарелых у каждого старика была отдельная комната с ванной и туалетом. Вечерами я обходила их, помогая всем переодеваться в пижамы и ночные рубашки и понемногу узнавая что-то о каждом по убранству комнат: по фотографиям улыбающихся родных, картинам, любимым чашкам и вязаным коврикам. У некоторых на балконах стояли цветы в горшках.

Дорис уже переоделась в ночную рубашку, когда я жизнерадостно влетела в ее комнату и представилась. Она только молча улыбнулась и отвела взгляд. Я спросила, все ли у нее в порядке, и в ответ она залилась слезами. Присев рядом с ней на кровать, я молча обнимала ее, пока она всхлипывала, вцепившись в меня обеими руками.

Поток слез прекратился так же быстро, как начался, и Дорис потянулась за носовым платком.

— Ох, как неловко, — сказала она, вытирая глаза. — Прости, солнышко, я просто глупая старуха.

— Что случилось? — спросила я ласково.

Дорис вздохнула, а потом рассказала, что она в доме уже четыре месяца и практически ни разу не встретила приветливого лица. Она заплакала, потому что увидела мою улыбку, сказала она, и тут я сама почти расплакалась. Единственная дочь Дорис давно переехала жить в Японию, и, хотя они часто созванивались, былой близости между ними уже не было.

«Когда ты мать и укачиваешь на руках свою крошечную малышку, невозможно представить, что ваша близость в один прекрасный день может исчезнуть. Но это случилось. Случилась жизнь. И ведь мы не ссорились, вовсе нет. Просто она живет своей собственной жизнью и очень занята, — рассказывала Дорис. — Да, я родила ее на свет, но наши дети нам не принадлежат. Нам просто выпадает честь помогать им, пока они не расправят крылья и не вылетят из гнезда, — и вот она улетела».

Я прониклась теплотой к этой старушке и пообещала вернуться через полчаса и еще поговорить, если она дождется окончания моей смены. Она сказала, что будет счастлива подождать.

И вот мы с Дорис сидели у нее в комнате, она в кровати, а я на стуле рядом. Она рассказывала о себе, держа меня за руку и то и дело бессознательно перебирая мои пальцы и кольцо. «Я тут умираю от одиночества, солнышко. Я слышала, что от него на самом деле можно умереть, и теперь я в это верю. Иногда мне так не хватает прикосновений», — сказала она печально. Я была первой, с кем она обнялась за четыре месяца.

Она не хотела грузить меня своими проблемами, но я настояла. Мне хотелось узнать ее получше, и она пожаловалась: «Больше всего я скучаю по своим друзьям. Кто-то из них умер. Кто-то попал в дом престарелых, как и я. Кто-то с годами потерялся. Сейчас мне безумно *жаль, что я растеряла друзей*. Нам кажется, что они всегда будут рядом. Но жизнь продолжается, и внезапно мы оказываемся одни, и никто в целом мире не понимает нас и ничего о нас не знает».

Я предложила ей попробовать поискать потерянных друзей, но она только покачала головой:

— Я даже не знаю, с чего начать.

— Давайте я помогу! — воскликнула я и рассказала ей об интернете.

Для Дорис это был темный лес, но она очень старалась разобраться. Вначале она отказывалась от помощи, не желая меня затруднять. Но мне удалось убедить ее, что мне это будет даже интересно: я с удовольствием проведу для нее маленькое расследование. В годы работы в банке я некоторое время работала в отделе борьбы с мошенничеством, и мне там очень нравилось. Дорис это сравнение насмешило.

— Пожалуйста, позвольте мне помочь, — настаивала я. С печальной улыбкой, полной надежды, она согласилась.

У меня было несколько причин предложить Дорис помощь. Во-первых, она мне сразу понравилась, а во-вторых, я действительно могла ей помочь: у меня было все необходимое, чтобы попытаться разыскать ее друзей. Но главная причина была в том, что я понимала ее боль. Мне тоже случалось страдать от одиночества и чувства, что меня никто не понимает.

Когда-то я так устала от боли, что полностью ушла в себя, отгородившись от мира стеной. Мне, как и многим другим людям, казалось: если никого к себе не подпускать, можно избежать страданий. Если никто не сможет ко мне приблизиться, думала я, никто не сможет меня обидеть. Разумеется, единственный настоящий способ исцелить боль — это позволить потоку любви свободно течь через свое сердце, но, чтобы это осознать, иногда уходит много времени.

Внешне я казалась вполне дружелюбным человеком, но боль от прошлых ран по-прежнему отягощала меня. Я уже доросла до искреннего сочувствия тем, кто когда-то причинял мне страдания своими негативными словами и эмоциями. Но мне предстояло еще работать и работать над отношением к себе самой. Нужно было разобраться с десятилетиями негативных мыслей, и временами это бывало невыносимо больно. Хотя головой я понимала, что заслуживаю большего, чем привыкла думать, на эмоциональном уровне мне еще многое нужно было исцелить.

Моим лейтмотивом стала песня Sunday morning, «Воскресное утро». Я всегда любила Криса Кристофферсона — он оказал сильное влияние на мое собственное творчество, — а эта песня просто идеально выражала мое одиночество. По воскресеньям мне действительно бывало особенно тяжело. Люсинда Уильямс тоже хорошо описала это чувство в песне I can't seem to make it through Sunday («Воскресенье мне дается особенно тяжело»).

Впрочем, проблема была не только в воскресеньях. Одиночество оставляет в сердце пустоту, которая физически способна нас убить. Боль невыносима, и чем дольше мы ее терпим, тем глубже наше отчаяние. В те годы я вовсе не сидела, запершись дома, но одиночество — это не отсутствие людей рядом. Это отсутствие понимания и принятия. Множество людей испытывают одиночество в толпе народа. Когда человек один в толпе, его одиночество даже обостряется.

Совершенно неважно, сколько вас окружает людей. Если рядом нет никого, кто вас понимает, кто принимает вас целиком и полностью, одиночество с готовностью протянет к вам свою ледяную руку. Быть наедине с собой и быть одиноким — совсем не одно и то же; быть наедине с собой я всегда любила. Когда человек один, он может быть одинок, а может быть совершенно счастлив. Но когда человек одинок, он тоскует по обществу людей, которые его понимают. Иногда чувство одиночества связано с тем, что человек один, но далеко не всегда.

Мое одиночество стало таким невыносимым, а боль в сердце настолько мучительной, что я начала задумываться о самоубийстве. Разумеется, я вовсе не хотела умирать. Я хотела жить. Но, чтобы освободиться от боли и ложных представлений о себе и осознать, чего я стою на самом деле, иногда требовалась огромная сила. Порой попытки впустить любовь и счастье обратно в свою жизнь — или хотя бы признать, что я заслуживаю их, — были настолько тяжелы, что самоубийство казалось легким выходом из ситуации.

Когда боль и одиночество стали нестерпимыми, меня спасли доброта и понимание. Мне позвонил друг, который знал, что у меня сложный период в жизни, но не знал, что ровно в этот момент я пишу предсмертную записку. Я была готова умереть. У меня просто не было сил жить дальше, превозмогая постоянную боль в сердце.

Друг велел мне не говорить ни слова, а только слушать. Сквозь слезы я услышала в телефонной трубке, как он заиграл на гитаре песню Дона Маклина «Винсент». Он пел эту грустную, нежную песню, в которой рассказывается о страданиях Ван Гога, заменяя имя «Винсент» на «Бронни». Слушая его, я плакала все сильнее — над чужой болью и над своей собственной. Когда он закончил играть, я *могла* только всхлипывать. Мой друг молча ждал, пока я успокоюсь, и наконец я поблагодарила его и положила трубку, продолжая плакать. Больше в тот момент я ничего не могла сказать.

Той ночью я уснула совершенно изможденная и опустошенная. Но я знала, что благодаря пониманию и доброте этого друга в моей жизни вновь забрезжил огонек надежды. На следующий вечер внезапно позвонил старый друг из Англии. Мы долго разговаривали по душам, и силы стали понемногу возвращаться ко мне.

В другой раз, немного позже, но в тот же одинокий период жизни, я ехала за рулем. Мне было очень тяжело на душе, я молилась о помощи и поддержке, и в этот момент в лобовое стекло врезалась птица. Она была достаточно крупной, и громкого хлопка от удара хватило, чтобы я пришла в себя. Я очень люблю животных, поэтому смерть птицы меня еще больше расстроила, но одновременно и пробудила к жизни. Любой из нас может вот так же в одночасье погибнуть — *готова* ли я к этому?

Я поблагодарила птицу за ту роль, которую она сыграла в моей жизни, и поехала дальше, уже осознанно. В этот момент по радио зазвучала классическая музыка, совершенно очаровавшая меня. Невероятно нежные звуки наполнили мое сердце, унося из него боль. Пока играла музыка, я чувствовала только счастье и вдохновение. Тогда я решила, что это и есть главное в жизни: прекрасные мгновения. Да, просто прекрасные мгновения и ничего больше. Мне захотелось жить, чтобы узнать еще много таких мгновений.

Вот почему я понимала, через что проходит Дорис, — мне и самой случалось на физическом уровне ощущать боль от печали и одиночества. Она бывала в окружении людей в столовой и других общих помещениях, но ей не хватало понимания и принятия. Дорис скучала по друзьям, потому что только они по-настоящему понимали ее. Раз у меня была возможность облегчить ее страдания, как я могла оставаться в стороне?

На следующей неделе я забежала к Дорис и забрала список имен, написанных на листке бумаги ее красивым старомодным почерком. За чаем она рассказала мне все, что могла, о своих четверых друзьях и о том, где они жили, когда она в последний раз с ними общалась.

Первую подругу оказалось легко найти, но она пережила инсульт и не могла разговаривать. Узнав об этом, Дорис продиктовала мне записку, которую сын подруги обещал прочесть ей вслух. Хотя новости об инсульте расстроили Дорис, ее утешала мысль, что она может хотя бы передать подруге сообщение.

«*Милая Элси. Я с большим сожалением узнала о твоей болезни. Годы пролетели так быстро. Элисон все еще живет в Японии. Я продала дом и переехала в дом престарелых. Это письмо пишет за меня одна молодая женщина. Я люблю тебя, Элси. Твоя Дорис*».

Это было простое письмо, но в нем Дорис высказала все, что хотела. Тем же вечером я позвонила сыну Элси и передала это сообщение. Позже он перезвонил и рассказал, что, слушая его, Элси радостно улыбалась. Я передала это Дорис, которая тоже довольно заулыбалась.

В течение нескольких недель я разыскала еще двух подруг, но к несчастью, они обе уже умерли. Дорис лишь кивнула, узнав об этом. Вздохнув, она произнесла: «Ну что же, этого следовало ожидать, солнышко».

Я решила непременно отыскать последнюю подругу. Поиски в интернете и звонки долго не приносили никакого результата. Сколько я ни звонила по разным номерам, мне вежливо отвечали: «Извините, фамилия наша, но у нас такой нет».

Пока шли поиски, я навещала Дорис два раза в неделю. Как только я садилась рядом, она всегда сразу же брала меня за руку и не отпускала, пока я не уходила. Иногда, волнуясь, что я могла бы получше проводить время, она пыталась скорей со мной проститься или убеждала не приходить вовсе. Когда я в ответ уверяла ее, что тоже получаю от наших встреч массу удовольствия, она с облегчением вздыхала. У стариков можно многому научиться — они столько пережили. Разве я могла не получать удовольствие от наших чудесных бесед? Они меня просто завораживали.

Наконец в моих поисках последней подруги Дорис наступил прорыв. Мне перезвонил пожилой мужчина, который когда-то жил по соседству с Лоррейн. Он рассказал, в какой район переехала ее семья, и я тут же ее нашла. Когда я позвонила по найденному номеру, мне ответила сама Лоррейн! Я объяснила, кто я и почему звоню, и она ахнула от радости. Я с удовольствием согласилась передать Дорис ее номер.

Разумеется, я сразу же поехала к Дорис. Обняв ее, я с широкой улыбкой протянула ей листок бумаги с именем и номером телефона Лоррейн. Она снова схватила меня в объятия и прижала к себе. Это был незабываемый момент. Я бросилась за телефоном. Перед тем как звонить, я предупредила Дорис, что не хочу подслушивать чужой разговор и выйду из комнаты. Она протестовала, но без особого энтузиазма, и я видела, что она не против: она была слишком взволнована. Впрочем, она попросила меня подождать, пока Лоррейн ответит. Мы заранее обнялись на прощание, а потом я с бьющимся от волнения сердцем набрала номер.

●

«ЛЮДИ, КОТОРЫЕ

ПРИНИМАЮТ ТЕБЯ

ТАКОЙ, КАКАЯ ТЫ

ЕСТЬ И ХОРОШО ТЕБЯ

ЗНАЮТ, В КОНЦЕ

ЖИЗНИ ЦЕНЯТСЯ

БОЛЬШЕ ВСЕГО

НА СВЕТЕ».

●

Прижав трубку к уху, Дорис просияла от радости, услышав подругу. Хотя голоса обеих женщин выдавали их возраст, можно было подумать, что это болтают две девчонки: они перебивали друг друга и постоянно хохотали. Я немного прибралась в комнате и слонялась без дела, под впечатлением от этого невероятного счастья. Наконец, я собрала волю в кулак и вышла. В дверях я молча помахала Дорис, лучившейся счастьем. Она на секунду оторвалась от трубки и сказала мне: «Спасибо тебе, солнышко. Спасибо». Я кивнула, улыбнувшись так широко, что у меня заболело лицо. Шагая по коридору, я еще некоторое время слышала смех Дорис, пока дверь ее комнаты не захлопнулась. По дороге домой я не могла стереть с лица счастливую улыбку.

Погода стояла чудесная, и мне захотелось пойти поплавать. Все время, что я купалась, наслаждаясь водой, меня не покидало прекрасное настроение. Я вернулась домой вскоре после захода солнца, и тут зазвонил телефон. Это была Ребекка, приятная медсестра из дома престарелых, с которой я познакомилась в тот же день, что и с Дорис.

Она звонила сказать, что милая Дорис умерла несколькими часами раньше, во сне.

По моим щекам покатились слезы, но я все равно порадовалась за Дорис, ведь она умерла счастливой.

Поразительно, как может измениться человеческая жизнь за совсем короткий промежуток времени. Когда я думаю о той одинокой старушке, с которой познакомилась в первую ночь в доме престарелых, и о смеющейся женщине, которую я обняла на прощание в ее последний день, я чувствую такое удовлетворение, какое невозможно купить ни за какие деньги.

В домах престарелых по всему миру живут тысячи чудесных, но очень одиноких людей. Есть также немало молодых людей, обреченных на жизнь в стенах домов инвалидов. Молодые или старые, эти люди отчаянно нуждаются в новых друзьях, и всего пара часов общения в неделю способна кардинально изменить последнюю главу их жизни. Конечно, в идеале люди вообще не должны попадать в дома престарелых и дома инвалидов, но к несчастью, это не всегда возможно. В таких заведениях много людей, которых там быть не должно, — от них просто в некотором смысле избавились. Смотреть на это невыносимо. Но если вы уделите этим людям чуть-чуть времени, вы можете в корне изменить их жизнь.

Мне показалось, что Дорис выбрала идеальный момент для ухода. Просто настал ее час, и она как раз была очень счастлива. Мы сыграли в жизни друг друга те роли, которые должны были сыграть, и за это я всегда буду ей благодарна. Она была очаровательной женщиной.

Вскоре после ухода Дорис я познакомилась и с Лоррейн. Мы сидели в кафе под деревьями и разговаривали о Дорис и вообще о жизни, пока ей не пришло время отправляться домой. Лоррейн рассказала, что в тот памятный день они болтали по телефону битый час и расстались чрезвычайно довольные друг другом. Было безумно приятно познакомиться с лучшей подругой Дорис. И конечно, познакомиться с самой Дорис тоже было большой удачей.

Надеюсь, что на той стороне она вновь встретилась со всеми своими подругами.

## Настоящие друзья

Лихорадочный ритм жизни в Сиднее меня немного утомил. Предложений следить за домами как раз не было, так что на месте меня ничего не удерживало, и я перебралась немного южнее: в Мельбурн. Я уже несколько лет там не бывала, и оказалось очень приятно вернуться и вновь окунуться в его творческую атмосферу, а также повидаться со старыми друзьями. Выяснилось, что в Мельбурне уже наслышаны о том, как хорошо я слежу за чужими домами, так что у меня очень быстро появилось несколько предложений.

Первый дом, в котором я поселилась, принадлежал Мари, моей бывшей начальнице в сиднейском центре для беременных. Он находился примерно в часе езды от Мельбурна, на живописном полуострове Морнингтон, и был полон энергии Мари, так что я сразу почувствовала себя в нем как дома. Стояла осень, и первые пару недель я провела за долгими прогулками по прибрежным скалам. Гуляя в толстой куртке и теплой шапке под порывами холодного океанского ветра, я очень остро ощущала себя живой. Это было невероятное наслаждение, и я проводила так бóльшую часть дня. Вечерами, сидя у камина в уютной комнате, я писала и играла на гитаре.

Я могла бы провести так всю жизнь, но мне нужны были деньги, и вот я вышла работать сиделкой у Элизабет. Ее судьба казалась мне ужасно печальной, но я старалась принимать тот факт, что разным людям выпадают разные жизненные уроки. То, что со стороны кажется трагедией, дает человеку возможность учиться и развиваться.

Работая над собственными проблемами, я училась ценить те уроки, которые преподносит мне жизнь, и постепенно пришла к выводу, что в моем прошлом было немало бесценных подарков. Расти я в идеальной семье (если, конечно, они вообще существуют), как бы я научилась смелости, прощению, состраданию и доброте?

Так что и в случае с пациентами я решила принять тот факт, что не могу знать их жизненных уроков. Неважно, почему им выпала такая судьба, — спасать их не входило в мои задачи. Я должна была лишь окружить их заботой, дружбой, принятием и лаской в последние недели жизни. Если это помогало им обрести покой, работа приносила мне особенное удовлетворение. Как говорится, чем больше мы отдаем, тем больше получаем, и в этом смысле моя работа была настоящим подарком.

Работать с умирающими было большой честью. Их рассказы и воспоминания преображали мою собственную жизнь. Мне довелось в достаточно молодом возрасте услышать о тех открытиях, которые они сделали на пороге смерти — это был удивительный дар. Многие советы моих пациентов я воплотила в жизнь, и мне не пришлось дожидаться, пока я сама окажусь на смертном одре и меня осенит. Входя в дом к новому пациенту, я заново приступала к обучению: каждый раз мне преподавали либо новый урок, либо уж знакомый, но по-новому. Я впитывала знания, как губка.

Элизабет была еще не старой женщиной, ей было около пятидесяти пяти. Последние пятнадцать лет она страдала от алкоголизма, и теперь умирала от вызванной им болезни. Утром моего первого рабочего дня она еще спала, когда я приехала, и ее сын ввел меня в курс дела. Он показал мне дом, рассказал о состоянии Элизабет и добавил, что семья решила не говорить ей о скорой смерти. «Ну вот, — подумала я, — снова те же грабли».

Мое стремление к самосовершенствованию всегда подталкивало меня стараться присутствовать в настоящем моменте. В случае с Элизабет я сразу поняла: главное — сохранить спокойствие. Когда она спросит меня о своем состоянии, тогда я и буду с этим разбираться, а думать об этом заранее смысла нет. Она может вообще ни о чем не спросить — но, если спросит, я не стану ей врать.

От Элизабет исходило смятение и отчаяние. Родные вынесли из дома весь алкоголь и заперли его в шкафчике в гараже. Поскольку Элизабет умирала, они решили совсем лишить ее доступа к спиртному. Это казалось мне излишней жестокостью. Она в любом случае умирала, так зачем было вынуждать ее проходить через боль абстиненции? Но это была не моя жизнь и не мое решение.

Алкоголизм я, к сожалению, близко наблюдала еще ребенком. Во время работы в барах и на острове, и за границей я узнала о нем еще больше. Алкоголь никого не украшает. Он не только уничтожает все хорошее в человеке, страдающем алкоголизмом, но и разрушает семьи, отношения и карьеры, а также крадет детство у детей алкоголиков. То же самое можно сказать о любой наркотической зависимости. Единственное, что по-настоящему украшает любого человека, — это любовь.

Алкоголизм — это болезнь. Хотя он поддается лечению, больной нуждается в постоянной любви и поддержке, чтобы сломить привычные шаблоны поведения, поверить в себя и свою возможность зажить счастливой жизнью. Лишить хронического алкоголика спиртного безо всякой поддержки, любви или объяснения причин казалось мне довольно жестоким поступком.

Все, что я знала про Элизабет, — это то, что она больна. У нее совсем не было сил. Она ничего не могла сделать сама и почти не ела. Ей также мучительно не хватало алкоголя. Родные сообщили ей, что доктор велел «на время» отлучить ее от спиртного. Было тяжело не осуждать их, особенно видя, что сами они регулярно выпивают, хотя отказывают в этом удовольствии умирающей женщине. Но у меня не было никакого права решать, какие уроки приготовила для нее жизнь.

Общая физическая слабость не позволяла Элизабет никуда выходить, а родные запретили большинству друзей навещать ее, поскольку те выпивали. Неудивительно, что Элизабет не понимала, что происходит, и горевала, лишившись всех привычных радостей.

Запрет на встречу с пьющими друзьями она перенесла с тихой покорностью, хотя он лишил ее не только собутыльников. До болезни Элизабет участвовала в попечительских советах нескольких благотворительных организаций. Эти друзья были ее единственной связью с внешним миром и прежней жизнью.

Спустя шесть или семь недель сил у Элизабет стало еще меньше, а потребность в отдыхе возросла. У нее было хорошее, хотя и суховатое чувство юмора. В самые неожиданные моменты от нее можно было услышать весьма едкую шутку. Нередко я вспоминала ее слова дома, уже после смены, и невольно улыбалась. Постепенно мы подружились, и у нас завелись свои маленькие традиции в тех рамках, которые накладывала на жизнь Элизабет болезнь. В наш распорядок дня входило утреннее чаепитие на застекленной террасе. В это время года ярко освещенная солнцем терраса была самым приятным местом в доме. Однажды за чаем наши отношения вышли на новый уровень.

— Бронни, как ты думаешь, почему я не поправляюсь? Я не пью, но слабею с каждым днем. У тебя есть идеи? — спросила Элизабет.

Я ласково посмотрела ей в глаза и мягко ответила вопросом на вопрос:

— А как *вы* думаете, почему? Наверняка вы уже об этом задумывались?

Я говорила очень осторожно, чтобы выяснить ее собственные мысли на этот счет.

— Я боюсь сказать, что я думаю, — вздохнула она. — Это слишком страшно. Но в глубине души я знаю ответ.

Мы немного помолчали, глядя в окно на птиц, греясь на солнце.

— Если я спрошу тебя, ты мне скажешь правду? Я хочу услышать честный ответ.

Я кивнула.

— Это то, что я думаю? — спросила она, едва выговорив вопрос.

Мысленно посылая ей любовь, я ждала, не скажет ли она что-то еще. Она, действительно, заговорила вновь:

— О господи. Да, это оно, — произнесла она, отвечая сама себе. — Я умираю, да? Мне крышка. Я скоро прикажу долго жить. Сыграю в ящик, или как там еще говорят. Умираю! Я умираю. Я права, да?

Я медленно кивнула, одновременно страдая с ней вместе и испытывая облегчение от того, что она теперь знает правду.

Мы еще посидели в тишине, глядя на птиц, пока Элизабет не смогла снова говорить. На это ушло много времени, но я давно привыкла молчать вместе с пациентами, и меня это не смущало. Им так о многом нужно было подумать, так многое переварить, что порой слова только мешали. В такие минуты не нужно было заполнять паузу. Нужно было подождать, пока они вновь будут готовы разговаривать. Через некоторое время заговорила и Элизабет.

Она сказала, что уже давно подозревала истину и что ложь родных ее разочаровала. Отбирать у нее друзей и светскую жизнь было жестоко, добавила она, и я не могла с ней не согласиться. Элизабет понимала, что слишком слаба, чтобы выходить из дома, но сказала, что хочет иногда видеть друзей. Время от времени у нее бывали посетители — одобренные родными знакомые, которые точно не принесут с собой спиртное. Это были приятные люди, объяснила Элизабет, но не близкие друзья.

После того как между нами установились доверительные отношения, нашему общению больше ничего не мешало. Времени на секреты не было, и мы с Элизабет с каждым днем получали от своих бесед все больше удовольствия. Я столько лет замыкалась в себе, что теперь поражалась сама себе: мне было легко говорить с ней даже на самые личные темы. Стоя на пороге смерти, Элизабет тоже наслаждалась откровенностью наших разговоров. Вначале она сердилась, что родные не рассказали ей о скорой смерти, но постепенно приняла их решение, поняв, что ими руководил страх. Ей удалось простить свою семью.

Однако она не смогла и дальше делать вид, что ничего не знает. В один из моих выходных дней она заговорила о своей смерти с семьей. Это сблизило ее с родными, а они почувствовали облегчение, что им не нужно самим сообщать ей страшную новость. Я тоже была рада, что моя честность не подвела меня под монастырь. Однако в вопросе посещений родные Элизабет стояли на своем: пьющие друзья могут ей звонить, но не могут приходить в дом.

Элизабет эволюционировала на глазах и даже смогла согласиться с их решением, причем на этот раз искренне. Она по секрету призналась мне, что, вероятно, их общение держалось только на выпивке. Я рассказала Элизабет, что всего несколько лет назад мой круг друзей радикально изменился, когда я перестала курить марихуану. Очень быстро стало понятно, кто мне действительно друг, а с кем мы просто любили покурить. Оказалось, что некоторым людям, которых я считала друзьями, некомфортно рядом со мной, если я не накуриваюсь с ними вместе. Не то чтобы кто-то из нас был плохим человеком. Но когда я отказалась от этой привычки, то увидела: некоторые мои отношения держались только на курении, а когда я бросила эту привычку, с некоторыми друзьями мы разошлись естественным образом.

«Как я жалею, что растеряла своих друзей, настоящих друзей, — произнесла Элизабет слова, которые я уже столько раз слышала до нее. — Из-за своего пьянства я перестала вращаться с ними в одних кругах, а теперь, пятнадцать лет спустя, мне не о чем с ними разговаривать. В любом случае они все переехали».

Знакомых, которым позволялось ее навещать, Элизабет не считала настоящими друзьями. Мы обсудили, каким многозначным может быть это слово и как много у дружбы разных уровней. В последнее время я и сама начала думать о некоторых своих «друзьях» скорее как о приятных знакомых. Я не стала меньше их любить или ценить: они по-прежнему были в моей жизни великим даром. Но, пережив довольно смутный и тяжелый период, я научилась понимать, что такое настоящий друг. У меня было полно приятных знакомых, я любила всех этих людей и наше расслабленное, веселое общение. Однако теперь я знала, что в трудный момент рядом с нами остаются совсем немногие, чтобы вместе переживать боль и печаль. Те, кто остаются, и есть наши настоящие друзья.

«Наверное, все дело в том, чтобы иметь разных друзей для разных целей, — размышляла Элизабет. — У меня просто нет правильных друзей для той ситуации, в которой я оказалась, для моих последних дней. Понимаешь, о чем я?»

Согласившись, я рассказала ей, как однажды тоже осталась без правильных друзей, хотя конечно, мои тогдашние обстоятельства были вовсе не такими тяжелыми, как у нее.

Уехав с тропического острова в Европу, я недолгое время проработала в маленькой типографии. Мои новые коллеги были приятными людьми, они многому меня научили, и я благодарна им. Но на острове все же было иначе: весь персонал гостиницы жил одной большой и дружной семьей и, возвращаясь из отпуска, мы радовались воссоединению так, будто вернулись домой

В Европе у меня завелись новые друзья, хотя по прошествии лет я скорее назвала бы их приятными знакомыми. Благодаря этим знакомым я с тремя ребятами, своими ровесниками, отправилась в поездку по нескольким соседним странам, в Итальянские Альпы. В горах мы сняли крошечный домик без водопровода и электричества. Вокруг была потрясающая красота, причем природа была совершенно не похожа на мою любимую Австралию, которая по-своему великолепна, но очень сильно отличается от Европы. Альпы показались мне безумно красивыми.

Купались и умывались мы в горном ручье. Хотя стояло лето, вода в нем была ледяной: где-то высоко над нами таял снег, и прозрачная холодная вода бежала вниз. Погрузившись в ручей, бурливший вокруг меня со всех сторон, я буквально задыхалась от холода, пока ледяная вода кусала меня, несясь мимо. Но этот холод бодрил, и я не переставала любоваться потрясающим видом.

Каждый раз после погружения в ледяную воду, будь то река, океан или пруд, я выхожу из нее в игривом настроении, почти как собака после купания. Понравилось собаке купаться или нет, она все равно носится, как безумная, скачет и бесится. Примерно так же чувствовала себя и я, выходя из ледяного горного ручья: веселой и дурашливой.

Так что вытершись, одевшись и вернувшись в домик, я была слегка не в себе и непрерывно тормошила своих новых друзей, рассказывая им глупые анекдоты. Я от души веселилась, и вдруг до меня дошло, что они не понимают моих шуток, ни одной. На лицах у них застыли озабоченные улыбки, как бы говорившие: «Да о чем она вообще?» От этого мне сначала стало только смешнее. Мои спутники были вообще-то веселыми и приятными ребятами, просто мы принадлежали к разным культурам, и юмор у нас был тоже разный. Но внезапно я остро заскучала по своим старым друзьям. Они бы разделили мое веселье, и мы бы вместе хохотали, рассказывая друг другу анекдоты.

Тем вечером, после долгой прогулки к вершине горы, мы все сидели при свете фонариков, ужинали и болтали. Это было прекрасно, но очень скоро все, кроме меня, отправились спать. Наша дневная прогулка вышла просто чудесной, и я все еще была в наилучшем расположении духа. Мне вовсе не хотелось ложиться, а хотелось и дальше сидеть в кругу друзей, болтать и смеяться.

Однако домик уже стих, мои друзья уснули. Забрав в свою комнатку фонарь, я поставила его на стол и следующие два часа писала в дневнике. Было слышно, как вдалеке звенят колокольчики — это коровы гуляли по лугам. Чувствуя себя совершенно счастливой, я улыбнулась тому, что сижу в этом крошечном домике со своим дневником, при свете фонаря, высоко в Альпийских горах, и слушаю звон коровьих бубенцов вдали. Я была бесконечно далеко от своего привычного мира, и, хотя меня переполнял покой этого момента, мне также ужасно не хватало старых друзей.

Это была идеальная ночь, но я провела ее не с теми людьми. Все мои попутчики были прекрасными людьми, все они мне нравились. Но я переживала особенный момент, и мне хотелось разделить его с настоящими друзьями, которые по-настоящему знают меня. Разумеется, это было невозможно, поэтому я впитывала волшебство этой ночи в одиночестве.

Благодаря этому случаю Элизабет не нужно было объяснять мне, каково это — скучать по настоящим друзьям. Есть особые люди, которые понимают нас, что бы ни случилось. Именно их мне не хватало той ночью в Альпах, а теперь их не хватало Элизабет, которая начала понемногу принимать, что ей осталось жить совсем недолго.

Когда к ней в следующий раз пришел врач, я тихонько спросила его, насколько Элизабет вреден алкоголь в ее теперешнем состоянии. Он покачал головой: «Она в любом случае вышла на финишную прямую. Я сказал ее родным, чтобы не отказывали ей, если она захочет вечером немного бренди. Разве они вам не говорили?» Я помотала головой, и он повторил, что это уже не играет никакой роли.

Вечером того дня я подняла эту тему с родными Элизабет, но семья уже приняла решение не давать ей спиртного ни под каким видом. Они объяснили мне причину: похоже, что та Элизабет, которую я знала, и та Элизабет, которую они наблюдали в последние пятнадцать лет, были абсолютно разными людьми. Родственники просто не могли поверить, что вновь видят ее с лучшей стороны.

В следующие две недели я понемногу расспрашивала Элизабет о ее пристрастии к алкоголю, если она поднимала эту тему. Она сказала: хотя ее все еще очень тянет выпить, она рада вспомнить, кем была до того, как ее жизнью завладел алкоголь. Дурная привычка началась с малого: за ужином Элизабет всегда выпивала бокал-другой вина, и так продолжалось годами безо всяких проблем.

Затем она стала много вращаться в обществе из-за своей благотворительной деятельности. Многие люди, которых она встречала в этих кругах, вовсе не увлекались алкоголем, призналась Элизабет, но ее больше тянуло к тем, кто выпивал. У нее появилось чувство, что дома ее никто не замечает, но зато ей казалось, что новым друзьям она важна и нужна. Теперь, когда у нее немного прояснилось в голове, она поняла: эта компания держалась вместе только потому, что каждый из них был так же не уверен в себе, как и она сама.

Элизабет объяснила, что алкоголь придавал ей уверенности — или, во всяком случае, так ей казалось, пока она была пьяна. От спиртного она становилась громкой, откровенной и, в конечном итоге, довольно язвительной и жесткой по отношению к окружающим. Благодаря этому она и лишилась прежних друзей. Они долго пытались помочь ей и донести до нее свою любовь, показать, что она летит в пропасть, но она была с ними высокомерна и оттолкнула их от себя, всех до единого.

Ее затуманенному алкоголем мозгу это показалось лишь подтверждением того, как безгранично ее любят новые друзья, которые не осуждают ее пристрастие к алкоголю. Разумеется, они не осуждали ее только потому, что выпивали и сами. Кроме того, у нее появилось новое оправдание для вредной привычки: теперь, говорила она себе, мои родственники наконец стали обращать на меня внимание. Конечно, они смотрели на нее без восхищения или радости, но зато больше не игнорировали, как до появления пагубной привычки. Ее постепенная утрата контроля над собой заставила семью пристально присмотреться к происходящему.

Чем менее дееспособной становилась Элизабет, тем чаще родственники вынуждены были помогать ей, и тем хуже она себя чувствовала. Вначале их внимание ей льстило. Но кончилось все тем, что она уже не могла остановиться, и потеря контроля вызывала в ней все бо́льшую неуверенность и отвращение к себе. Вначале она еще отдавала себе отчет в том, что пытается привлечь к себе внимание родных, но под конец стала по-настоящему от них зависеть, и это ее ужаснуло. Ее и без того низкая самооценка совсем упала.

«Знаешь, Бронни, ведь не все *хотят* выздороветь. Я, во всяком случае, долго этого не хотела. Я была больна, и именно так я о себе думала: как о больном человеке. Конечно, при этом я не давала себе шанса избавиться от зависимости. Но зато я получала внимание и врала себе, что так буду счастливей, чем если проявлю смелость и выздоровею». Это признание Элизабет было озарением женщины, которая семимильными шагами приближалась к мудрости. Три месяца без алкоголя и сознание того, что ей недолго осталось жить, преобразили ее.

Теперь, зная всю историю о том, как у Элизабет развилась алкогольная зависимость, я стала лучше понимать ее родных. В конечном итоге их жесткое решение помогло ей вновь стать собой. Хотя сама я не стала бы действовать втайне от Элизабет, я прониклась уважением к их попыткам помочь и ей, и себе. Они оказались успешными. Но большую роль в этом успехе сыграла сама Элизабет. Глядя в лицо смерти, она стала иначе смотреть на жизнь, и ей хватило отваги принять выпавшие ей уроки.

В последние две недели отношения Элизабет с родными вышли на новый уровень. Благодаря работе с паллиативными пациентами я привыкла ценить способность людей учиться. Тот покой, который Элизабет обретала у меня на глазах, я уже видела и у других своих пациентов. Это зрелище каждый раз наполняло меня глубокой благодарностью за мою работу.

Примерно за неделю до смерти Элизабет я поговорила с ее мужем и сыном о том, как она жалеет, что растеряла старых друзей. Я спросила, нет ли возможности еще успеть связаться с кем-то из них, чтобы они пообщались хотя бы по телефону. К этому времени никто уже не волновался, что друзья тайно нальют Элизабет выпить — об этом все забыли и думать. Теперь имел значение только ее комфорт, и поскольку отношения в семье наладились и потеплели, родные с радостью ухватились за эту идею.

Пару дней спустя я как раз удобно усадила Элизабет в кровати и налила ей чашечку чаю, когда в комнату вошли две красивые и здоровые женщины. Одна из них теперь жила в горах за городом, примерно в часе езды. Вторая прилетела в Мельбурн из Квинсленда, как только узнала о происходящем. Они сели у кровати Элизабет, и все трое долго разговаривали, держась за руки и улыбаясь.

Я оставила их наедине друг с другом и вышла из комнаты, незаметно смахивая слезы радости. Я еще успела услышать, как Элизабет попросила у них прощения и они немедленно заверили ее, что давно ее простили. Все это было в прошлом и не имело никакого значения, сказали они. Вместе с мужем Элизабет, Роджером, мы сидели на кухне, оба в слезах, но довольные.

Подруги пробыли в гостях пару часов, и под конец Элизабет была одновременно вне себя от радости и совершенно без сил. Как только они уехали, она крепко уснула, и мне не удалось поговорить с ней перед уходом домой. Когда я вернулась в дом после выходных, она была очень слаба, но хотела обсудить произошедшее.

— Разве это было не чудесно? Какая радость вновь их увидеть, — восторженно улыбнулась она. Уже не в силах поднять голову с подушки, она смотрела на меня, сидевшую рядом.

— Это было замечательно, — сказала я ей.

— Никогда не теряй связи с друзьями, которых больше всего ценишь, Бронни. Люди, которые принимают тебя такой, какая ты есть, которые очень хорошо тебя знают, в конце жизни ценятся больше всего на свете. Послушай

женщину, которая знает, о чем говорит, — мягко настаивала она, улыбаясь мне, несмотря на недомогание. —
Не давай жизни вас разлучить. Всегда знай, где их найти,
и всегда говори им, как ты им благодарна. И не бойся быть
слабой и уязвимой. Я столько времени потеряла, не в силах признаться им, что я совершенная развалина.

Элизабет простила себя и смогла перестать себя осуждать. Она обрела покой и своих друзей.

В ее последнее утро я увлажнила ей губы — у нее прекратилось слюноотделение, и она не могла говорить, хотя
к этому времени у нее и не осталось на это сил. Когда я закончила, она посмотрела на меня с улыбкой, а затем одними губами произнесла «спасибо». Я улыбнулась, благодаря ее в ответ. Затем я поцеловала ее в лоб и ненадолго
взяла ее руку в свои — она чуть сжала мою ладонь.

Комната Элизабет была полна близких ей людей. Здесь
были все ее родные, а также те самые подруги, с которыми я познакомилась двумя днями раньше.

Элизабет вовремя впустила любовь обратно в свою
жизнь и вспомнила о ценности родных и настоящих друзей. Она оставила этот мир, окруженная любовью, зная,
что ее жизнь была для кого-то важна и что она успела сказать друзьям о своей любви.

## Позволь себе

Исходя из особенностей работы, ухаживать за Гарри было
одним удовольствием. Во-первых, сам он был чрезвычайно
приятным человеком, а во-вторых, его родные старались
как можно больше делать для него сами. Трое из пяти дочерей Гарри жили совсем рядом и почти каждый день приносили ему обед, а один из сыновей сам мыл и переодевал

его. Я даже уточнила, действительно ли им нужны мои услуги, но все дети Гарри в один голос сказали, что я им необходима.

В уже чистом и опрятном доме, где единственный обитатель не встает с кровати, довольно мало домашней работы, я и проводила основную часть времени за чтением или письмом. Впрочем, мне все же удалось сварить на кухне Гарри несколько вкусных овощных супов.

У Гарри были кустистые брови, волосатые уши, красное лицо и гулкий смех. Мы сразу друг другу понравились. В первую же минуту после знакомства мы успели обменяться парой шуток, так что наши отношения с самого начала были легкими и естественными.

Совсем иначе обстояло дело с его сыном Брайаном. Это был очень нервозный человек. Много лет назад отец и сын поссорились, и, хотя отношения между ними сохранились, прежнюю близость было уже не вернуть. Остальные дети считали, что в ссоре был виноват Брайан. Я не видела конфликта и ничего не могла об этом сказать, да и не думала об этом. Но было очевидно, что теперь Брайан пытается наверстать упущенное время, взяв на себя все заботы об отце.

Брайан вмешивался в любую мою попытку помочь Гарри. К этому времени я уже наловчилась интуитивно находить самое удобное положение для лежащего в кровати пациента — об этом говорили многие, за кем я ухаживала. Но родственники часто перекладывали подушки из самых добрых побуждений, не понимая, что тело больного особенно чувствительно и любая перемена положения лишает его остатков комфорта.

Когда Брайан неохотно уходил на работу, всего на несколько часов в день, первым делом я вновь устраивала Гарри поудобней. Если в течение дня у меня появлялась возможность немного поухаживать за ним без того, чтобы

Брайан маячил у меня за спиной, Гарри обязательно просил меня по-быстрому переложить подушки.

Впрочем, каждый день нам с Гарри выпадало несколько тихих часов перед тем, как вся семья собиралась вместе на ужин. Это было чудесное время, и Гарри ласково называл его «часы затишья». Я ухаживала за ним, мы болтали и смеялись, а потом обычно пили чай и снова болтали.

Жена Гарри умерла двадцать лет назад, но он не потерял вкуса к жизни. Он любил свою работу, однако с выходом на пенсию стал еще активней, вступив в пару спортивных клубов и клубов по интересам. До начала смертельной болезни Гарри обладал отменным здоровьем.

«Я отдавал должное прекрасному здоровью, которое досталось мне от природы, — говорил мне Гарри, — оставаясь активным и считая, что количество прожитых лет не должно указывать мне, как себя вести. Слишком многие люди добровольно становятся стариками раньше времени». Хотя Гарри умирал, я действительно никогда еще не видела такого крепкого восьмидесятилетнего человека. Болезнь понемногу брала свое, но его хорошая физическая форма по-прежнему была заметна: например, массируя ему ноги, я видела крепкие мускулы.

«Когда выходишь на пенсию, а твои дети заняты собственными детьми, друзья становятся особенно важны, — рассказывал Гарри. — Поэтому, когда умерла моя жена, упокой Господь ее душу, я записался в клуб спортивной гребли. А потом еще в клуб спортивной ходьбы. Не понимаю, как мне раньше вообще хватало времени на работу!»

Гарри был убежден, что бабушки и дедушки должны принимать активное участие в жизни внуков и проводить с ними много времени. Внуки навещали его каждый день, и было заметно, что их связывает искренняя любовь.

«Семья, конечно, важнее всего, но человеку нужны друзья его возраста. Если бы не друзья, которых я завел в клубах, я был бы очень одиноким стариком. Я не был бы одинок, потому что у меня есть дети и внуки, но я скучал бы по общению с близкими мне по духу ровесниками».

Так мы болтали в его комнате, пока солнце не начинало клониться к горизонту, предупреждая, что часы затишья подходят к концу. Вот-вот прибудут родные, но мы до последнего момента продолжали болтать. Гарри говорил, что не понимает, почему многие люди осознают важность дружбы только в последний момент. Хотя он радовался, когда пожилым людям удавалось сохранять любовь и уважение своей семьи, его раздражало, если это происходило в ущерб дружбе.

«Когда они это поймут, будет уже поздно, — настаивал он. — И ведь это касается не только моего поколения. Я смотрю на молодежь, и они так заняты, что совершенно не могут найти времени на себя, на то, что делает счастливыми их лично. Они полностью теряют себя. Нужно обязательно проводить время с друзьями, чтобы помнить, кто ты такой, когда ты не мама, не папа, не дедушка и не бабушка. Понимаешь, о чем я?»

Я соглашалась: действительно, такое часто бывает, и люди, которые находят немного времени на себя самих, выглядят гораздо счастливей. С ними также куда приятней общаться.

«Вот именно! — Гарри хлопнул ладонью по одеялу в знак согласия. — Хорошие друзья нас стимулируют. Красота дружбы в том, что друзья принимают нас такими, какие мы есть, и ценят то, что нас объединяет. Суть дружбы в том, что люди принимают друг друга со всеми недостатками и не пытаются переделать, как это делают муж, жена или другие родственники. Друзей надо обязательно сохранять, моя дорогая девочка».

«СУТЬ ДРУЖБЫ
В ТОМ, ЧТО ЛЮДИ
ПРИНИМАЮТ ДРУГ
ДРУГА СО ВСЕМИ
НЕДОСТАТКАМИ
И НЕ ПЫТАЮТСЯ
ПЕРЕДЕЛАТЬ, КАК ЭТО
ДЕЛАЮТ ОСТАЛЬНЫЕ».

Судя по потоку посетителей, слова у Гарри не расходились с делами. Все его друзья были энергичными и веселыми людьми, и их визиты неизменно проходили в радостной обстановке. Они также уважали его состояние и понимали, что иногда он отдыхает и его нельзя беспокоить.

Однажды Гарри спросил меня, как у меня самой обстоят дела с дружбой. Я рассказала ему про своих самых близких друзей и объяснила, что в последнее время понимание дружбы в моей жизни меняется, как меняюсь и я сама.

«Что же, это совершенно естественно, — сказал он. — Друзья появляются и исчезают в течение всей жизни. Поэтому мы должны ценить их, пока они рядом. Бывает, что просто закончился тот жизненный урок, который вы должны были пройти вместе, и вам больше нечем поделиться друг с другом. Но кто-то остается рядом навсегда, и когда стоишь в самом конце пути, ваше совместное прошлое и ваше взаимопонимание бесконечно утешают».

Мы оба соглашались, что у женщин и мужчин разный подход к дружбе. Женщины ценят эмоциональную сторону дружбы, то есть наши отношения крепнут, когда мы разговариваем о своих переживаниях. Мужчинам тоже нужны друзья для разговоров, говорил Гарри. Но лучше всего им удается общаться за каким-то совместным занятием, таким как игра в теннис, прогулка на велосипеде или еще что-то активное. Мужчины любят таких друзей, с которыми они могут вместе что-то придумывать, решать проблемы, как физические, так и эмоциональные. Нередко это происходит, когда они что-то вместе делают.

— Например, строят ограду вокруг пастбища, — предложила я.

Гарри расхохотался:

— Ну и ну. Можно вывезти девушку из деревни, но нельзя вывести деревню из девушки. Да, пример очень сельский, Бронни, но в точку. Вместе строить забор или еще что-то делать руками, это очень сплачивает мужчин.

Хохоча, он добавил, что, если мне когда-нибудь понадобится наладить отношения с симпатичным мужчиной, достаточно помочь ему построить забор. Я пообещала иметь это в виду.

Гарри рассказывал мне свои любимые истории о дружбе, подчеркивая, какое это счастье — настоящие друзья. От гостей не было отбою: друзья даже завели график посещений, чтобы все желающие могли повидать Гарри, не утомляя его слишком сильно.

Благодаря часам затишья у нас в жизни возникла новая дружба: дружба друг с другом. Гарри пожаловался мне, как ему обидно, что я полдня провожу в другой комнате, вместо того чтобы общаться с ним. Я рассмеялась, соглашаясь. Но мы оба понимали, что Брайан пытается загладить свою вину перед отцом. Гарри не хотел, чтобы после его смерти Брайан остался с чувством вины, хотя и не был уверен, что этого удастся избежать. Поэтому он с радостью подыгрывал сыну, позволяя ему выполнять свой долг в эти последние недели. «Хотя он и не умеет нормально поправлять подушки», — вздыхал он.

Гарри относился к своей болезни и грядущей смерти философски. Он прожил насыщенную жизнь и готов был увидеть, что ждет его на той стороне. Хотя иногда мы говорили о его приближающейся смерти, чаще всего Гарри сводил наши беседы к теме дружбы: к ее ценности, к воспоминаниям. Он также хотел слышать мои любимые истории о дружбе. «Расскажи что-нибудь про детство. Хочу узнать о тебе побольше», — попросил он и тут же расхохотался, потому что мой рассказ начался в деревне, в поле пшеницы.

Когда мне было двенадцать лет, мы переехали с фермы, где выращивали рогатый скот и люцерну, на ферму, где выращивали овец и пшеницу. Она располагалась за километры от ближайшего городка, под огромным синим небом. Примерно через год после переезда внезапно исчезла моя первая собака. Мы подозревали, что ее укусила змея, потому что нам так и не удалось ее найти — впрочем, на громадной ферме это было неудивительно. Я была совершенно убита. Несколько месяцев спустя родители купили мне новую собаку: маленькую беленькую болонку, которая наотрез отказалась быть комнатной собачкой и целыми днями гонялась по полям и лугам за рабочими собаками — овчарками, бордер-колли и келпи.

Мою лучшую школьную подругу звали Фиона. Она жила в городе, но много времени проводила у нас на ферме. Я тоже бывала у нее в гостях, особенно когда мы немного подросли и заинтересовались мальчиками. Среди прочего нас с Фионой объединяла любовь к пешим прогулкам. Страшно представить, сколько километров мы прошли вместе за десятилетия нашей дружбы: по пляжам, джунглям, городским улицам, чужим странам и лесным дорожкам. Но началось все с прогулок по полям пшеницы.

Нас всегда сопровождали моя болонка и еще пара пастушьих собак, а иногда с нами увязывалась и кошка, или даже две. Мы с Фионой шли по дорожке, а собаки носились прямо по полю. Пока пшеница была молодой и невысокой, в этом не было ничего особенного, но, когда она подрастала, маленькая собачка начинала в ней теряться, и мы с Фионой ежедневно наблюдали уморительную сцену.

Впереди бежали большие собаки, а позади них колыхалась пшеница: это бежала моя болонка, невидимая в высоких колосьях. То и дело колыхание прекращалось, и над зеленью возникала ее белая головка. Она крутилась, как перископ подводной лодки, пока не находила взглядом других собак, а затем вновь скрывалась в колосьях, прокладывая себе новую дорожку в пшенице. Вскоре движение вновь останавливалось, над колосьями возникала белая головка, находила цель, исчезала и продвигалась дальше. Это продолжалось бесконечно, и под конец прогулки каждый раз, как над пшеницей возникала белая собачья голова, мы с Фионой начинали покатываться от смеха. Мы так хохотали, что у нас ломило щеки и по щекам катились слезы, мы хватались друг за друга, чтобы не упасть, и тут собака вновь выпрыгивала из колосьев, и мы опять складывались пополам от смеха. В конце прогулки мы едва держались на ногах.

Поделившись с Гарри этим простым, но дорогим моему сердцу воспоминанием, я тут же заскучала по Фионе, по нашему невинному детству и беззаботному смеху. «А сейчас она где?» — спросил Гарри. Я объяснила, что она переехала в другую страну и мы перестали поддерживать отношения. Жизнь не стояла на месте, и у меня появились новые близкие друзья. На наши отношения с Фионой повлияли и другие факторы, другие люди, но прежде всего дело было в разнице во вкусах и образе жизни. Гарри согласился, что прошлое не вернуть, но возможно, жизнь вновь сведет нас вместе. Я уже повидала достаточно жизненных циклов, чтобы согласиться с ним. Но это было неважно. Я дорожила нашими совместными воспоминаниями и желала Фионе всего самого лучшего. Про себя я поблагодарила ее за прожитые вместе уроки и нашу прежнюю дружбу.

Многие из моих лучших воспоминаний были связаны с прогулками, во время которых мы с друзьями болтали и смеялись. В следующие пару недель я рассказала Гарри еще несколько историй про других своих друзей. Он тоже обожал ходить пешком и поведал мне несколько собственных историй: где он гулял с друзьями и какие переживал дорожные приключения. Я без труда представляла себе, как смех Гарри украшает любую компанию во время прогулки. Он согласился, что на прогулке ему с друзьями всегда находилось над чем посмеяться.

Вообще говоря, на следующей неделе мне предстояло на время оставить Гарри, чтобы отправиться в пеший поход. Я не была уверена, что он еще будет жив к моему возвращению. Так что я одновременно с нетерпением ждала возможности вырваться из города и грустила, что покидаю Гарри, возможно, навсегда. Но когда я рассказала Гарри про свои планы, он с энтузиазмом меня поддержал и сказал, что мысленно будет со мной, живой или мертвый.

Этот поход проходил далеко в глуши каждый год, и маршрут его постоянно менялся, но неизменно заканчивался у местного озера. В этом году маршрут начинался на ферме у самого устья реки. Нам предстояло шесть дней идти по берегу этой реки, которая во многих местах полностью пересохла, и постепенно добраться до озера.

Идея похода была в том, что, идя по тропам, проложенным древними цивилизациями, мы исцеляемся при помощи силы земли. В прежние времена реки были чем-то вроде шоссе или как минимум улиц, по которым бродили древние племена, кочуя с места на место. Нас благословил в путь старейшина-абориген, мы все приняли участие в очистительной курительной церемонии, а затем выдвинулись в дорогу.

Нас было около дюжины человек, и все шли в своем темпе. Кто-то шагал в группе, непрерывно болтая по пути. Кто-то постоянно останавливался и все фотографировал, а кто-то шел сам по себе. Вечером подъезжали волонтеры на грузовичке, привозили наше снаряжение, и мы разбивали лагерь. Затем у мирного костра мы готовили общий ужин, и под небом, полным звезд, завязывались чудесные новые дружбы.

С каждым шагом моя связь с Землей становилась все сильнее. Хотя во время привалов я с удовольствием общалась с попутчиками, идти мне больше нравилось одной, к тому же за мной все равно никто не поспевал. Я так привыкла много ходить пешком, что невольно отрывалась от остальных. Впереди меня всегда шел только один человек: женщина, когда-то организовавшая эти походы.

Время наедине с собой, когда я просто шла и шла по тропинке, дало мне возможность начистоту пообщаться с собой. Я поняла, что больше не хочу присматривать за чужими домами. Какая-то часть меня вновь начала задумываться о собственной кухне. Бесконечные переезды, которые раньше мне так нравились, теперь меня утомляли. Во мне прорастало что-то новое: тихое внутренне принятие того, что что-то меняется. Я мирно продолжала идти вперед.

В современном мире редко удается забраться так далеко в глушь, потому что вся земля кому-то принадлежит. К счастью, маршрут был согласован с владельцами заранее, так что мы беспрепятственно переходили с одного участка на другой. В безумной гонке дней так легко забыть о земле у нас под ногами. Конечно, большинство из нас способны ощутить связь с планетой, остановившись и впитывая красоту природы. Но шестидневная прогулка без помех и отвлечений подарила мне такую сильную связь с землей, какой я даже себе не представляла, несмотря на все время, проведенное с природой наедине.

По пути мы останавливались посмотреть на деревья, на которых оставили резьбу древние люди, и восхищались этими гигантскими многовековыми эвкалиптами. Их стволы были покрыты сложными узорами, а местами на них остались углубления там, где из коры когда-то были вырезаны каноэ. Эти следы племен, которые давно перестали существовать, одновременно трогали и вдохновляли. В некоторых местах ощущалась особенно сильная энергия, и я поняла, почему эта тропа считалась целительной.

Помимо прочего, местность, по которой мы шли, напоминала мне детство. Даже запах овечьих какашек вызывал во мне бурю воспоминаний, и так приятно было вновь оказаться в сухом пыльном климате, хотя бы ненадолго. С каждым шагом чувствуя себя крепче и подтянутей, я начала мечтать о мире, где люди передвигаются преимущественно пешком. Это казалось мне куда осмысленней, чем спешка и шум современной жизни.

Однажды я отбилась от группы и вышла к маленькому озеру. Я разделась и искупалась в его прозрачной освежающей воде, которая очистила не только мое тело, но и дух. Каждая секунда этой недели была настоящим подарком.

Каждый день мы шли примерно с восьми утра до пяти вечера, и пейзаж вокруг постоянно менялся. То тут, то там попадались следы прежней жизни: старая повозка, когда-то утонувшая в реке, теперь стояла на суше — вероятно, уже больше ста лет. Каменный домик без крыши говорил о том, что раньше у реки кто-то жил. Но лучшим, что нам встретилось, была резьба по деревьям, уникальный урок истории, наглядно подтвердивший существование тех древних людей, чьей тропой мы следовали.

Спустя шесть дней и восемьдесят пройденных километров мы вышли к озеру, усталые, но счастливые. Я с грустью простилась со спутниками, но с еще большей грустью с самим походом. На следующий день я прогуляла еще пять часов вокруг высохшего озера, потому что просто не могла остановиться. Через несколько дней у озера проходил маленький музыкальный фестиваль, и я задержалась, чтобы послушать музыку, и только потом отправилась назад в Мельбурн.

К счастью, Гарри был еще жив, и мне удалось провести с ним немного времени. За те десять дней, что меня не было, он сильно ослаб и выглядел совсем изможденным. Мускулистые ноги обмякли, крупное круглое лицо осунулось, кожа обвисла. Но это все еще был прежний Гарри, прекрасный и восхитительный.

Брайан теперь ухаживал за отцом с каким-то остервенением. Он старался контролировать все происходящее, и не покидал дом больше чем на час. Я была благодарна за те часы затишья, которые мы с Гарри провели вместе до моего отъезда, потому что теперь они канули в прошлое. Во-первых, над нами все время нависал Брайан, а во-вторых, Гарри гораздо больше спал.

Впрочем, жизнь сложилась так, что однажды утром Брайану внезапно пришлось уехать, и он неохотно передал мне бразды правления. К счастью, у Гарри как раз выдался хороший день. Конечно, хорошим его можно было назвать с большой натяжкой, но во всяком случае, Гарри не спал и мог немного поговорить со мной.

По его требованию я подробно рассказала ему о походе. Он расспросил и про моих спутников, и про то, заметили ли мы в себе какие-то положительные изменения.

«А что ты делаешь на этой неделе, Бронни? — спросил он слабеющим голосом. — Сколько времени ты выделишь на общение с друзьями? Это все, что я хочу знать». Я рассмеялась его упорству и пообещала, что непременно встречусь с друзьями, а сейчас хочу провести время с ним, который мне тоже друг.

«Этого недостаточно, моя дорогая девочка. Ты, наверное, уже поняла, что должна находить время и на себя саму. Найди равновесие и регулярно проводи время с друзьями. Делай это для себя, а не для них. Мы нуждаемся в друзьях», — Гарри смотрел на меня строго, как будто предостерегая, но мы оба знали, что за его словами стоит любовь и забота.

Он был прав. Мне нужно было регулярно находить время на встречи с друзьями, а не работать по двенадцать часов и надеяться все успеть когда-нибудь потом. Хотя я очень любила свою работу и иногда от души смеялась с пациентами и их родными, мир, в котором я жила, был довольно печальным. Чтобы постоянно быть рядом с умирающими людьми и их убитыми горем семьями, нужно было регулярно восстанавливать силы за легким и приятным общением с друзьями. В моей жизни не хватало радости, и только сейчас я смогла признаться себе в этом.

— Вы правы, Гарри, — согласилась я. Он улыбнулся и протянул ко мне руки. Я наклонилась к нему, и мы обнялись.

— Дело не только в том, чтобы не растерять друзей, милая девочка. Нужно еще и наслаждаться их обществом, как прекрасным даром. Ты же понимаешь это? — спросил он.

Кивнув, я ответила:

— Да, Гарри. Я понимаю.

Вскоре он уснул, а я осталась размышлять о его метких словах.

Гарри умер тихо и незаметно, во сне, несколько дней спустя. Одна из дочерей позвонила, чтобы рассказать мне об этом и поблагодарить. Я искренне ответила, что Гарри дал мне очень многое и я была счастлива нашему знакомству.

«Позволь себе роскошь проводить время с друзьями», — его слова до сих пор стоят у меня в ушах. Слова этого чудесного человека с мохнатыми бровями, красным лицом и широкой улыбкой живы по сей день.

# ПЯТОЕ
# СОЖАЛЕНИЕ

•

*Жаль, что я не позволяла*
*себе быть счастливей*

Розмари занимала высокую должность в огромной международной корпорации. Для того времени это было неслыханно: она взлетела по карьерной лестнице задолго до того, как женщины стали занимать руководящие посты. К сожалению, до этого Розмари жила по законам общества, принятым в ее время, и вышла замуж очень рано. Брак оказался неудачным, и ей часто приходилось терпеть брань, оскорбления и побои. Когда однажды муж избил ее до полусмерти, она поняла, что пора спасаться.

Хотя избиения были уважительным поводом расторгнуть брак, развод в те дни считался чем-то скандальным. Чтобы уберечь репутацию семьи в родном городе, где их все знали, Розмари уехала оттуда и начала все сначала.

Жизнь ожесточила ее сердце и образ мыслей. Благодаря своему успеху в мире мужчин она обрела уверенность в себе и уважение семьи. Строить новую семью ей даже в голову не приходило. Вместо этого Розмари принялась со свирепой решимостью строить карьеру. Благодаря острому уму и невероятному трудолюбию она стала первой женщиной в своем штате, занявшей столь высокую должность.

Розмари всю жизнь раздавала другим приказания и получала удовольствие от своей власти и жесткой манеры поведения. Теперь она в этой же манере обращалась с сиделками. Розмари меняла их одну за другой, вечно недовольная, пока не появилась я. Я ей понравилась, потому что когда-то работала в банке, а это в ее глазах гарантировало, что я не дура. Мне, безусловно, этот ход мыслей был не близок, но я решила, что Розмари может думать обо мне все, что ей угодно, — в конце концов, ей было далеко за восемьдесят и она была смертельно больна. И вот Розмари решила, что хочет сделать меня своей основной сиделкой.

По утрам с ней бывало особенно тяжело, она ко всему придиралась и постоянно меня шпыняла. Сначала я терпела, но знала, что рано или поздно этому поведению придется положить конец. В один прекрасный день, когда у Розмари было особенно противное настроение и она осыпала меня колкостями, я выставила ей ультиматум: или она станет ко мне добрей, или я увольняюсь. В ответ она закричала, чтобы я убиралась прочь из ее дома, добавив еще несколько нелестных эпитетов — все это сидя на краешке кровати.

Пока она кричала, я подошла к ней и тоже села на кровать.

— Давай, убирайся! Проваливай! — вопила она, указывая мне на дверь. Я просто сидела рядом и смотрела на нее, мысленно посылая ей свою любовь, дожидаясь, пока она успокоится. Наконец, наступила тишина. Мы обе еще немного посидели в молчании.

— Это все? — спросила я с ласковой улыбкой.

— Пока что все, — фыркнула она. Я кивнула, ничего не говоря. Тишина продолжалась. Наконец я просто обняла ее, чмокнула в щеку и отправилась на кухню. Когда через несколько минут я вернулась с чайником чая, Розмари все еще сидела на кровати, как потерянный ребенок.

Я помогла ей встать, и мы вместе перебрались на диван. Чайник стоял рядом на маленьком столике. Розмари смотрела на меня снизу вверх с улыбкой, пока я укрывала ей ноги пледом и устраивалась рядом.

— Мне страшно и одиноко. Пожалуйста, не бросай меня, — сказала она. — С тобой мне кажется, что я в безопасности.

— Я никуда не денусь. Все хорошо. Обращайтесь со мной с уважением, и я буду рядом, — честно ответила я.

Розмари улыбнулась, как маленькая девочка, которой нужны любовь и ласка.

— Тогда, пожалуйста, останься. Я хочу, чтобы ты осталась.

Кивнув, я снова поцеловала ее в щеку, и она просияла.

После этого эпизода наши отношения резко улучшились. Розмари рассказывала мне о себе, о том, как она всегда отталкивала от себя людей, и я понемногу начала лучше понимать ее. Этот шаблон поведения был хорошо знаком мне самой, и, поскольку я по себе знала, как полезно от него избавиться, я предложила Розмари попытаться впустить людей в свою жизнь. Она сказала, что не знает, как это сделать, но хочет попробовать стать более приятным человеком.

Болезнь развивалась постепенно, но каждый день я замечала ее новые признаки, особенно растущую слабость. Вначале изменения шли медленно, и, хотя я отчетливо их видела, Розмари иногда делала вид, что ничего не происходит. Она в подробностях планировала, как я приведу в порядок ее бумаги и инвестиционные портфели. Я слушала, зная, что до этого не дойдет. Розмари объясняла: когда у нее появятся силы, она вместе со мной сядет и займется делами. Я уже видела подобное с другими пациентами — иногда люди продолжают планировать будущее, хотя их силы с каждым днем убывают.

Она также требовала, чтобы я назначала для нее встречи по всему городу, причем заставляла меня звонить с телефона в ее спальне, чтобы слушать разговор и постоянно в него вмешиваться. Потом мне приходилось каждую встречу переносить, но ни в коем случае не отменять. Безусловно, Розмари очень любила контролировать происходящее. Одни ее необязательные поручения я охотно выполняла, а другие нет: например, я отказывалась тратить время и силы, разыскивая вещи, в поисках которых мы уже обыскали весь дом.

Каждый день стена, которую Розмари возвела вокруг себя, понемногу разрушалась, а наша близость росла. Ее родные жили далеко, хотя регулярно ей звонили. Довольно часто заходили в гости друзья и бывшие партнеры по бизнесу. Но в основном мы были с ней вдвоем в ее тихом доме с прекрасным садом.

Однажды, глядя из своего кресла на колесиках, как я складываю постельное белье, Розмари велела мне перестать напевать. «Меня бесит, что ты постоянно такая счастливая и непрерывно что-то напеваешь», — объявила она капризно. Я закончила с бельем, закрыла дверь шкафа, повернулась и с любопытством уставилась на нее.

«Что? Все так и есть. Ты всегда что-то напеваешь, и ты вечно такая счастливая! Хоть бы раз ты пришла ко мне грустная».

Это высказывание было так характерно для Розмари, что я ничуть не удивилась. Я вовсе не всегда была счастлива, но, когда приходила в хорошем настроении, Розмари воспринимала это как повод для жалоб. Ничего не отвечая, я посмотрела на нее, сделала пируэт, показала ей язык и, смеясь, вышла из комнаты. Ей это понравилось, и, когда я вскоре вернулась, у нее на губах играла озорная улыбка. Больше она никогда не ругалась на мое хорошее настроение.

— Почему ты счастлива? — спросила Розмари как-то утром вскоре после этого. — Не сегодня, а вообще. От чего ты чувствуешь себя счастливой?

Я улыбнулась этому вопросу. Немало пришлось мне поработать над собой, чтобы кому-то пришло в голову спросить меня об этом. Вопрос был довольно актуальным с учетом событий, происходивших в моей собственной жизни.

— Потому что я приняла решение быть счастливой, Розмари, и стараюсь помнить об этом каждый день. У меня не всегда получается. Моя жизнь совсем не похожа на вашу, но она тоже была непростой. Я пытаюсь не думать слишком много о том, что пошло не так и как мне довелось тяжело, а находить радости или уроки в каждом дне и ценить настоящий момент — насколько это возможно, — сказала я честно. — Мы свободны выбирать, на что обращать внимание. Я стараюсь обращать внимание на положительные моменты, такие как мое знакомство с вами, любимая работа, тот факт, что мне не нужно больше ничего продавать, да и просто то, что я жива.

Не сводя с меня глаз, Розмари улыбалась, впитывая каждое слово.

Она не знала, что совсем недавно у меня возникли собственные проблемы со здоровьем. Некоторое время назад я перенесла небольшую операцию. Когда мне позвонили рассказать о результатах, врач сказал, что они неоднозначные и мне срочно нужна новая операция, уже более серьезная. Я сказала, что подумаю.

«Тут не о чем думать, — заявил он решительно, — если вы не сделаете эту операцию, то можете умереть в течение года». Я повторила, что подумаю. Мое тело уже преподнесло мне немало уроков, что неудивительно, ведь именно в теле хранится наше прошлое. Вся наша боль и радость так или иначе проявляется на уровне организма. Мне уже случалось избавляться от недомоганий, исцеляя разные болезненные эмоции, и я решила попробовать применить свой метод и к этой болезни.

Мне было так страшно, что я никому не рассказывала о своей болезни, за исключением одного-двух человек. Я знала, что мне понадобится вся сила, чтобы пережить это испытание и не терять из виду свою главную цель: здоровье. Поэтому я не хотела отвлекаться на чужие мнения или страхи, даже высказанные из любви ко мне. В моем путешествии к исцелению не было места для чужих страхов. Теперь мне стало особенно важно выражать свои эмоции, высвобождать очень глубинные чувства и воспоминания, и какое-то время я пребывала в очень неприятном состоянии. Из глубин моего подсознания поднималось множество тяжелых воспоминаний.

В какой-то момент процесс сделался настолько тяжелым и эмоционально болезненным, что меня начала даже привлекать мысль о смерти, и я попросила болезнь забрать меня. Когда мне пришлось всерьез задуматься о своей жизни и принять то, что, несмотря на все усилия, я действительно могу умереть, не дожив до старости, я внезапно ощутила поразительный покой. Я поняла, что уже прожила замечательную жизнь, отважно следуя тем путем, каким вели меня мое сердце и призвание. Так что я смело посмотрела в лицо смерти и заранее приняла любой исход событий. Вместе с этим принятием ко мне пришло восхитительное чувство умиротворения.

Продолжая медитировать как обычно, я читала книги про самоисцеление и техники визуализации, а также высвобождала все эмоции, которые стремились наружу. Потихоньку во мне начали происходить перемены. Мне стало казаться, что худшее осталось позади, и я нахожусь на пути к исцелению.

Мне как раз предложили присмотреть за чудесным маленьким коттеджем, заросшим вьющимися растениями и скрытым за высоким забором. Он стоял в довольно оживленном районе, но был почти невидим и ужасно мне понравился. Кроме того, я обожаю принимать ванну, а в этом доме ванна была просто громадная. Оказавшись в такой благоприятной обстановке, я решила посидеть на соковой диете, как уже делала много раз, и пару дней провести в молчании и медитации.

Мой организм всегда был прекрасным индикатором эмоций. Если у меня возникало какое-то недомогание, я легко могла отследить, какие мысли или переживания в предыдущие дни и недели его вызвали. В результате этого у меня установился очень чистый и честный канал общения со своим телом, я всегда прислушивалась к тому, что оно мне говорит, и старалась исправить ситуацию. Нередко пациенты и друзья признавались мне, что заметили недомогание задолго до того, как начали лечение. Но я много раз видела, как падает уровень жизни, если нас покидает здоровье, и научилась чутко прислушиваться к любым сигналам своего тела и быстро принимать адекватные меры. Здоровье дает нам фантастическую свободу, которую очень легко потерять навсегда.

Одна из медитаций, которую я попробовала в этом коттедже, была основана на технике из недавно купленной мной книги. В этой книге говорилось об исцелении на клеточном уровне: о мудрости наших клеток и о том, как они работают сообща. Автор предлагал инструкции, как попросить свои клетки избавить организм от болезни. Однажды утром я села на свою подушку для медитации и погрузилась в глубокий покой. Следуя предложенным визуализациям и запросам, я попросила свои клетки избавить меня от остатков болезни.

В следующую секунду я уже мчалась в уборную, где меня долго и мучительно рвало. Рвота шла из самой глубины организма и продолжалась так долго, что мне стало казаться, будто у меня внутри не осталось совсем ничего. Я сидела на полу, прислонившись к ванне, полностью вымотанная, и ждала, не вернется ли приступ. Он вернулся, и не раз. Наконец, рвота закончилась. Я встала, держась за ванну, потому что сил у меня совершенно не осталось, а живот ныл от спазмов. Добравшись до комнаты, я легла на ковер, натянула на себя одеяло, свернулась калачиком и проспала шесть часов подряд.

Разбудил меня вечерний холодок. Через окно светили последние лучи солнца. Я лежала под одеялом, любуясь вечерним светом, и чувствовала, что у меня началась новая жизнь. Произнеся благодарственную молитву за то, что мне удалось достичь исцеления, я улыбнулась сама себе. Слабость еще не оставила меня, но, постепенно приходя в себя, я ощутила волну эйфории. Пока я готовила себе легкий ужин, лицо у меня ломило от счастья. Все кончилось.

Мое тело выздоровело, и с тех пор болезнь больше не возвращалась. Я бесконечно уважаю право каждого человека выбирать свой собственный метод исцеления, будь то хирургическое вмешательство, западные лекарства, восточная медицина, гомеопатия, остеопатия или траволечение. Я выбрала для себя подходящий метод. Мне пришлось приложить невероятные усилия, чтобы пережить это время, но я справилась.

Пациентам я эту историю никогда не рассказывала, потому что мои личные методы исцеления требовали почти сорокалетней жизненной подготовки и многих месяцев работы. Было бы нечестно с моей стороны предлагать им ложную надежду: к моменту нашего знакомства мои пациенты уже были слишком близки к концу своей болезни и жизни.

Благодаря опыту исцеления своей болезни я гораздо больше ценила свою жизнь, осознавая, какой это дар. Сознательно быть счастливой стало моей новой привычкой, которую я прививала себе каждый день. Бывали дни, когда мне не удавалось чувствовать себя счастливой, и я принимала это, считая, что только так можно обрести покой. Принимая тяжелые дни, мы соглашаемся, что и в них есть свои уроки и дары, и что тяжелые времена пройдут, и снова наступят счастливые дни. Сознательное решение замечать больше хорошего в жизни определенно помогало мне меняться к лучшему. Розмари спросила, почему я всегда счастливая и напеваю, — настоящая причина крылась в том, что я только что совершила чудо и чувствовала огромную благодарность и силу.

Розмари сказала, что тоже хочет быть счастливой, но не знает как.

— Попробуйте просто притвориться счастливой, хотя бы на полчасика. Может быть, вам так понравится, что вы действительно почувствуете себя счастливой. Улыбаясь, вы меняете свои эмоции, Розмари. Так что вот вам задание: не хмуриться, не жаловаться и не говорить ничего плохого в течение получаса. Говорите только хорошее, думайте о своем саде, но не забывайте улыбаться, — предложила я.

Кроме того, я напомнила, что не знала ее прежней, поэтому сейчас она свободна быть какой угодно. Иногда приходится прикладывать сознательные усилия, чтобы быть счастливым.

— Понимаешь, мне кажется, я никогда не чувствовала, что заслуживаю быть счастливой. Когда мой брак развалился, это опозорило всю мою семью. Так как же мне быть счастливой? — спросила она с искренностью, от которой у меня сжалось сердце.

— Просто позвольте себе быть счастливой. Вы прекрасная женщина и заслуживаете этого. Разрешите себе счастье и примите сознательное решение быть счастливой.

Сомнения Розмари были мне хорошо знакомы — я и сама когда-то так рассуждала. Поэтому я напомнила ей, что мнение или репутация ее семьи могут лишить ее счастья, только если она им это позволит, и разрядила обстановку парой шуток.

●

«МЫ МОЖЕМ БЫТЬ

СЧАСТЛИВЫМИ,

ГЛАВНОЕ —

НЕ МЕШАТЬ СЕБЕ.

ГОСПОДИ, НУ ПОЧЕМУ

Я ЭТОГО РАНЬШЕ

НЕ СООБРАЗИЛА? КАК

МНОГО ВРЕМЕНИ

Я ПОТРАТИЛА ЗРЯ!»

●

Вначале Розмари колебалась, но постепенно начала разрешать себе быть счастливой. С каждым днем она все больше расслаблялась и часто улыбалась — иногда эта улыбка даже превращалась в смех. Когда на нее находило прежнее сварливое настроение и она грубо приказывала мне что-нибудь сделать, я только смеялась и отвечала: «Пожалуй что нет!» Тогда вместо того чтобы продолжать грубить, она тоже смеялась и повторяла просьбу уже вежливей.

Ее здоровье ухудшалось каждый день, и теперь даже сама Розмари не могла этого отрицать. Хотя она продолжала обсуждать, как мы с ней будем разбирать бумаги, ее уже не удивляло, что я не поддерживаю эту идею. Постепенно она стала проводить все больше времени в постели. Ей пришлось согласиться даже мыться в кровати, потому что таскать ее в душ было очень рискованно и для ее здоровья, и для моей спины.

Если я слишком надолго покидала ее комнату по хозяйственным делам, она звала меня обратно. Сама Розмари теперь спала на специальной кровати для лежачих больных, а ее прежняя кровать стояла рядом пустая. Без специальной кровати было не обойтись, потому что Розмари больше не могла сама ни вставать, ни садиться, а нам с ночной сиделкой было слишком тяжело ее поднимать. Так что, когда Розмари нужна была не помощь, а только компания, я стала ложиться на ее старую кровать. Розмари удобней всего отдыхалось на боку, так что я укладывалась напротив, и так мы лежали лицом друг к другу и разговаривали.

Очень скоро у нас появилась привычка днем дремать на соседних кроватях. На улице в это время суток было совсем тихо, к тому же я была совсем рядом, если Розмари что-то было нужно. Так что я тоже засыпала, уютно устроившись под пледом. Проснувшись, мы рассказывали друг другу сны и продолжали валяться и болтать, пока мне не приходило время вставать и заниматься делами. Это было очень особенное и нежное время для нас обеих.

Однажды, когда мы так лежали и разговаривали, Розмари спросила меня, на что похожа смерть, непосредственно умирание. Меня спрашивали об этом и другие пациенты. Примерно так же люди расспрашивают друг друга о разном пережитом опыте: например, беременные женщины расспрашивают рожавших, на что похожи роды. Или люди, собравшиеся в путешествие, расспрашивают других, на что похожа та или другая страна. В случае смерти человек уже не может рассказать, что он испытал, поэтому пациенты часто интересовались моим опытом и мнением. Я всегда рассказывала им, как Стелла умерла, улыбаясь. Я также объясняла, что ни разу не видела долгой смерти: сам переход всегда бывал довольно быстрым. История про Стеллу неизменно успокаивала и моих пациентов, и меня саму.

В современном мире почти не уделяется внимания духовному и эмоциональному состоянию больных и умирающих людей. Если им не повезло попасть в медицинский центр, где заботятся о таких аспектах жизни, им остается только одиноко размышлять над своими вопросами. Это внушает человеку не только страх, но и потерянность. В нынешнем западном обществе образовался громадный разрыв: лечение направлено на болезни тела, при этом даже *не признается их связь* с духовным и эмоциональным состоянием. Если бы мы могли восстановить эти связи, людям у последней черты было бы куда проще примириться с происходящим.

Наши вечные попытки спрятать смерть от глаз общества в очередной раз обернулись провалом. Умирающие могли бы задать свои вопросы много раньше, если бы каждый загодя задумывался о том, что ему, как и всем остальным в этом мире, предстоит небытие. Тогда нашлось бы время на поиски собственных ответов и умиротворения, и не пришлось бы, как это часто бывает, из чистого страха отрицать свою надвигающуюся смерть.

Для Розмари настало время, когда она больше не могла отрицать неизбежное. Иногда она просила меня оставить ее в одиночестве, говоря, что ей «есть над чем подумать».

Однажды вечером, когда я вошла к ней в комнату, она объявила: «*Как жаль, что я не позволяла себе быть счастливей*. Какой же я всю жизнь была несчастной! Я просто думала, что не заслуживаю быть счастливой, но теперь-то я знаю, что это не так. Сегодня утром, когда мы с тобой смеялись, я поняла: мне не должно быть стыдно за то, что мне хорошо». Я присела на край кровати и внимательно слушала.

«Это ведь действительно наш собственный выбор. Мы можем мешать себе быть счастливыми под влиянием чужого мнения или потому что считаем, что не заслужили этого. Но чужое мнение — это еще не все, верно? Мы можем быть, кем хотим, главное — себе не мешать. Господи, ну почему я этого раньше не сообразила? Как много времени я потратила зря!»

Я с любовью улыбнулась ей:

— Я тоже себя за это корила. Но давайте относиться к себе с добротой и состраданием, это куда более здоровый подход. В любом случае теперь вы во всем разобрались и впустили счастье в свою жизнь. Мы очень неплохо провели время вместе.

Вспомнив, как часто мы смеялись дружно, Розмари согласилась, и хорошее настроение вернулось к ней.

— Мне начинает нравиться эта моя новая сторона, Бронни, более светлая и легкая.

Я ответила, что мне тоже она нравится.

— Ну и тиранила же я тебя, — хихикнула Розмари, вспомнив наши первые две недели вместе.

Впрочем, мы далеко не всегда смеялись. Иногда мы переживали моменты грусти и нежности и вместе плакали, зная, что предстоит Розмари. Но хотя бы в свои последние месяцы она стала немного счастливей. У нее была замечательная улыбка — она до сих пор стоит у меня перед глазами.

В последний день Розмари у нее началось воспаление легких, и в горле стояла густая слизь. Приехали несколько родственников и друзей. Нельзя сказать, что смерть Розмари была гладкой, но она была очень быстрой. Моя милая пациентка перешла в иной мир.

Через десять минут подоспела участковая медсестра. Пока друзья и родные Розмари разговаривали на кухне, мы с медсестрой помыли ее и переодели в свежую ночную рубашку. Медсестра, которая впервые оказалась здесь, спросила меня, что за человек была покойная.

Взглянув на тело своей подруги, на ее мирное лицо, я улыбнулась. Мне вспомнилось, как мы с ней лежали на соседних кроватях, как она смеялась и дразнила меня.

«Она была счастливой, — сказала я. — Да, она была счастливой женщиной».

## Счастье всегда в настоящем

Таких любителей порассуждать, как Кэт, среди моих пациентов больше не было. У нее имелось мнение обо всем на свете, причем сформированное не вслепую, а на основе веских фактов. Кэт обожала философию и вообще любые знания, и в пятьдесят один год была необыкновенно образованна и эрудированна. Жила она в том же доме, в котором когда-то родилась. «Здесь родилась и умерла моя мать, и я планирую последовать ее примеру», — заявляла она решительно.

Еще Кэт очень любила принимать ванну, поэтому в первые два месяца мы с ней много времени проводили в ванной комнате — она в теплой воде, а я на табуретке рядом. Я и сама любила понежиться в ванне не меньше Кэт, поэтому делала все возможное, чтобы продлить ее удовольствие. К сожалению, она постепенно слабела, и вскоре ей перестало хватать сил, чтобы входить в ванну и потом выходить из нее — даже с моей помощью. Это было слишком рискованно: она могла упасть.

Когда Кэт узнала, что принимает ванну последний раз в жизни, она горько расплакалась, и слезы капали прямо в воду. «Все кончается, — плакала она. — Сейчас вот ванна... а скоро я не смогу ходить. Потом я и стоять не смогу, а потом меня и вовсе не станет. Все кончается. Моя жизнь кончается». Плач перешел в ничем не сдерживаемые рыдания. Хотя мне было бесконечно жаль Кэт, я радовалась тому, что она способна так искренне выражать свои эмоции.

Выплакав целое море слез, она успокоилась и молча сидела в ванне, обессилевшая от рыданий, глядя в воду невидящими глазами. Затем слезы хлынули вновь, и каждый всхлип был отчаяннее предыдущего. Кэт оплакивала все трагедии в своей жизни, всех, кого она уже потеряла, и всех, кого ей предстояло потерять, покинув этот мир. И конечно же, она оплакивала себя саму.

Когда я пыталась выйти, чтобы она побыла наедине с собой, Кэт трясла головой и просила меня остаться. Так что она плакала, а я просто сидела рядом и мысленно посылала ей любовь, ничего не говоря. Смотреть на нее было невероятно грустно, но я понимала, что она переживает целительный процесс смирения с неизбежным.

Прошло еще полчаса, и ванна стала остывать. Я предложила подбавить горячей воды, но Кэт отказалась. «Нет, не нужно. Пора», — сказала она, решительно выдернула пробку и обернулась ко мне, чтобы я помогла ей выбраться. Когда через десять минут я выкатила ее в кресле на солнышко, одетую в голубой халат и ярко-красные тапочки, она выглядела совсем успокоившейся.

«Послушай, как поет птица», — улыбнулась она. Мы немного посидели в тишине, радуясь птичьим трелям, и заулыбались еще сильнее, когда с соседнего дерева нашей птице ответила подружка. «Знаешь, каждый день — это подарок. Причем так было всегда, но только теперь я достаточно замедлилась, чтобы по-настоящему увидеть, сколько красоты несет в себе каждый день. Мы так многое не ценим! Послушай». С нескольких ближайших деревьев звенели разные птичьи песни.

Кэт сказала, что только теперь в полной мере оценила силу благодарности. Мы постоянно хотим от жизни всё большего, пояснила она, и это до какой-то степени нормально, потому что нельзя мечтать и расти, не развиваясь. Но мы никогда не получим всего, чего хотим, и никогда не перестанем расти, поэтому самое важное — не забывать ценить то, что у нас уже есть. Жизнь проходит ужасно быстро, добавила она, независимо, сколько нам суждено пробыть на земле: двадцать, сорок или восемьдесят лет. Кэт была права. Каждый день — это подарок. Настоящий момент — вот все, что у нас есть.

Я уже двадцать лет вела дневник благодарности, куда каждый вечер записывала несколько вещей, за которые мне хотелось поблагодарить прошедший день. Иногда, в самые мрачные периоды моей жизни, писать в этот дневник было нелегкой задачей. Я была настолько измучена эмоционально, что мне было трудно найти повод для радости. Но я всегда преодолевала себя и придумывала, за что поблагодарить прошедший день: за воду и еду, крышу над головой, улыбку случайного прохожего или птичье пение.

Но даже привыкнув каждый вечер перечислять светлые моменты прошедшего дня, рассказывала я Кэт, я еще долго приучала себя ценить маленькие подарки жизни в тот самый момент, когда она их мне преподносит. Так я выработала привычку про себя произносить благодарственную молитву каждый раз, как происходит что-то хорошее.

Легче всего, конечно, было не забывать благодарить природу. Например, когда мое лицо гладил легкий ветерок, я говорила спасибо за то, что мне хватает здоровья выйти на улицу и ощутить его. Но мне хотелось еще больше осознанной благодарности. Хотя дневник помог мне развить это чувство, особенно мне помогло умение жить в моменте. Каждый час происходит что-то, за что можно говорить спасибо, решила я. Именно так мне и удалось выработать у себя стойкую привычку постоянно испытывать благодарность.

— Раз ты постоянно благодаришь жизнь, наверняка она все время преподносит тебе подарки? — спросила Кэт.

— Да, когда я ей не мешаю: когда помню, что я заслуживаю этих подарков и не блокирую их поток. Безусловно, мне доводилось получать от жизни прекрасные дары. Но иногда для этого мне нужно было не мешать себе — просто «отойти с дороги». Жизнь гораздо щедрее ко мне, когда я нахожусь в состоянии благодарности и потока.

Кэт посмеялась над моей теорией, но согласилась:

— Да, жизнь сама хочет дарить нам подарки, но без благодарности и открытости мы ей этого не позволяем. Большинство людей даже не понимают, как им повезло.

Я, например, долгое время этого не понимала. К счастью, я начала работать над собой еще до болезни, так что мне удалось заранее встать на верный путь.

Мы еще посидели на солнышке, пока Кэт не пришло время обедать и отдыхать. На обед были мороженое и компот из фруктов — ничего другого она уже не ела. Все остальное слишком трудно жевать, говорила Кэт, и к тому же безжизненно на вкус. После обеда я устроила ее в кровати и задернула занавески. Недавно Кэт увеличили дозу обезболивающих, и она чувствовала себя лучше, но слабей, так что заснула она почти моментально.

Вечерами к нам часто заходила бывшая возлюбленная Кэт. Они расстались больше десяти лет назад, но остались близкими друзьями, их отношения были полны нежности и уважения. Появлялись и другие постоянные гости: старший брат Кэт с женой и детьми, а также ее младший брат. Каждый день заглядывали соседи, да и друзья и коллеги тоже навещали при первой возможности. Кэт многие любили.

Судя по рассказам гостей, на работе Кэт была очень целеустремленной, но по-доброму относилась ко всем окружающим. Теперь она, как и все умирающие, хотела как можно больше знать о том, что происходит в жизни ее посетителей, да и вообще в мире за пределами дома. Умирающие люди сами уже не могут жить обычной жизнью и наслаждаются каждой новостью. Часто друзья и родные теряются и не знают, о чем говорить во время посещений. Рассказы о чужой жизни не расстраивают умирающих, а помогают им не терять связи с окружающими и вообще хорошо на них влияют.

Так было и с Кэт: она хотела слышать только хорошие новости, и побольше. Но это не всегда легко давалось гостям, горевавшим о предстоящей им потере близкого человека. Поэтому по просьбе подруги Кэт, Сью, я решилась поговорить с ней о чувствах ее посетителей.

Сью приходила к нам почти каждый день и очень старалась казаться веселой ради Кэт, но на самом деле больше всего ей хотелось плакать. Перед тем как входить в дом, Сью подолгу сидела в машине и делала себе внушение: оставаться сильной и держать лицо. Через пару часов, выйдя от Кэт, она садилась обратно в машину и рыдала.

— Я, в общем-то, это вижу, — призналась Кэт. — Но я просто не знаю, как мне справиться с печалью Сью, когда я еще и со своей толком не справилась. Эта ноша мне не по силам.

— Ну и не надо взваливать ее на себя, — предложила я. — Просто дайте Сью высказаться, не меняйте тему разговора каждый раз, как она пытается поговорить о своих чувствах. Ей нужно выговориться, а от вас требуется только дать ей такую возможность. Не считайте это обузой. Она ни о чем вас не просит. Она просто хочет рассказать, как сильно любит вас, но не может этого сделать без своих слез и вашего согласия.

Кэт поняла меня, но сказала, что чувствует себя почти неловко, видя, как расстроены ее друзья.

— Господи, Кэт, неужели вас все еще беспокоит такая мелочь, как гордость? — спросила я. Она рассмеялась.

— Просто разрешите своим близким рассказать вам, как они вас любят.

Она улыбнулась и немного помолчала, а потом ответила:

— Когда до меня только дошло, насколько серьезно я больна, я решила научиться принимать свои чувства, а не отвергать их. Они возникают, и я позволяю себе их прожить. Вот почему я с такой свободой рыдала в тот день в ванне. Чувства — это всего лишь побочный продукт мыслей. Я знаю, что можно создавать новые чувства, концентрируясь на хорошем. Но те чувства, что у меня уже есть — это часть меня, и их лучше высвобождать, чем держать в себе. Такая у меня теория. Но при этом получается, что я не уважаю чувства других, а отвергаю их и мешаю их искреннему выражению!

Кэт покачала головой и вздохнула. Чуть подумав, она посмотрела на меня, улыбнулась и добавила:

— Похоже, пора мне набраться смелости и дать другим тоже выплакаться вволю.

Я согласно кивнула и заметила, что это вовсе не лишит Кэт обычных жизнерадостных посещений. Но прямо сейчас пора дать волю накопившимся эмоциям родных и друзей. Им нужна возможность выразить ей свою любовь — вероятно, даже сквозь слезы.

В следующие несколько дней Кэт и ее гости действительно пролили немало слез, но их беседы были наполнены любовью. Они раскрывали друг другу сердца, наполненные болью, и исцеляли их мощным потоком любви.

Один день выдался особенно эмоциональным. Последняя посетительница уходила, смеясь сквозь слезы одновременно горя и радости, перешучиваясь с Кэт, пока не скрылась из вида. Проводив ее взглядом, Кэт посмотрела на меня с любовью. «Да, очень важно дать чувствам волю и принять их. И моим друзьям это тоже полезно, — сказала она. — У них останутся только хорошие воспоминания, не омраченные тяжелыми эмоциями».

Я согласно кивнула, восхищенная ее анализом ситуации. В тяжелый момент жизни мне тоже не без труда удалось отделить свои чувства от себя и понять, что они лишь эмоциональное выражение моей боли или радости, а не я сама. Как и все люди, я родилась с мудрой душой. Но, чтобы познать эту глубинную божественную мудрость, мне довелось дать волю чувствам, иначе они никогда не позволили бы мне реализовать мой потенциал. Поэтому мне так приятно было слышать, что Кэт пришла к похожему выводу, хотя и сформулировала его по-своему.

Кэт и раньше была худой, поэтому от потери веса быстро начала выглядеть больной и изможденной. «Мое время подходит к концу. Невозможно больше закрывать глаза на очевидное», — сказала она мне как-то утром, сидя на переносном туалете. Мне часто доводилось беседовать с пациентами, пока они сидели на горшке, а я рядом. Горшок нам не мешал — он был чем-то привычным, и не было смысла давать туалетным делам мешать интересному разговору. Укладывая Кэт в кровать, я согласилась: действительно, некоторые признаки указывают на то, что ей остается не так уж долго.

Удобно устроившись в кровати, она добавила: «Я не жалею о том, как жила, потому что я многому научилась в результате своих поступков. Но если бы я могла что-то изменить, прожить жизнь заново, я бы впустила в нее больше счастья». Это меня удивило. Конечно, я уже слышала подобные слова от других пациентов, но Кэт мне всегда казалась довольно счастливой женщиной — насколько это вообще возможно, когда ты смертельно болен и ужасно себя чувствуешь. Я спросила, что она имеет в виду.

Кэт объяснила, что любила свою работу, но слишком много значения придавала результатам. Она занималась программами для трудных подростков и считала, что вклад в общество просто необходим, чтобы чувствовать удовлетворение от жизни. «У каждого из нас есть полезные таланты. Неважно, кем ты работаешь. Важно только, что ты пытаешься внести в общество осознанный вклад, надеешься сделать мир лучше, — рассуждала Кэт. — Единственный шанс спасти ситуацию — это понять, что все люди связаны между собой. Ничего нельзя сделать в одиночку. Как было бы хорошо, если бы мы перестали уже соревноваться и бояться и начали работать вместе ради общего блага».

Хотя у Кэт оставалось совсем мало сил и она почти не вставала с кровати, ей все еще было что сказать. Я подозревала, что философ в ней умрет последним (и меня это совершенно устраивало). Пока я натирала ей кремом руки, она продолжала говорить: «Нам всем есть что дать обществу. Я свой долг выполнила. Но пока я искала свое предназначение, я забыла, что можно еще получать удовольствие от жизни. Сначала мне нужен был только результат: я искала смысл жизни. Однако даже найдя любимую работу, которая придала моей жизни смысл, я все равно продолжала думать только о результатах».

Эта история была мне знакома — я уже слышала ее от других пациентов. Идя к намеченной цели, мы часто забываем про настоящий момент. Кэт казалось, что ее счастье связано с конечным результатом работы, и она не получала удовольствия от процесса его достижения. Я заметила, что все люди склонны к этой ошибке, в том числе и я сама.

Она продолжила: «Да, но при этом я лишила себя возможного счастья. Именно это я имею в виду, когда говорю, что хотела бы кое-что изменить. Конечно, важно найти свое предназначение и внести вклад в общество, каким бы он ни был. Но не нужно считать, что счастье зависит только от конечного результата. Нужно быть благодарной за каждый день — только так можно быть счастливой прямо сейчас, а не когда добьешься цели, выйдешь на пенсию или случится еще что-нибудь». Кэт вздохнула, утомленная этой эмоциональной речью, но довольная, что ее услышали.

Выслушав ее и поделившись собственными мыслями на эту тему, я поправила на ней одеяло и отправилась

на кухню за чаем. Срезая в саду стебель цитронеллы, я думала о словах Кэт. Мне вспоминались очень похожие слова других пациентов. В деревьях пели птицы, свежезава-
ренный чай наполнял кухню благоуханием цитронеллы,
и было совсем не трудно жить в настоящем и быть благодарной.

Высказавшись, Кэт захотела немного отдохнуть и послушать меня, поэтому спросила, где я живу. Со смеш-
ком я объяснила, что этот же вопрос мне задают все мои
друзья каждый раз, как звонят по телефону: «Где ты сейчас живешь?» Я рассказала Кэт о том, как в молодости постоянно переезжала с места на место, а в последние годы
жила в чужих домах, и что только недавно мне перестало
хватать сил на этот бродяжнический образ жизни. В Мельбурне у меня было не так много предложений присматривать за домами, как в Сиднее. Мне слегка надоело не знать,
где я буду жить на следующей неделе, да и постоянно переезжать тоже. То, что раньше я так любила, теперь казалось утомительным.

Недавно я сняла комнату в доме у знакомой, чтобы жить
там, когда у меня не было предложений по работе. Я была
очень благодарна ей за возможность не переезжать каждые
несколько недель, но все же это была чужая территория,
и ощущения собственного дома у меня так и не возникло.

Казалось, все специально сложилось так, чтобы мне снова захотелось иметь свой угол, и это желание изо дня в день
росло. Прошло почти десять лет с тех пор, как у меня была
собственная кухня. Кэт, никогда не переезжавшая из своего дома, сказала, что даже представить себе не может мой
образ жизни. Я ответила, что тоже не могу представить
себе ее образ жизни: хотя сейчас мне хотелось оседлости,
какая-то часть меня всегда будет стремиться к странствиям. В последнее время я обдумывала возможность иметь

постоянную базу, куда можно будет возвращаться, вместо того чтобы переезжать со всем хозяйством каждый раз, как захочется сменить обстановку.

Годы странствий, в которых я провела половину своей взрослой жизни, во многом сформировали меня. Но теперь что-то изменилось, и у меня не осталось желания или сил поддерживать прежний образ жизни. Все, чего мне хотелось, — это иметь собственную кухню и личное пространство, которое никто не нарушит.

Кэт согласилась, что перемены — это единственное, что есть постоянного в жизни. Она добавила, что мы с ней идеально дополняем друг друга: я постоянно меняю свою жизнь, а она пятьдесят один год прожила на одном и том же месте. Мы расхохотались. Наши жизни были действительно очень разными, но нас сплотила общая любовь к философским рассуждениям, и теперь между нами установилась сильная связь.

Кэт захотела узнать, как я начала работать паллиативной сиделкой, и поразилась, услышав про годы работы в банке.

— Даже представить себе этого не могу, — удивленно сказала она.

— Я тоже, слава богу, — рассмеялась я.

Вспоминая то время, я с большим трудом могла представить себя в этом мире. Удивительно, сколько событий умещается в одну недолгую жизнь.

— Колготки, высокие каблуки и деловые костюмы мне никогда не нравились, Кэт, а с ними и упорядоченный образ жизни.

— Глядя, какую жизнь ты ведешь теперь, я не удивлена, — усмехнулась она, а затем внезапно посерьезнела и спросила, сколько еще я планирую заниматься этой работой и нет ли у меня других планов. Я не видела смысла от нее что-то скрывать. Я уже знала, как важна честность, и было очень приятно поговорить на эту тему откровенно. В последнее время я много об этом думала, и разговор с Кэт помог мне разобраться в собственных желаниях.

Уже год мне не давала покоя мысль о музыкальных курсах для заключенных. Я ничего не знала о тюремной системе, но мысль оказалась настойчивой и прорастала во мне медленно, но верно. Недавно я как раз познакомилась с замечательной женщиной, которая взялась помочь мне найти деньги для осуществления задумки.

«Правильно, Бронни, возвращайся в мир живых. Ты замечательно справляешься со своей работой, но наверняка ужасно устала от нее», — настойчиво сказала Кэт. Действительно, прошло почти восемь лет с тех пор, как я начала работать сиделкой. Подумав об этом, я вдруг поняла, что близка к выгоранию.

Видеть, как люди обретают душевный покой, любоваться их ростом на закате жизни было невероятной честью. Это была очень благодарная работа, и я ее любила. Но теперь мне хотелось поработать в области, где все же оставалась надежда на хороший исход, где у людей был шанс изменить свою жизнь до того, как они окажутся на пороге смерти. Стремление заниматься творческой работой тоже крепло, вместе с надеждой иногда работать из дома — как только у меня снова будет свой дом.

Вслух высказав все эти мысли Кэт, я почувствовала, как они буквально наливаются энергией. Мысли о работе с заключенными теперь не оставляли меня. Похоже, мое время в паллиативном уходе подошло к концу. Так было нужно — я отдала этой сфере почти все, что могла.

Незадолго до смерти к Кэт пришло второе дыхание, и пару дней она хорошо себя чувствовала. Я уже видела это с другими пациентами, поэтому обзвонила всех постоянных посетителей и посоветовала им зайти, потому что Кэт вот-вот вступит в заключительную фазу болезни. Придя в гости, некоторые из них усомнились в моих словах, потому что Кэт выглядела намного лучше прежнего и казалась заметно бодрей. Это последний подарок, который жизнь иногда преподносит людям после долгой болезни. Благодаря ему мы можем запомнить их с былым огоньком в глазах. Целых два дня в комнате Кэт звенел смех, она была в ясном сознании и прекрасном настроении, шутила и радовалась друзьям и родным.

Приехав на работу на следующее утро, я увидела перед собой умирающую женщину, которая уже почти не могла говорить. Тело Кэт совсем ослабло. Она прожила еще три дня, но почти все время спала. Проснувшись, она улыбалась мне, пока я меняла ей подгузник и мыла ее. Даже возможность пользоваться переносным туалетом теперь осталась в прошлом.

Друзья приходили и тихо уходили, зная, что в последний раз видели свою любимую Кэт. Под конец третьего дня стало очевидно, что до утра она не доживет. Закончив смену, я не поехала домой, а осталась с Кэт, ее братом и его женой. Ночная сиделка еще никогда не видела мертвого тела, поэтому для нее мое решение было большим облегчением. Вспомнив свой собственный первый опыт смерти пациента, я поняла, что очень многому научилась с тех пор. Тогда я даже представить себе не могла, сколько встречу потрясающих людей на этой работе и сколько мне выпадет бесценных жизненных уроков.

Кэт уже несколько дней получала обезболивающие внутривенно, потому что не могла больше глотать таблетки. Вечером приехала паллиативная медсестра с новой порцией лекарств. Кэт была без сознания. «Это последняя доза, — сказала медсестра мне и брату Кэт. — Она все равно не переживет эту ночь». Мы поблагодарили ее, и я пошла ее проводить. На прощание медсестра сказала мне: «Ее не станет в течение часа». В моей работе было столько радости и одновременно печали — печали от необходимости прощаться и радости за то, что кончились мучения Кэт. Это были сложные чувства, и я не сдерживала слез.

Кэт не дождалась моего возвращения. Она умерла, пока я шла обратно к дому. Ее дыхание замедлилось, а затем остановилось совсем. Глядя на нее, лежащую в кровати, я улыбнулась сквозь слезы, а в ушах у меня стоял ее голос. «Не отдавай всю жизнь умирающим людям, впусти в нее немного радости», — велела она мне слабым шепотом накануне утром.

Слезы хлынули у меня из глаз, и я не скрывала их. «Хорошего вам путешествия, моя дорогая подруга», — произнесла я про себя от всего сердца. Брат Кэт и его жена подошли ко мне, тоже в слезах, и по очереди обняли. Им нужно было идти заниматься формальностями. Я в последний раз взглянула на тело Кэт — тело, которое я так часто мыла и массировала. Кэт в нем уже не было; ее дух отправился дальше. Но она оставалась в моем сердце, и, чуть улыбнувшись, я окончательно простилась с ней и ее семьей. Ночная сиделка тоже простилась и уехала. Выйдя из дома Кэт в последний раз, я закрыла за собой калитку и остановилась на тихой улице, ярко освещенной фонарями.

Каждый раз после смерти пациента мир выглядел для меня нереальным. Я все воспринимала и ощущала особенно остро, и мне казалось, что я наблюдаю за всем откуда-то со стороны. Входя в трамвай, я не замечала людей вокруг. Мир жил своей жизнью, а я все думала о Кэт и о проведенном с ней чудесном времени.

Трамвай остановился на светофоре, и я увидела, смеющихся людей у двери в ресторан. Стоял мягкий, ласковый вечер, и все прохожие казались веселыми. Мои усталые слезящиеся глаза улыбались, глядя на чужое счастье. Внезапно я услышала разговоры других пассажиров, которых все это время не замечала. Все это были веселые, радостные разговоры. В тот вечер счастье, казалось, было разлито в воздухе. Мне было грустно, но я тоже чувствовала себя счастливой — ведь мне довелось узнать Кэт и подружиться с ней.

Отзвуки чужого смеха танцевали вокруг, наполняя счастьем и меня. Трамвай двинулся вперед, я посмотрела в окно и задумалась о добрых сердцах людей во всем мире и тех, которые были рядом прямо сейчас. От благодарности у меня на душе стало тепло, и я невольно улыбнулась.

Я не думала ни о прошлом, ни о будущем. Счастье всегда в настоящем — там же, где была я.

## Все дело в точке зрения

Ленни был одним из моих последних клиентов, и он оказал на меня глубочайшее и очень благотворное влияние. Я ухаживала за ним в доме престарелых. Надо сказать, что за смены в доме престарелых я по-прежнему бралась неохотно — стоило мне только войти туда, у меня сразу начинало болеть сердце за его обитателей. Так что на эту работу я соглашалась только тогда, когда у меня не было совершенно никаких предложений по уходу на дому. Именно так вышло с Ленни, и я этому очень рада.

Когда мы познакомились, Ленни оставалось жить уже совсем недолго. Его дочь наняла меня в качестве дополнительной сиделки, зная, что сотрудники дома престарелых слишком заняты, чтобы уделять ему дополнительное внимание. Ленни спал почти весь день, а когда бодрствовал, соглашался пить чай, но отказывался от еды. Проснувшись, он похлопывал ладонью по кровати, чтобы я села к нему поближе, потому что у него не было сил разговаривать громко. «Я прожил хорошую жизнь, — часто повторял он. — Да, хорошую жизнь».

Эти слова каждый раз напоминали мне, что счастливым человека делают не обстоятельства, а точка зрения, потому что жизнь Ленни никак нельзя было назвать даже легкой. Он остался круглой сиротой в четырнадцать лет. В следующие несколько лет все его братья и сестры либо умерли, либо разъехались по миру, потеряв связь друг с другом. Он познакомился с Ритой, любовью всей своей жизни, когда ему исполнилось двадцать два года, и женился на ней «с ураганной скоростью», как он сам выражался.

У них родилось четверо детей. Старший сын погиб во время войны во Вьетнаме, что до сих пор заставляло Ленни печально качать головой. Он был яростным противником войны, называя ее безумием. Он не понимал, кому вообще могло прийти в голову, что война способна привести к долгосрочному миру. Я разделяла его мысли о безумном и плачевном состоянии мира и быстро научилась ценить ум и рассуждения этого замечательного человека.

Время от времени в комнату заглядывали работники дома престарелых, предлагая Ленни поесть, но он всегда с улыбкой отказывался. Как только дверь закрывалась, шум в коридоре, казалось, затихал, как будто мы вдвоем переносились в отдельное измерение.

Старшая дочь Ленни вышла замуж и переехала жить в Канаду. Через девять месяцев она погибла, разбившись на машине в метель. «Наша звездочка, — говорил о ней Ленни. — Она сияла, как звездочка, и теперь она навсегда отправилась на небо».

Пока я слушала Ленни, у меня нередко глаза были на мокром месте. Работа сиделки научила меня никогда не пытаться сдерживать слезы. Чем больше я развивалась, тем естественней выражала свои чувства. Общество заставляет нас героическими усилиями соблюдать приличия, и мы платим за это непомерно высокую цену. Искренность моих чувств нередко помогала родным моих пациентов: увидев мои слезы, они тоже начинали плакать. Трудно представить, но некоторые из них не плакали с самого детства. Глядя на это, я только больше убеждалась в том, как важно искренне выражать свои чувства.

Младший сын Ленни оказался слишком ранимым для этого мира, и у него развилось психическое заболевание. В то время системы поддержки для подобных людей еще не существовало, и, если семья не справлялась с уходом за больным идеально, его забирали в психиатрическую лечебницу. Ленни и Рита хотели оставить Алистера дома, где они могли бы дать ему любовь и заботу, но врачи им этого не разрешили. Алистер прожил остаток жизни, одурманенный лекарствами, и Ленни больше ни разу не видел, чтобы он улыбнулся.

Последняя дочь жила в Дубае, где ее муж работал инженером по контракту. Она звонила в дом престарелых, когда я была на работе, и мы с ней разговаривали. По телефону она казалась мне приятной женщиной, но прилететь к отцу не могла.

Рита умерла, не дожив до пятидесятилетия, всего несколько лет спустя после того, как Алистера забрали в психиатрическую лечебницу. Она заболела, и в течение нескольких недель ее не стало. И все равно Ленни утверждал, что прожил хорошую жизнь. Сквозь слезы я спросила его, как это возможно. «Мне выпало счастье любить, и за все прожитые годы эта любовь не ослабевала ни дня», — сказал он.

После работы мне не хотелось идти домой, но Ленни все равно пора было отдыхать. Каждый день, возвращаясь в дом престарелых, я молилась, чтобы он был еще жив. Это была непростая ситуация. Я знала, что он хочет умереть, чтобы вновь воссоединиться с Ритой и своими детьми, и в этом отношении я желала ему скорейшего ухода. Но одновременно мне хотелось, чтобы он подольше побыл со мной, ради моего развития и нашей дружбы.

Ленни много работал — слишком много, говорил он. Вначале это помогало ему заглушить боль, а как еще справиться со своими потерями, он не знал. В последние годы, по рекомендации своей дочери Роуз, он обратился к психотерапевту и научился говорить о пережитом. Вспоминая свои утраты, он исцелился, и теперь свободно рассказывал мне обо всем.

Он также расспрашивал меня о моей жизни. Ему казалось поразительным, что молодая женщина могла распродать почти все свое имущество, сложить остатки в машину и отправиться навстречу новой жизни, не представляя, куда приведет этот путь, — и так не один раз, а много.

Я объяснила, что на мою жизнь очень сильно повлияли первые серьезные отношения с мужчиной. Мне тогда еще многое предстояло в себе открыть, но жизнь в постоянном угнетении и страхе привела к тому, что неизведанное манило меня с неодолимой силой. Когда эти отношения, наконец, закончились, я ощутила свободу, которой раньше не знала. С женихом мы встретились, когда я была еще очень молода и не успела по-настоящему узнать свободу взрослой жизни. К концу наших отношений мне было двадцать три, и я наконец начала делать то, что положено делать в этом возрасте: развлекаться и получать удовольствие от жизни.

Полгода спустя я села за руль и поехала на свадьбу к подруге. Ехать надо было шесть часов, и по пути я обнаружила в себе нечто новое, но бесконечно родное: тягу к странствиям. Оказалось, что какая-то часть меня всегда мечтала и будет мечтать о постоянных путешествиях. Подолгу сидеть за рулем оказалось для меня самым естественным времяпрепровождением в мире. С тех пор свобода стала одним из главных приоритетов в моей жизни. Большинство решений я принимала на основании того, как они повлияют на мою свободу. Разумеется, свобода доступна нам и при оседлой жизни, ведь это прежде всего состояние ума. Возможность быть собой — вот величайшая свобода, и на нее никак не влияет, в каком городе или районе мы живем.

Ленни расспрашивал о моей жизни с неподдельным интересом и слушал очень внимательно, когда я рассказала ему о своих планах оставить работу сиделкой. «Да, — сказал он. — Тебя ждет хорошая жизнь, Бронни, в которой тебе не нужно будет все время проводить в непосредственной близости от смерти. Возвращайся в мир живых». Он был добрейшим человеком, и я улыбнулась его благословению.

Дом престарелых принадлежал христианской организации. Ленни перестал ходить в церковь сразу после смерти Риты, но не потому, что утратил веру в Бога. Просто ему было слишком больно находиться в церкви без своей любимой жены, не слышать, как она поет с ним рядом. Ленни говорил, что ему все равно, кому принадлежит дом престарелых — христианам, представителям какой-то другой религии или вовсе атеистам. Его устроила бы любая ситуация. Он собирался вскоре отправиться домой, к Рите, а все остальное было неважно. Но заведение было христианским, и в нем, кроме сотрудников, было немало волонтеров.

Одного их них звали Рой, и он каждый день обходил комнаты, чтобы вслух читать их обитателям Библию.

●

**«ЖИЗНЬ САМА
ХОЧЕТ ДАРИТЬ НАМ
ПОДАРКИ, НО БЕЗ
БЛАГОДАРНОСТИ
И ОТКРЫТОСТИ
МЫ ЕЙ ЭТОГО
НЕ ПОЗВОЛЯЕМ».**

●

Он уже давно предлагал свои услуги и Ленни, который раз
за разом вежливо отказывался.

Теперь, когда Ленни оставались считанные дни, у него
не было сил сопротивляться. Рой воспользовался этим,
чтобы каждый день приходить и читать Ленни отрывки
из Библии. Читал он *подолгу*.

Даже здоровый человек с искренним интересом к Библии, вероятно, немного уставал бы от этих ежедневных
монотонных монологов. Из вежливости я старалась слушать Роя очень внимательно, но то и дело нечаянно начинала клевать носом. Как я уже говорила, он читал подолгу и совершенно без выражения. Но хуже всего было
то, что, закончив читать, Рой хотел обсудить прочитанное с Ленни. Я как сиделка должна была заботиться о его
комфорте, поэтому мне пришлось мягко объяснить Рою,
что Ленни уже не хватает сил разговаривать, и не надо его
к этому принуждать.

— Я знаю, что ты добрая душа, Бронни, — сказал Ленни мне на ухо однажды после ухода Роя. — И я знаю, что
ты стараешься всегда думать о людях лучшее. Но если
этот парень снова заявится сюда, я его выпровожу пин-
ком под зад.

Мы оба расхохотались, зная, что завтра Рой вернется
в то же время.

— Если я до сих пор не заслужил царствия небесного,
то какой теперь смысл во всей этой религии? — хихикнул
Ленни. — Я все равно не могу сосредоточиться на том, что
он говорит. У меня нет сил.

— У него добрые намерения, Ленни, а это самое главное, — ответила я.

Мы оба по-доброму посмеялись. Рой был хорошим человеком, и, хотя намерения у него действительно были
самыми чистыми, ситуация приобретала все большую

комичность. Каждый день, когда он стучался в дверь, мы оба знали, что нас ожидает. Монотонное, безжизненное чтение Роя вовсе не украшало мудрые слова Библии. «Вы хотя бы можете спать, пока он читает», — смеялась я. Ленни кивал, улыбаясь.

Дни тянулись медленно. Мне предложили другую работу, но я отказалась. Я хотела проводить этого замечательного человека до самого конца пути. Кроме того, я стремилась не подвести Роуз. Она наверняка была бы в ужасе, что отец умирает в другой стране и при этом вынужден каждый день иметь дело с новой сиделкой. Я также знала, что уже скоро мне будет не хватать наших тихих разговоров с Ленни, и не желала отказываться от них раньше срока, который пришел очень быстро.

Был полдень четверга, и в городе кипела жизнь. Всюду была суета — на дорогах, в магазинах, а затем и в доме престарелых, куда я приехала к Ленни. Работники развозили по коридорам тележки с едой. Врачи обходили пациентов. Перегруженные медсестры носились туда-сюда. Пациентов катили куда-то в креслах, у кого-то из них из уголка рта текла слюна, а остекленевшие глаза смотрели в никуда. Дом престарелых — это всегда ужасно печальное зрелище, и тот четверг не был исключением.

Проходя мимо регистратуры, я услышала, как две девушки-администратора жалуются друг другу на третью. Мне было трудно понять, как они ухитряются ежедневно работать в окружении смерти и все равно тратить силы на банальные жалобы. Впрочем, я уже многому научилась на собственном опыте и благодаря своим пациентам. То, на что большинство людей тратят свои силы, в конечном итоге оказывается совершенно неважным.

Как всегда, войдя к Ленни, я внезапно будто перенеслась в другой мир. В полутемной комнате царил удивительный покой. Так было с самого начала, и в первый же день работы я сказала об этом Ленни. Он улыбнулся: «А, да, это очень мирное пространство, но не все это видят. Многие сотрудники, которые сюда заходят, такие деловые, что ничего не замечают». Впоследствии я часто это наблюдала, хотя некоторые посетители Ленни тоже ощущали особую атмосферу его комнаты.

Пододвинув стул поближе к кровати Ленни, я читала книгу, пока он спал, но продолжала думать о нем. Через некоторое время он заворочался, увидел меня и начал шарить рукой по одеялу в поисках моей руки. Я взяла его ладонь в свои, он улыбнулся и снова уснул. Так проходили часы. Иногда он снова начинал ворочаться, и я давала ему глоток воды или просто целовала его руку. «Я прожил хорошую жизнь», — тихо произнес он, проснувшись в очередной раз.

«Хорошую жизнь», — он снова задремал, а я смотрела на него. Мое сердце наполнилось печалью, а к глазам подступили слезы. Иногда моя работа бывала просто невыносимо тяжелой, и я начинала мечтать о какой-то другой карьере, попроще. Но при этом я знала, что никакая другая работа не даст мне столько, сколько мои пациенты.

«М-м-м. Хорошую жизнь», — повторил он, открыв усталые глаза и улыбнувшись мне. Увидев, что я плачу, он сжал мою ладонь.

— Не волнуйся, милая, я готов, — его голос звучал еле слышно. — Пообещай мне кое-что.

Мне хотелось рыдать, но я лишь улыбнулась сквозь слезы. Улыбка вышла фальшивой, как бывает у людей, когда они стараются держать лицо, но это им не удается.

— Конечно, Ленни. Что?

— Не волнуйся о мелочах. Мелочи — это ерунда. Единственное, что важно, — это любовь. Если будешь помнить о том, что любовь всегда с тобой, то проживешь хорошую жизнь.

Его дыхание слабело, и говорить было все сложнее.

— Спасибо вам за все, Ленни, — проговорила я, всхлипывая. — Я так рада, что познакомилась с вами.

Это прозвучало по-детски, ведь я могла и хотела сказать ему еще многое. Но в конечном итоге, эти слова в точности передавали мои чувства. Наклонившись и поцеловав Ленни в лоб, я увидела, что он снова уснул.

Я сидела с ним рядом и рыдала, уже не сдерживаясь. Иногда стоит лишь чуть приоткрыть кран, и слезы начинают литься ручьем. Я плакала и плакала без конца, даже не зная, о чем все эти слезы. Следующие несколько часов Ленни продолжал спать. Он вполне мог уже не проснуться. Когда слезы иссякли, я просто сидела, глядя на него с нежностью. И тут в комнату вошел Рой.

Я хотела рассмеяться, зная, что Ленни оценил бы юмор ситуации, если бы не спал. Но он спал, и моя слабая улыбка и красные опухшие глаза мгновенно объяснили Рою, что происходит. Ленни мог уже не проснуться. По моим щекам снова покатились слезы. Но это были уже не слезы скорби, а слезы любви, и вскоре я успокоилась.

Рой сел с другой стороны кровати. Он открыл Библию и вопросительно посмотрел на меня. Мое лицо говорило: «Поступай как хочешь, но мне кажется, он предпочел бы тишину». Рой кивнул. Открытая Библия осталась лежать у него на коленях, но читать он не стал. В тот момент я испытала к нему огромную любовь и благодарность за уважение к происходящему. Не то чтобы чтение Библии могло испортить момент, но происходящее в комнате уже было настолько священным, что можно было обойтись и без чтения.

Ленни потянулся за моей рукой, не открывая глаз. Я встала и взяла его ладонь в свою. Его дыхание сделалось хриплым и неровным. Я ощутила запах, который был мне уже хорошо знаком, хотя его и невозможно описать. Это был запах смерти.

Вдруг Ленни открыл глаза, посмотрел прямо на меня и улыбнулся. Но это был уже не мой друг Ленни, которого я узнала и полюбила. Это был Ленни во всем великолепии своей сияющей души. В его улыбке не было и следа болезни. Это была улыбка души, свободной от оков личности.

Это была улыбка чистой любви, радостной и лучезарной.

Я тоже улыбнулась ему, и мое сердце распахнулось ему навстречу. Мы оба радостно улыбались, зная, что в конце не остается ничего, кроме любви. Никогда в жизни я больше не видела такой улыбки и не улыбалась так сама. Это было истинное, ничем не омраченное счастье. Мы улыбались друг другу, лучась от счастья, а время как будто остановилось.

Через некоторое время Ленни закрыл глаза. Умиротворенная улыбка продолжала играть у него на губах. Я тоже продолжала улыбаться, переполненная чувствами, не в силах остановиться.

Пару минут спустя Ленни не стало.

Рой наблюдал эту сцену с другой стороны от Ленни, пораженный до глубины души. Закрыв Библию, он тихо сказал, что понял, как выглядит божья любовь, и что он пережил чудо, увидев покой Ленни перед смертью. Я согласилась, что пути Господни неисповедимы.

Мы с Роем еще немного посидели в тишине. Я знала, что чуду придет конец, как только я сообщу о случившемся сотрудникам дома престарелых, и тянула время, но задерживаться было нельзя. Прощаясь, Рой долго держал мою руку в своих, пытаясь подобрать слова, не зная, что сказать или как описать произошедшее. Казалось, что ему не хочется меня отпускать, как будто лишившись свидетеля чуда, он лишится и самого чуда.

— Нам выпало божие благословение, Рой. Вот все, что нам нужно знать, — сказала я мягко. Он порывисто и крепко обнял меня, как испуганный ребенок, который не хочет оставаться один. — Все будет хорошо, Рой.

— Как я объясню людям, что произошло? — умоляюще спросил он.

— Может быть, никак, — улыбнулась я. — А может быть, у вас и получится. Та же сила, которая подарила нам это чудо, будет с вами рядом, чтобы подсказать нужные слова.

Покачав головой, он с улыбкой произнес:

— Моя жизнь уже не будет прежней.

Я с любовью улыбнулась ему, и мы вновь обнялись.

Закончив с бумажными формальностями, я вышла из дома престарелых. Вокруг Ленни и так суетилась толпа народу, к тому же мы достаточно времени провели вместе. Пробки уже закончились, и мягкий вечерний свет струился сквозь деревья на бульвар, по которому я шла. Мое сердце было открытым и полным радости. Я любила всех и все.

Да, у моей работы были свои плюсы и минусы. Но раз за разом она преподносила мне невероятные подарки.

Все еще на седьмом небе от той любви, которая мне выпала, я шла по улице, широко улыбаясь, а по щекам текли слезы радости и благодарности.

Да, Ленни. Жизнь хороша. Она действительно хороша.

## Время перемен

Я так долго ухаживала за умирающими людьми, что чувствовала себя одновременно счастливой и измученной. Благодаря этой работе моя жизнь изменилась в лучшую сторону, но пришло время для перемен. Я стремилась воплотить в жизнь новый проект для заключенных в женской тюрьме: мне хотелось учить их играть на гитаре и писать песни.

Мне предстояло разобраться в куче бюрократических тонкостей, а также в устройстве частного благотворительного сектора — какие фонды могли бы спонсировать мой проект и как правильно подавать заявки. В этом мне помогали несколько женщин, которые вели в тюрьмах театральный кружок. Оказалось, что в свой прошлый приезд в Мельбурн, почти десять лет назад, я жила с ними по соседству, дверь в дверь. Тогда я еще не написала ни одной песни и мне даже в голову не пришло бы преподавать песнетворчество. Но теперь, шагая по знакомой улице к их дому, я чувствовала странную радость, обдумывая, как сильно изменилась моя жизнь и сама я за прошедшее время.

В тюрьмах штата Виктория мне не удалось ни о чем договориться, и я решила попытать счастья в Новом Южном Уэльсе. В это время у меня как раз завязались отношения на расстоянии с мужчиной из этого же штата. Мне не казалось, что из этого романа что-то получится, но дистанция в тысячу километров очевидно не помогала отношениям, так что я решила дать нам шанс познакомиться поближе. В Новом Южном Уэльсе также жила моя любимая двоюродная сестра, которая пригласила меня остановиться у нее на первое время после переезда.

В разработке и осуществлении тюремной музыкальной программы мне больше всего помогала Лиз, взявшая меня под свое крыло. Она настаивала, что можно добиться чего угодно, используя связи и соединяя между собой правильных людей — этот подход помогал не терять мне надежды. Меня также поддерживали слова, которые я часто слышала от пациентов: ничего хорошего нельзя сделать в одиночку. Мы все должны работать вместе.

Лиз объяснила, что мне понадобится покровительство благотворительного фонда. Большинство благотворителей хотели переводить мне деньги через уже существующие фонды, чтобы получать налоговые льготы, которыми государство поощряет официальные пожертвования на благотворительность. Они переводили бы деньги в фонд, а фонд уже оплачивал бы мою деятельность. Найти фонд, согласный выступить посредником, оказалось непростой задачей. Удивительным образом после сотен звонков и писем мне наконец удалось заручиться поддержкой христианской благотворительной организации, связанной с моей первой школой! Тридцать пять лет спустя я вновь оказалась в офисе на окраине Сиднея, из окна которого видно было детскую площадку, знакомую мне с первого класса.

Пока я разыскивала финансирование, меня также очень сильно поддерживал энтузиазм женщины, отвечавшей за обучение и перевоспитание в выбранной мной тюрьме. Это была прогрессивная, полная энтузиазма женщина, безгранично верившая в мою затею. Вначале я вела переговоры еще с двумя тюрьмами. С одной мы сразу не сошлись — там мне сказали, что не смогут предоставить для занятий даже блокноты и ручки. В другой пообещали достать не только блокноты, но и гитары и вообще все, что я попрошу. Однако пока я работала над программой, стало очевидно, что одного класса и одной тюрьмы будет более чем достаточно. Разумеется, я выбрала ту тюрьму, где работала моя единомышленница.

Долгое время проект не двигался с места, но, когда все наконец было готово, развитие пошло с молниеносной скоростью, и за пару дней я собралась и выдвинулась в путь. Примерно месяц я жила со своей двоюродной сестрой и ее большой семьей. После тишины, к которой я привыкла за последние годы, было непривычно и восхитительно вновь оказаться в окружении множества людей. В доме моей кузины уживались три поколения семьи, семь кошек и три собаки, так что обстановка в нем царила довольно безумная. Впрочем, я все еще мечтала о собственной кухне, поэтому съехала, как только мне попался подходящий коттедж. Мой новый домик стоял у подножия Голубых гор, через дорогу от речки и леса, и был хорошенький, как картинка.

У меня не было ни мебели, ни кухонной утвари, но меня это не смущало. Коттедж нашелся так легко, что я верила: это судьба. Все необходимое придет ко мне само, решила я — и не ошиблась. На меня буквально повалились вещи. Владельцы хранилища предложили мне предметы, от которых их попросили избавиться: диванчик, постельное белье. Кузина поспрашивала многочисленных друзей, и вот у меня появилась стиральная машинка, холодильник, книжные полки, кухонная утварь, занавески и старинный письменный стол. Незнакомые люди с энтузиазмом делились со мной своими вещами — от чистого сердца, а также слегка заинтригованные моим положением. Это было чудесно.

Переехав в Новый Южный Уэльс, я первым делом купила себе фургончик. Хотя план был бросить якорь, я собиралась часто ездить на фолк-фестивали и к тому же скучала по автомобилю, в котором можно с комфортом путешествовать. Я всегда предпочитала спать в машине, а не ставить палатку, кроме того, мне нравилось знать, что я в любой момент могу сорваться с места и отправиться куда угодно. Время для покупки фургона и переезда в коттедж я выбрала самое удачное: стоял месяц, когда в моем новом районе жители избавлялись от ненужных вещей.

Люди выставляли ненужную мебель и вещи на улице перед домом, чтобы их могли забрать желающие, прежде чем за ними приедет мусорная машина. Я выискивала в чужих вещах все, что могло мне пригодиться, — корзинку для грязного белья, комод, уличный столик — а их прежние владельцы махали мне с террас, улыбаясь и поощряя мои поиски. Так у меня появилось немало стильной мебели. Бывало, что прежние владельцы даже помогали мне загрузить вещи в мой фургончик — в том числе старый, но в отличном состоянии диванчик для моей новой веранды.

Я также с огромным удовольствием объездила множество «гаражных» домашних распродаж. Единственное, что мне важно было купить новым, это матрас. Я хотела выбрать комфортный для спины матрас, на котором никто не спал до меня. Одна знакомая, узнав, что я решила осесть после стольких лет скитаний, решила подарить мне деньги на обустройство нового дома. Этой суммы как раз хватило на новый матрас. Итак, три недели назад у меня было шесть коробок вещей, помещавшихся в маленькую машинку, а теперь появился полностью обставленный домик, который выглядел так, будто я живу в нем уже несколько лет. Это было чудесно.

В первую ночь в своем новом доме я лежала на новом матрасе прямо на полу в гостиной и улыбалась в потолок. Собственный дом! Наконец-то у меня снова появилось свое пространство. Облегчение, благодарность и радость настолько переполняли меня, что целый месяц меня никто не видел. Я просто не в силах была выйти из дома никуда, кроме работы. Возвращаясь в коттедж, я осматривалась и начинала улыбаться.

Хотя мне не удалось собрать всю сумму, я смогла запустить тюремную программу с теми деньгами, которые все же нашлись. Я решила, что по мере развития программы постепенно буду подавать заявки в другие фонды. В любом случае собрать хоть какие-то деньги, сделать свою идею осязаемой реальностью, было уже большим достижением.

Поскольку моя работа оплачивалась частными благотворителями, тюремная система ничего мне не платила, и я считалась там волонтером. Руководство тюрьмы одобрило план моего курса. Я продемонстрировала, чему надеюсь научить людей на своих занятиях и чего добиться. Поскольку моя программа не была официально аккредитованной, от меня не требовалось специального образования. Отдел обучения и перевоспитания просто взял и поверил в мои идеи и способности, и мне удалось получить добро на свою программу с минимумом формальностей, что сейчас звучит довольно поразительно. Однако в тот момент мне это казалось само собой разумеющимся. Я просто двигалась к цели шаг за шагом, пока не оказалась, наконец, перед целой толпой преступниц, которых мне предстояло научить писать песни!

Я никогда еще никого ничему не учила, и стоять перед целым классом учениц, многие из которых смотрели на меня довольно неприязненно, было любопытно и непривычно. Я могла бы даже занервничать, если бы остановилась и задумалась о происходящем, но я не останавливалась, а просто выполняла свою работу. Вначале мои ученицы просто молча рассматривали меня с каменными лицами, оценивая, но постепенно смягчились.

Мы выполняли упражнения на поиск рифмы, и, вместо того, чтобы использовать заготовленные примеры, я начала импровизировать. На ходу сочиняя смешные стишки о нашем уроке, я иронизировала над собой вместе с ученицами.

*Сижу в душном классе, мне скучно и лень.*
*Она что, так и будет болтать целый день?*

*Но играть на гитаре так хочется мне,*
*Что придется привыкнуть к ее болтовне.*

В классе послышались смешки, и понемногу некоторые ученицы тоже начали предлагать шутливые рифмы, пока, наконец, все не расслабились.

*Так давайте, учите нас делу скорей,*
*Потому что стихи нам тут пофиг, ей-ей.*

Юмор разрядил обстановку, и, как только нам удалось нащупать общую тему, нас было уже не остановить.

*Понимаю, вы хотите на гитаре играть,*
*Но нельзя упражнения мои пропускать.*
*Очень скоро мы с вами сыграем и споем,*
*И чем быстрее закончим, тем быстрее начнем.*

В ответ я получила следующее:

*Ладно, если без рифмы совсем никуда,*
*Упражнения сделаем, ведь они ерунда!*

Мы продолжали перешучиваться в стихах, и к концу первого занятия в классе стоял веселый смех. Большинство учениц активно участвовали в занятии, и мы от души веселились.

Все сотрудники отдела обучения и перевоспитания были добросердечными людьми, и я наслаждалась работой в команде после стольких лет работы один на один с пациентами. Новые коллеги предупредили меня не сближаться чрезмерно с заключенными, и я понимала, что это важно для моей безопасности. Но я все равно хотела быть собой, а в своих ученицах видела не заключенных, а просто женщин, которые учатся играть на гитаре и писать песни. Мне хватало жизненного опыта, чтобы не забывать, где я нахожусь, но я также хотела быть предельно честной.

Благодаря моей искренности и вере в каждую ученицу, со временем между нами установилось крепкое доверие. Мы по-женски болтали на разные темы, и я поощряла их проявлять в песнях доброту и уязвимость, чтобы постепенно избавляться от тех эмоциональных барьеров, которые они выстроили вокруг себя для защиты от окружающего мира. Наши занятия стали очень личной и целительной практикой для моих учениц, и работая над развитием программы, я смотрела на нее именно как на психотерапию.

При помощи разных писательских упражнений эти женщины учились понемногу высвобождать эмоции и творить с надеждой. Безусловно, на моих занятиях было создано немало песен о боли и страданиях. Но на них писались также и песни о надеждах и мечтах. Однажды я спросила учениц, что бы они сделали, если бы их ничто не ограничивало, если бы им ничто не мешало — ни отсутствие денег, ни расстояния, ни нехватка образования. Впервые за годы они начали прислушиваться к себе и мечтать. Одна хотела свободно жить со своими детьми без постоянного контроля государственных служб. Другая сказала, что снялась бы в музыкальном клипе. Третья хотела сделать липосакцию, четвертая мечтала о жизни без побоев и оскорблений, пятая надеялась навсегда освободиться от наркотической зависимости, а шестая хотела отправиться на небо и сказать маме, что любит ее.

Откровенность на наших занятиях зашкаливала, и редкий урок обходился без слез. Но мы договорились, что мой класс будет безопасной зоной, где все поддерживают и берегут друг друга, что бы ни происходило. Поэтому женщины, которые раньше не ладили друг с другом, постепенно научились терпеть, а затем и поддерживать друг друга. Одна женщина отказалась даже записываться на мои занятия, потому что их посещала другая. Но она все равно пришла в мой класс, и через четыре занятия они уже искренне хвалили песни друг друга и к тому же перестали конфликтовать за пределами класса. Это случилось благодаря природе наших занятий. Чтобы искренне выражать свои чувства перед остальными, требовалась огромная смелость, и женщины учились уважать эту смелость, сочувствуя друг другу и слушая чужие песни с неподдельным интересом.

Другой серьезной сложностью была необходимость выступать перед всем классом. Заключенные старались поддерживать друг друга, чувствуя, какая боль скрывается за каждой песней. Одна из моих учениц, Сэнди, написала о том, как тяжело ей было расти в маленьком городке полукровкой — наполовину белой, наполовину абориген-кой, — которую никто не принимал за свою. Это чувство было хорошо знакомо и другим женщинам, которые поддерживали Сэнди, подтверждая, как важно вслух говорить о подобных вещах.

Другая ученица, Дейзи, столько раз в жизни попадала в тюрьму, в основном за рукоприкладство, что даже не знала, какой ей сейчас дали срок. Она сказала, что в зале суда каждый раз как будто отключалась, подавленная обстановкой. Поэтому она написала песню о своих чувствах: ее жизнь настолько принадлежит системе, что сама она совершенно потеряла над ней контроль. Еще одна ученица, Лиза, написала песню своему сыну, в ней говорилось, как она гордится им. Она пела ее прерывающимся от эмоций голосом, но при этом гордилась и собой тоже.

Исполняя свои песни перед другими, эти женщины переживали глубокое внутреннее очищение, потому что выражали свои чувства полностью, а не только на бумаге. Конечно, они очень сильно нервничали, но я на собственном опыте знала, что они чувствуют, и мягко поощряла их, пока страх понемногу не отступал. Несколько месяцев спустя, когда одна из моих самых стеснительных учениц сыграла свою новую песню перед сотней других заключенных и посетителей, пришел мой черед плакать — от радости.

Народу на моих занятиях было не очень много, и это всех устраивало. Первые несколько уроков были перегружены, но постепенно у меня осталось около десяти постоянных учениц. К нам регулярно присоединялись и другие, но быстро исчезали, как только им становилось понятно, что за один урок им не научиться играть на гитаре, как Эрик Клэптон, да и вообще, что на моих уроках приходится работать.

Я была довольна тем, что учениц мало. Им требовалось много внимания, и мне удавалось уделить его каждой. Песни и истории жизни этих женщин были прекрасными, они вдохновляли и исцеляли. В классе царила атмосфера любви и заботы. За внешней грубостью скрывались обычные люди — люди, которые обожали своих детей, мечтали о любви и принятии, хотели чувствовать себя нужными и жить так, чтобы уважать себя.

Очень немногие из них не испытывали вины за свое преступление. Большинство хотели стать лучше. Узнав их поближе, я убедилась, что их жизни сложились трагично, что все они страдали от крайне низкой самооценки и не могли вырваться из порочного круга, в который попали не по своей воле. В тюрьме они оказались за самые разные преступления, в том числе за нелегальную проституцию. Некоторые из них даже использовали тюремную систему в своих интересах. Зная, какой срок полагается за мелкие преступления, они попадались на чем-нибудь каждый год, чтобы оказаться в тюрьме на три зимних месяца — так в холодное время года у них были хотя бы крыша над головой, постель и еда. Другие попали в тюрьму за всевозможные преступления, от наркотиков и драк до мошенничества, воровства и регулярного вождения в нетрезвом виде.

Каким бы ни было преступление, тюремная система занималась его последствиями, а не причинами, которые всегда были связаны со страданиями. Хотя официально тюрьма считается исправительным учреждением, в ней предлагается очень ограниченная помощь для тех, кто действительно хочет изменить свое мышление и поведение. Но именно на этом уровне заключенным больше всего нужно исцеление, чтобы вырваться из порочного цикла низкой самооценки, употребления наркотиков, домашнего насилия и, как следствие, криминальной жизни. Вероятно, кто-то из них снова пойдет на преступление, даже получив всю возможную помощь. Но те женщины, которых я узнала хорошо, наверняка изменились бы радикально, получи они достаточно поддержки в тюрьме и за ее пределами.

Среди работников тюрьмы попадались замечательные люди. Кроме того, волонтерам из религиозных организаций удавалось достучаться до некоторых заключенных и помочь им изменить свою жизнь. Но, говоря откровенно, на безопасность и бюрократию уходило куда больше денег, чем на поддержку и исцеление осужденных. На триста человек приходилось всего два психолога, да и те часто бывали недоступны, потому что им катастрофически не хватало времени. Даже тот, кто, попав в тюрьму, не был о себе низкого мнения, терял всякую веру в себя за время заключения.

Мне попался интересный документальный фильм об успехе медитации в тюрьмах, о том, как практика медитации меняет жизни людей. Школа медитации, к которой я принадлежала, успешно обучала осужденных своим техникам в других странах. Я попыталась обсудить эту тему с администрацией и предложила познакомить их со знающими людьми, но наткнулась на полное отсутствие понимания. Поэтому я решила просто продолжать работать со своими ученицами. Я хотела помочь им поверить в то, что они прекрасные и добрые люди. Для этого я учила их выражать себя в словах и музыке, писать песни, которые они могли бы потом исполнять для других людей. Многие из них никогда в жизни не слышали похвалы и жадно впитывали мои искренние слова поощрения. Даже критические замечания я старалась выражать в мягкой положительной форме.

По мере того, как доверие моих учениц ко мне возрастало, они просвещали меня насчет устройства жизни в тюрьме. Однажды я услышала, как одна из них громко хвастается, что ухитрилась добыть лишнюю пару кроссовок. Заметив меня, она быстро смолкла, но по моей просьбе согласилась поделиться с нами своей мошеннической схемой. Я признала, что придумано действительно хитро, и услышала в ответ: «Ну так мы же преступники, мисс. Не забывайте, где вы находитесь». К тому времени я уже давно освоилась в тюрьме, так что эта реплика меня не испугала, а насмешила.

Другая ученица как-то пришла на занятие явно на взводе. Я спросила, все ли в порядке, и она ответила: «Все нормально, мисс. Утро выдалось просто жуть. Эта девка меня уже давно доставала, ну и я сунула ее головой в сушилку для одежды. Теперь все нормально». Я не без удивления кивнула. «Все в порядке! Я пришла заниматься музыкой.

Когда я тут, это все неважно. Если бы не занятие, я бы, может, убила ее. Но тогда меня не пустили бы на занятие, а это бы убило уже меня». С этими словами она уселась и продолжила работать над своей песней. Надо сказать, это была невероятно талантливая поэтесса с замечательным голосом. Если бы мы встретились при других обстоятельствах, я бы с наслаждением пела с ней песни у костра. К сожалению, в нашем случае это было невозможно.

Понемногу, занятие за занятием, в моих ученицах происходили перемены к лучшему. Видеть это было огромной радостью. Сотрудники отдела обучения и перевоспитания тоже радовались успеху программы и ее влиянию на участниц. Уроки музыки скоро стали для них — как и для меня — любимым событием недели.

Мой роман уже закончился, несмотря на то что теперь нас не разделяло расстояние. Оказалось, что у нас слишком разные ценности, и оставаясь с этим мужчиной, я не смогу следовать своему сердцу. Хотя это было тяжелое решение и я пролила над ним немало слез, я уже слишком далеко ушла по пути саморазвития, чтобы согласиться жить чужой жизнью.

Жить в своем доме просто чудесно. Поскольку последние десять или даже двадцать лет я только и делала, что гостила у друзей, теперь я с наслаждением принимала друзей у себя. Долгий период странствий сделал меня чрезвычайно домашней: меня очень сложно было куда-то вытащить, и я даже решила, что в конечном итоге хочу больше работать из дома.

Поэтому в свободное время на основании своей тюремной программы я разработала онлайн-курс для желающих научиться писать песни. Мои тексты тоже начали пользоваться популярностью — статьи публиковались в разных журналах, и к тому же я вела блог. У меня появилось много подписчиков, и я стала задумываться, стоит ли мне и дальше пытаться заработать на жизнь выступлениями. Пока я преподавала в тюрьме, моя собственная музыкальная карьера несколько замедлилась, хотя я время от времени давала концерты. Если аудитория была правильной и мне удавалось установить контакт со слушателями, я полностью погружалась в музыку и мне это безумно нравилось, но написание текстов и работа из дома понемногу начали приносить мне больше удовлетворения.

Хотя я обожала свой коттедж и работу в тюрьме, кроме них в Сиднее меня ничего не удерживало. Мои прежние друзья разъехались, жизнь изменилась. Кроме того, в глубине души я всегда знала, что рано или поздно уеду из города и вернусь жить на ферму. За два с лишним десятка лет странствий я так и не перестала тосковать по деревенской жизни.

Новых друзей у меня почти не появлялось, потому что я все свободное время проводила дома в одиночестве. Поэтому незаметно моими местными друзьями сделались ученицы. Со временем дистанция между учительницей и ученицами существенно сократилась, и на занятиях мы были просто женщинами, которые вместе играют и пишут музыку. Между нами было не так уж много различий, и порой, хотя и не всегда, я чувствовала, что легко могла бы оказаться на месте одной из них. Конечно, я не совершала никаких преступлений, но благодаря нашей честности и открытости между нами возникла дружеская связь. К тому же я хорошо помнила, какой болезненной и сложной была моя юность, и это тоже сближало меня с ученицами, чье прошлое было полно боли, насилия и отсутствия веры в себя.

Впервые попав в тюрьму, я прошла инструктаж, и меня предупредили, чтобы я никогда не отвечала заключенным на вопросы о своей личной жизни. Я не говорила им, где живу, но, если они спрашивали, я не врала и не увиливала, а честно объясняла, что мне не полагается отвечать на такие вопросы. Доверяя мне, они уважали мое право молчать, но я все равно старалась отвечать на их вопросы, как могла. Откровенно общаясь с умирающими пациентами, я привыкла ничего не скрывать. Истина объединяет людей, а скрытность только мешает быть добрее друг к другу. Заключенные расспрашивали меня о прошлом, и я честно отвечала на их вопросы, объясняя, что напрасно слишком долго терпела обиды от некоторых людей и верила тем, кому верить не стоило.

Доброта этих женщин пробудила во мне чувства, которые очень давно находились в спячке. Говоря попросту, я не умела принимать чужую доброту. Я знала, как быть доброй к другим, но терялась, когда кто-то был добр ко мне. Поэтому, почувствовав, как эти женщины любят меня, как глубоко они понимают мою боль, я была просто ошеломлена. Это были добрейшие, прекраснейшие люди. Они много страдали, и большинство из них смертельно тосковали по детям и близким. Но их сердца были полны доброты. Да, они оступились и совершили ошибки, приведшие их в тюрьму. Но почти все они сожалели об этом, и у каждой в груди билось доброе, любящее сердце.

Деньги, собранные на программу, понемногу заканчивались, кроме того, после года работы в тюрьме я была вынуждена признать, что выгорела не только от ухода за умирающими. Я выгорела от жизни вообще. Меня окружало слишком много горя. Примерно в это же время случилась трагедия в семье моих друзей, и я старалась их поддерживать, что только усугубило мою тоску. Уже зная, как тяжело искать финансирование, я сомневалась, что мне хватит энергии вновь заняться поиском денег. Однажды вечером, лежа в кровати, слушая, как орут друг на друга мои новые соседи, я приняла решение. Пришло время вернуться в деревню. Я сделала все, что могла.

Большинство учениц, с которыми я начинала работать, уже вышли или вот-вот должны были выйти на свободу, и это развязывало мне руки. Я знала, что у меня не хватит задора начать все с начала с новой группой. Пришло время учиться заботиться о себе. Так что я предупредила начальство тюрьмы и владельца коттеджа, что скоро уеду, и принялась строить планы.

Мои родители понемногу старели. С мамой мы были так же близки, как и прежде, а теперь у меня наладились отношения и с папой тоже, поэтому мне хотелось быть к ним ближе — хотя бы на расстоянии нескольких часов езды на машине. Для австралийцев это совсем близко. Я также хотела поселиться поближе к океану.

Я выбрала подходящие два городка, определила свой бюджет и начала разыскивать в интернете объявления об аренде. В течение пары недель мне ничего не попадалось, и я дала объявление в газету, где четко говорилось, что я ищу. Мне пришла пара предложений, и, хотя ни одно мне не понравилось, у меня завязались новые контакты, и очень скоро я узнала, что сдается чудесный маленький домик. Он стоял точно там, где мне было нужно, и аренда была ровно такой, какую я могла себе позволить. Недолго думая, я собрала вещи и переехала на ферму площадью восемьсот гектаров.

# ТЬМА И РАССВЕТ

Прямо перед моим домиком бежал ручей, радуя глаз и привлекая самых разных животных и птиц. Вокруг росли огромные величественные деревья. Весь день мне пели птицы, а ночью их сменяли лягушки. Когда вечером я возвращалась домой, мне светили миллионы звезд, а не уличные фонари. Я жила как в сказке, особенно когда вечерами играла на гитаре, любуясь закатом с уютной веранды, или когда по жестяной крыше барабанил дождь. Я была в раю и каждый день многократно благодарила Бога за это счастье.

Жизнь в деревне, безусловно, лишила меня легкого доступа к живым концертам и изобразительному искусству, но мне хватало и того, что было вокруг. С моим образом жизни я знала, что все равно буду время от времени куда-то ездить, так что это было неважно. Я вновь двигалась в ритме природы и наконец-то жила такой жизнью, которая была мне лучше всего понятна. На холмах и долинах огромной фермы расположились всего пять домиков, включая хозяйский. У меня не было выбора, кроме как наслаждаться свободным пространством.

Мне сразу стало проще и легче на душе. Вновь поселиться в деревне было все равно что вернуться домой. После уход за умирающими пациентами и работы в тюрьме я чувствовала себя выжатой, поэтому с удовольствием взяла паузу, решив пожить за счет сбережений. За это время я планировала изучить свое новое поле деятельности и решить, в каком направлении мне двигаться, когда я буду к этому готова. Пока же я не хотела торопить события и с каждым днем чувствовала себя все лучше, понемногу возрождаясь к жизни. У меня вновь появились энергия и позитивные мысли. Бродя по холмам и полям, любуясь простотой и сложностью природы, я постепенно исцелялась и восстанавливалась.

Годы, которые я провела у постелей многих замечательных и мудрых людей, были для меня годами роста, и благодаря им многое в моей жизни изменилось. Я часто с нежностью улыбалась своим воспоминаниям. Хотя сейчас, в окружении холмов и долин, мне казалось, что эта жизнь осталась где-то в далеком прошлом, она сформировала меня как личность, и за это я была ей бесконечно благодарна.

Я собиралась какое-то время провести дома, продолжая заниматься творчеством, но при этом я снова была на пороге неизвестности. Я верила: когда придет время, я пойму, что делать дальше. В конце концов, так случалось уже много раз. В окружении великолепной природы и тексты, и музыка полились из меня рекой. Вокруг домика и ручья обитало множество животных, птиц и насекомых, и это помогло мне быстро привыкнуть к очень простому укладу жизни.

Однако где-то в глубине моего подсознания продолжали таиться прежние разрушительные мысли о том, что я ничего не стою. На сознательном уровне мое мышление полностью изменилось за прошедшие десять лет, и жизнь казалась простой и приятной. Каждый день я понемногу восстанавливалась, и меня переполняли покой и благодарность. Или мне так казалось.

Внезапно все резко изменилось. Дела шли прекрасно, поэтому я совершенно не ожидала, что меня швырнет в такую темную глубину депрессии, в какой я еще не бывала. Но это случилось. Вся остававшаяся у меня энергия исчезла в одночасье, практически за одну ночь, словно кто-то выключил меня из розетки, и я осела на пол, как куча тряпья. Меня покинули все силы, до последней капли, и я оказалась к этому *абсолютно не готова*.

Прежние планы найти работу и завязать новые знакомства вылетели в трубу. Мысль об общении с людьми казалась невыносимой. Выйти на работу, даже ненадолго, представлялось нереальным — я была ни на что не способна. Мне пришлось принять эти перемены и заглянуть в самую глубину своего существа, и это было безумно тяжело, но выбора у меня не оставалось. Мрачные чувства и мысли накрыли меня с головой, и остановить их было невозможно. Мне нужно было исцелить их, полностью освободиться от прошлого, чтобы стать тем человеком, которым мне предназначалось стать. Эти месяцы получились самыми трудными в моей жизни. Я неожиданно рухнула в глубочайшую суицидальную депрессию.

Близко знавшие меня люди просто не могли поверить, во что я превратилась. Имей я тогда возможность взглянуть на себя со стороны, то, наверное, почувствовала бы то же, что и они. Я много раз видела депрессию других людей, но никогда не думала, что сама могу пасть ее жертвой. В этом и заключается коварство депрессии, из-за которого многие люди долго не могут ее распознать: мы не готовы признать, что с нами происходит.

**«НЕ МОЖЕТ БЫТЬ,**

**ЧТОБЫ БРОННИ,**

**КОТОРАЯ ВСЕГДА**

**ВСЕХ УТЕШАЛА**

**И ПОДДЕРЖИВАЛА,**

**ВДРУГ САМА ВПАЛА**

**В ДЕПРЕССИЮ!»**

Кто-то из друзей напрочь отказался этому верить. Не может быть, чтобы Бронни, которая всегда всех утешала и поддерживала, вдруг сама впала в депрессию! Другие просто не знали, как себя вести, видя меня в таком ранимом состоянии. Третьи, причем люди, хорошо меня знавшие, по телефону предлагали мне такие варианты выхода из ситуации, на которые я даже близко не была способна, и это заставляло меня только больше замыкаться в себе. Не будь я уже на самом дне, непонимание друзей могло бы еще больше расстроить меня, но теперь это было просто невозможно. Меньше всего меня волновало, что обо мне думают другие. Все силы уходили на то, чтобы позаботиться о себе, и даже с этим я справлялась плохо.

На меня продолжали сыпаться советы, что мне делать, как изменить ситуацию. Но таким людям больше всего нужны не советы, а принятие. Депрессия — это заболевание, но оно способно дать толчок положительным изменениям, если только не подгонять этот процесс. По сути, это шанс на духовное преображение и пробуждение. Депрессия может закончиться провалом, но может и прорывом, если подходить к ней с верой, с твердыми намерениями и с готовностью принять настоящее. Разумеется, приятней она от этого не становится.

Каждое утро я просыпалась в слезах и нуждалась в сострадании и терпении близких. Иногда я не успевала даже осознать свои мысли при пробуждении: стоило открыть глаза, и из них начинали катиться слезы. В другие дни я плакала от тоски — жизнь казалась *невозможно* тяжелой. Зная, что мне не хватит сил *начать* все сначала, я понимала, что *выхода* все равно нет: идеальная работа сама не постучится мне в дверь, особенно в местности, где меня никто не знает. Эта тревожная мысль усугубляла мое и без того плачевное состояние.

В моем ближайшем кругу никто не знал, как справиться с такой глубокой грустью и отсутствием сил, поэтому близкие продолжали названивать и давать советы о том, как мне выбраться из дома и вновь встать на ноги. Но их предложения только больше давили на меня, потому что я определенно не была к ним готова. Если мне хватало сил пропылесосить дом, я считала это громадным достижением и хвалила себя: «Молодец, Бронни, ты сегодня совершила подвиг». В прежние времена я могла бы за то же время пропылесосить пять домов, прокатиться на обед с друзьями, прогуляться несколько километров и час проплавать в реке. Но так проявляется депрессия: она решает, на что мы способны, а на что нет.

Лучшее, что могут сделать друзья и родные для человека, страдающего от депрессии, это принять его состояние. Он может выйти из него, а может и не выйти — но велики шансы, что человек справится, особенно если у него есть такое желание. Принятие со стороны любимых людей увеличивает шанс на исцеление, а давление только уничтожает. Сам человек также должен принять ситуацию, сложившуюся в его жизни, и не требовать от себя невозможного — это лишь ухудшает симптомы заболевания. Мне понадобилось время, чтобы прийти к такому принятию: я долго пыталась бороться со своей неспособностью нормально функционировать.

Возвращение в деревню воскресило давно и глубоко похороненные страдания моей юности из тех времен, когда я жила в похожей местности. Как будто замедлившись и вернувшись к корням, а также перестав отдавать все силы уходу за другими людьми, я нечаянно приоткрыла ящик Пандоры, и оттуда вырвалась вся боль, которую я прятала там несколько десятилетий. В последние годы она по чуть-чуть просачивалась наружу, пока я занималась исцелением и высвобождением тех чувств, которые со-знавала. Но теперь на поверхность поднялась вся тяжелая и болезненная печаль, обитавшая в темных уголках моего подсознания. Я и не знала, что во мне скопилось столько боли — от того, что в юности меня так много критикова-ли и отвергали, от крика и насмешек. Я плакала и плака-ла без конца.

Чтобы по-настоящему исцелиться, необходимо встре-титься лицом к лицу со своей болью. Нужно признать свои страдания, увидеть в них возможность для роста и принять необходимость стать больше своей боли. Никто не может пройти наши жизненные уроки за нас. Любовь близких, конечно, помогает, и меня очень поддерживала любовь мамы и нескольких старых друзей. Но исцелить себя я должна была сама. Пришло время заглянуть в себя и очиститься на самом глубинном уровне.

Высвобождение чувств шло через разные каналы. Разу-меется, я много плакала. Я записывала свои чувства и мыс-ли на бумагу. Впервые в жизни я пробовала визжать — не кричать, а именно визжать в голос, как дикое животное. К счастью, мой домик стоял далеко от остальных, и я мог-ла делать все, что заблагорассудится. Я визжала все то, что хотела бы бросить в лицо людям, обижавшим меня в дет-стве и в юности. Я просто визжала, как от боли, безо вся-ких слов. Я визжала от отчаяния, переполнявшего меня, от злости на сложившуюся ситуацию. Я громко рыдала. Потом я лежала без сил — и понемногу исцелялась.

В более сентиментальные времена я часто говорила, что, проходя жизненные уроки и развиваясь, мы напо-минаем раскрывающуюся розу. Мы разворачиваем лепе-сток за лепестком, пока не доберемся до самой сердце-вины, до нежного, прекрасного бутона, который и есть наша суть. В том безнадежном, тоскливом состоянии, в которое я погрузилась, я признала эту теорию никуда не годной и отказалась от нее. Теперь мне казалось более уместным сравнить процесс роста с громадной луковицей, которую надо очистить. Развиваясь, мы снимаем с нее один слой за другим, и с каждым слоем нам все больнее, все сильнее хочется плакать. Именно так я себя и чувствовала. Я чистила громадную едкую луковицу. Каждая пролитая слезинка, каждое написанное предложение, каждая высказанная мысль помогала мне снять с этой луковицы новый слой.

В те дни я даже не пыталась быть счастливой, а стремилась хотя бы быть достаточно сильной, чтобы принять свое состояние. Вначале мне не хватало сил ни на что, только лежать и плакать, а потом с веранды смотреть на природу. Я была совершенно измучена волнами эмоций, которые мне приходилось высвобождать почти ежедневно, но зато проживала каждый день в полном присутствии в настоящем. Временами думать о чем-то, кроме текущего момента, было просто не по силам. Выживать под грузом тяжелейших эмоций — сама по себе достаточная задача. Я впала в оцепенение, эмоционально истощилась и очень сильно устала от жизни.

Несмотря ни на что, я напоминала себе, что быть счастливой — это сознательное решение. Пытаясь двигаться в этом направлении, я сознательно принимала решение встать с кровати, а не валяться в ней весь день, или обратить внимание на что-то красивое в промежутке между приступами плача. Мои крошечные решения и успехи, казавшиеся другим людям незначительными, в то время стали для меня колоссальными достижениями. То, что раньше давалось безо всякого труда, — подняться с кровати, ответить на телефонный звонок, расчесать волосы, надеть чистую одежду, приготовить поесть, — все это теперь было огромным достижением. Мне хотелось только лежать и есть консервированную фасоль прямо из банки.

Я перестала быть прежней Бронни, и, чтобы стать тем человеком, которым мне было предназначено стать, нужно было не отвергать свои чувства, а принять их: позволить им подняться на поверхность и высвободить их раз и навсегда. Каждый из нас лечится так, как считает нужным. Антидепрессанты для меня были не вариантом, хотя я никого не отговариваю их пить. Мне нужно было пройти через депрессию самой.

Каждый день был разным. Некоторые дни были полны мрачных мыслей, слез и горьких сожалений. В другие я была более дееспособной и, двигаясь как в тумане, старалась впрок приготовить себе еды и сунуть ее в морозилку, чтобы не питаться одними консервами в дни потяжелее. Порой я даже находила в себе достаточно сил, чтобы отправиться гулять за холмы, подальше от людей, и просто вдыхать звуки и запахи природы.

Медитация оставалась в моей повседневности. Страшно даже подумать, что бы я делала без нее. Благодаря ей я уже знала, что страдания — это продукт ума. Годы практики помогли мне избавиться от наплыва нездоровых мыслей. Вот и теперь именно медитация стала бесценным инструментом моего исцеления, и я не представляю, как людям удается справиться с депрессией без нее. Она учит нас наблюдать за своими мыслями и осознавать, что мысли — это еще не вы сами. Это порождение ума, который является частью вас, но не вами. К тому же не все мысли в голове — ваши: многие принадлежат другим людям.

Это знание служило мне неоценимым подспорьем, когда я садилась медитировать, — как минимум дважды в день — с твердым намерением по-настоящему овладеть своими мыслями и умом. Было невероятно тяжело продолжать концентрироваться на практике, когда в голове возникали миллионы грустных мыслей и пытались меня отвлекать. Но в основном я справлялась. Наблюдая за своими мыслями, но не концентрируясь на них, я возвращалась в состояние покоя, любви и уверенности. Я знала, что этот хаос рано или поздно закончится, и ощущала, что мирная, спокойная часть меня никуда не делась. Мне нужно было лишь больше усилий, чтобы добраться до нее, — намного больше. Дисциплина, которой требовала от меня медитация, тоже шла мне на пользу. Несмотря на смену настроений, я взяла на себя обязательство и должна была придерживаться его: каждый день садиться и медитировать, как бы мне ни было паршиво. Кого-то в депрессии выручает необходимость ходить на работу или выполнять еще какие-то регулярные действия. Меня спасала практика медитации.

Я старалась не забывать о той прекрасной жизни, которая ожидает меня, если я сумею прорваться через свою боль и исцелиться. Это помогало держаться за надежду, пока хватало сил. Когда боль из прошлого затмевает настоящее, только надежда на будущее дарит нам хоть какую-то радость. Поэтому надежда играла в моем исцелении большую роль. В моменты частичного затишья я представляла, как вновь буду жить полноценной жизнью, использовать дарованные мне таланты, зарабатывать на хлеб любимой работой, смеяться с друзьями, наслаждаться покоем у реки. Как осмелюсь вновь полюбить и рожу ребенка. Но в основном я мечтала просто о том, чтобы опять ощутить себя счастливой, просыпаться по утрам и радоваться тому, что жива. Я хотела быть счастливой и с усилием пыталась вспомнить это ощущение. Да, я надеялась на счастье.

Единственное, что у меня получалось хорошо, — это как можно осознанней присутствовать в настоящем моменте и стараться в меру сил справляться с этим. Мне очень помогала красота окружающей природы, потому что вокруг домика постоянно что-то происходило, и я полностью погружалась в момент, наблюдая за насекомыми и птицами, слушая птичий щебет, любуясь непрерывно меняющимся небом.

Меня также поддерживала замечательная соцработница, к которой я обратилась за помощью. Она не только практиковала те же техники медитации, что и я сама, но и послужила для меня в некотором смысле зеркалом. Благодаря ее помощи я начала смотреть на себя иначе, чем раньше, куда более добрым взглядом, отдавая должное своему прекрасному сердцу. Я также начала понимать, сколько сил вкладывала в заботу обо всех, кроме себя, в глубине души не веря, что я ее заслуживаю. Во многом это происходило потому, что я когда то поверила словам других людей, уверявших, что знают меня, но на самом деле нет. Их мнения, как оказалось, все еще на меня влияли. Я исполнилась решимости *навсегда* порвать с вредными шаблонами мышления. Я также поняла, что беру на себя слишком много чужой боли, стараясь всех спасти, даже когда мне самой очень плохо. Нельзя спасти утопающего, если утонешь раньше, чем до него доплывешь. Мне нужно было научиться немного дистанцироваться от тех, кому я сочувствую и помогаю.

Мудрая соцработница напомнила мне, что я сама нуждаюсь в собственном сочувствии, и мне было важно это услышать. Она также помогла заметить мои ошибки: как многое я спускала людям с рук когда-то, чтобы избежать ссоры, а в последнее время — из сострадания к их слабостям. Ее консультации отличались радикальной прямотой и честностью, и этот стиль подходил мне идеально. Ее слова били прямо в цель, особенно когда она спрашивала: «Ты что, пыталась получить золотую медаль на олимпийских играх для сиделок?»

Я слишком часто забывала проявлять сострадание к себе самой, как в мыслях, так и в поступках. Впрочем, годы развития и высвобождения эмоций не прошли даром. Я добралась до самого источника своих душевных ран, обнаружила, откуда многие из них родом, и начала избавляться от них навсегда.

Мне понадобилось разрешить себе быть очень смелой, чтобы признать свою боль и последствия десятилетий критики со стороны близких людей и чтобы перестать оправдывать чужие некрасивые поступки. Проговорив все это вслух, я, наконец, была готова навсегда освободиться от прежних шаблонов мышления и поведения. Для этого нужно было научиться двум вещам: быть к себе добрей и *принимать* эту доброту. Я *заслуживала* счастья. Даже если кто-то считал иначе, многого обо мне он не знал, да и было это уже неважно. Теперь я, наконец, *поняла* на самом глубинном уровне: я заслуживаю всего самого замечательного и прекрасного в жизни. Благодаря этому важнейшему осознанию я смогла позволить себе *принять* собственную доброту. Происходила переориентация на самых глубинных уровнях моей личности. Пришло время впустить в свое сердце доброту — ведь я *заслуживала* ее ничуть не меньше других.

Однако привычные шаблоны мышления, особенно моя вечная убежденность, что я *ничего* не стою, не собирались сдаваться без боя. Порой борьба с болью совершенно лишала меня сил. С каждой маленькой победой я ощущала накатывающие волны эйфории, это вдохновляло и освежало. Любая мелочь — например, игра света на листьях — могла вдруг настолько поразить меня красотой, что я ощущала настоящее блаженство. Я начала понемногу привыкать к своим новым чертам, которые зрели в глубине моего подсознания много лет. Мне удалось осуществить несколько необратимых изменений и навсегда оставить в прошлом некоторые вредные шаблоны мышления.

Понимая, что мне *удалось* избавиться от нескольких тяжелых комплексов, я с благодарностью принимала свои достижения. С остальной болью еще предстояло разобраться, но меня ежедневно подпитывала красота природы, не давая отвлекаться от настоящего момента. По мере того как боль покидала меня, я все острее воспринимала окружающее, мне даже казалось, что я настраиваюсь на живую волну природы. Это бесконечно меня поддерживало, хотя тяжелых моментов по-прежнему хватало.

Иногда я злилась на себя за то, что недостаточно быстро выхожу из депрессии. Но гнев — это лишь разочарование от несбывшихся надежд. Я отказывалась от них и возвращалась в настоящий момент: любовалась чем-то красивым, ставила музыку и подпевала, а то и просто концентрировалась на дыхании или окружающих звуках. Тогда мне вновь удавалось принять свою ситуацию, зная, что я проживаю ее с правильной скоростью, соответствующей моему росту.

Одна старая подруга постоянно присылала мне потрясающие, экологически чистые продукты для ухода за кожей. Я много времени проводила, тщательно втирая в кожу кремы и лосьоны. Это простое действие помогало мне восполнить годы недостаточно доброго отношения к себе. Мне всегда становилось чуть легче на душе, к тому же кожа пахла просто чудесно. Втирая крем, я вспоминала, *как* ухаживала за своими умирающими пациентами. Теперь я училась дарить себе ту же любовь и заботу, которую раньше дарила им.

Быть сильнее своей боли очень сложно. Спустя месяцы депрессии у меня начали случаться дни просветов, но затем болезнь и сопутствующие ей тяжелые мысли, казалось, возвращались с удвоенной силой. В конце концов, их подпитывала почти сорокалетняя привычка самобичевания. Мой ум словно жил собственной жизнью и не хотел терять надо мной контроль.

Понемногу я училась быть сама себе хозяйкой. Я по-настоящему осознала свою красоту, стала ценить себя и приняла сознательное решение направлять свой ум в сторону более положительных убеждений. Вместо того чтобы размышлять о прошлых ошибках, я обращалась с собой с любовью и уважением. Я слонялась по дому, сочиняя и напевая смешные песенки про то, какой я прекрасный человек. Проходя мимо зеркала, я каждый раз останавливалась и шутливо здоровалась со своим прекрасным отражением. Я чувствовала, как физическая забота о себе побуждает принимать долгие ванны, готовить полезную вкусную еду. Мало-помалу радость начала возвращаться. Моим старым привычкам это ужасно не понравилось, и депрессия, не желая отпускать, вцепилась в меня с отчаянной силой. Подготовка к полной перестройке моего мышления шла годами. Но теперь началась финальная схватка, в которой предстояло победить кому-то одному.

И вот в разгаре событий — борьбы за право навсегда распроститься со своим прежним «я» — я, наконец, сдалась. У меня просто не осталось больше сил. Несмотря на явные улучшения, эмоционально я была совершенно выпотрошена. Добиться этих улучшений было таким *подвигом*, что внезапно все остававшиеся силы покинули меня, и я стала задумываться о самоубийстве. У меня не было больше воли, чтобы принудить себя к внутренней дисциплине или надежде. Я боролась, как могла, и теперь ощущала только *бесконечную усталость*. Я хотела умереть. Хотела, чтобы моя жизнь закончилась раз и навсегда.

Один друг, с которым мы были знакомы уже больше двадцати лет, постоянно звонил мне, проявляя ангельскую доброту и терпение. К счастью, у него был собственный психологический подход к депрессии. «Возьми трубку. Я не шучу, лучше даже не думай, *#@#, наложить на себя руки. Возьми трубку. Прекрати меня игнорировать и возьми, *#@#, трубку», — повторял он, пока я, наконец, не брала трубку, смеясь сквозь слезы. Хотя подход у него был несколько нетрадиционный, сердце у него было золотое, и в прошлом мы уже спасали другу друга в тяжелые времена при помощи здорового юмора. Его подход срабатывал без осечек. Зная, что друг любит меня так же нежно, как и я его, я смеялась, и этот смех был целителен. Смех вообще крайне недооцененный способ лечения депрессии и других расстройств.

Однажды он не позвонил, и я погрузилась в такие глубины отчаяния, в которых мне еще не доводилось бывать. Я окончательно решила сдаться и нацарапала прощальную записку, едва выводя кривые строчки.

Говорят, что ночь темнее всего перед рассветом. Это был самый темный час моей жизни. Я просто не могла жить дальше. Не представляла себе ничего хуже своего состояния. Ненавидела себя за слабость и неспособность победить свой ум, несмотря на титанические усилия. За то, что вытерпела столько обид от других людей. За то, что так часто выбирала сложные пути. За то, что для создания жизни, которой заслуживаю, требуется *столько* мужества. Я ненавидела в себе почти все. Это действительно был самый темный час моей жизни.

В ту самую секунду, как я закончила писать прощальную записку, зазвонил телефон. Я не хотела подходить, но все же взяла трубку. Звонил не друг, которого я ожидала услышать, и вообще не кто-то из знакомых. В трубке я услышала жизнерадостный голос девушки, продававшей по телефону страховку от несчастных случаев.

«Просто прекрасно, — подумала я. — Я и убить-то себя наверняка не смогу нормально, так что эта чертова страховка может и пригодиться». Я заранее присмотрела расщелину в горах неподалеку. План был разогнаться и направить туда фургон, чтобы разбиться, и я продумала его до мелочей.

Предложение купить страховку от несчастного случая (которое я отклонила) напомнило мне, что моя попытка может и *не удаться*. Я подумала обо всех замечательных врачах, с которыми была знакома, и поняла, как эгоистично с моей стороны было думать только о себе, забывая о чувствах тех, кто найдет мое тело, и тех, кто любит меня. Кроме того, в случае провала мне грозило доживать свою жизнь парализованной по собственной вине, чего мне уж никак не хотелось. Но дело было не только в символичности предложения купить страховку, хотя сложно представить себе более отрезвляющий звонок. Дело было в том, что телефон как будто разбудил меня от кошмарного сна, вытащил со дна пропасти.

Этот звонок стал главным поворотным моментом во всей моей жизни. Я вовсе не хотела повредить свое тело, которое подарило мне столько свободы и движения, — прекрасное, здоровое тело, всегда верой и правдой служившее мне. Умирать я тоже не хотела. Почувствовав любовь к своим ногам за те мили, которые я прошла благодаря им, я вдруг осознала, что люблю всю себя целиком.

Когда зазвонил телефон, у меня закололо в сердце. Именно тогда я поняла, что мое бедное нежное прекрасное сердце уже вынесло достаточно мучений. Оно не могло больше терпеть мои страдания и ненависть к себе. Ему нужны были любовь и исцеление, причем эту любовь не мог дать ему никто, кроме меня самой.

# БЕЗ СОЖАЛЕНИЙ

После этого события начали меняться с феноменальной скоростью. Депрессия растворилась за одну ночь, забрав с собой все мрачные мысли. Она лишь ждала появления любви, и когда та, наконец, пришла, депрессия поняла, что выполнила свою задачу, и исчезла. Следующие несколько дней я провела, восстанавливая силы при помощи медитации, благодарности и любования собой. Они радовали мое сердце, а тело радовали теплые ванны. Я ходила на долгие расслабленные прогулки по холмам не стараясь идти быстро, а просто гуляя и любуясь жизнью вокруг себя, как человек, рожденный заново. Мне казалось, будто я очнулась ото сна и оказалась в мире настолько прекрасном, что прежний не могла даже вспомнить.

Чтобы отметить начало своей новой жизни, я решила провести формальную церемонию прощания со старым и приветствия нового. Я насобирала дров и зажгла великолепный костер. Мне нужно было навсегда проститься с прежними чертами моей личности, а также со всеми чувствами и обстоятельствами, возникшими благодаря им. Так что я написала два списка: всего, с чем я буду прощаться, и всего, что хочу поприветствовать. Затем, когда солнце село и на небе появились первые звезды, я встала у целительного горячего огня, чувствуя себя легкой и счастливой. Я поблагодарила прошлое, простилась с ним и бросила первый список в костер. Затем я поприветствовала все новое в своей жизни. Сидя под широко раскинувшимся небом, глядя в огонь, я испытывала ошеломляющую любовь к себе самой и к жизни. Я также чувствовала бесконечную благодарность.

Костер продолжал гореть. Улыбаясь, я посмотрела на усеянное звездами небо и признала: благодаря всему, что мне пришлось вынести, действительно родился новый человек. Я много лет работала, чтобы стать им, и вот, наконец, это произошло. Ему наконец позволено было прорасти во мне. Я больше не нуждалась в той женщине, которая всегда прощала чужие ошибки, десятилетиями носила в себе боль и не понимала, что тоже заслуживает счастья. Эта женщина сыграла свою роль. Я ласково поблагодарила ее за участие в моей эволюции, и она исчезла.

Каждый новый день приносил мне неожиданные радости. Я как будто открывала жизнь заново; никогда еще я не чувствовала себя такой свободной.

Самым естественным состоянием для меня стало счастье — полное, ничем не сдерживаемое и свободное от чувства вины. Птицы садились на забор, чтобы спеть мне новую песню, и следовали за мной, когда я отправлялась гулять в состоянии полного блаженства. Я чувствовала все так остро, будто только что закончила несколько недель сидячей медитации, но до сих пор нахожусь в состоянии концентрации. Вокруг коттеджа я насчитала как минимум тридцать разных оттенков зеленого.

Я ощущала внутренний простор и ясность, которые, как мне теперь казалось, всегда присутствовали во мне, но раньше я их не распознавала. Прошлое потеряло всякое значение. Мудрость, вынесенная из прожитых уроков, стала частью меня. Прошлое было отличным материалом для обучения, и ни один его урок не пропал зря. Но страдания, которые сформировали мою личность, сыграли свою роль и растворились. Мне нечего было доказывать, объяснять или оправдывать. Я так много улыбалась, что у меня ломило щеки. Практически за одну ночь моя жизнь совершенно изменилась. После многих лет практики жизнь в моменте стала единственно возможным способом существования.

Передо мной тут же широко распахнулись все мыслимые и немыслимые возможности. Все усилия, вложенные в творческое развитие, вся концентрация, настойчивость, все принесенные жертвы начали окупаться. Мои тексты приобрели широкую популярность, и мне стали поступать заказы из самых невообразимых источников. Любовь к себе открыла передо мной все двери, и обстоятельства начали складываться наилучшим образом. И все это терпеливо, на протяжении многих лет, дожидалось, пока я стану готова.

Время идет, и я вижу, что естественный поток добра и благополучия только усиливается. Вокруг меня сами собой выросли новые системы поддержки, как в профессиональной сфере, так и в личной. Конечно, мне всегда будет чему поучиться, но я никогда не принимаю даже самый крошечный дар жизни без благодарности.

Долгие годы я сознательно создавала жизнь, о которой мечтала, постепенно избавляясь от всего, что мне мешало. Необходимым шагом в этом процессе было четкое понимание того, чего я хочу: какой жить жизнью и каким быть человеком. Теперь, если я вдруг сталкиваюсь с каким-то внутренним блоком, я работаю над собой с нескончаемым терпением и любовью. Самопознание — это радостный процесс, и я ласково улыбаюсь своим человеческим слабостям.

После всего, что произошло, я почувствовала еще большую близость со своими дорогими пациентами. Новая жизнь, которая постепенно воплощалась вокруг меня, была именно такой, о какой они жалели и мечтали на смертном одре. В свои последние недели и дни, когда все лишнее отпадало, они видели, какую радость могла бы предложить им жизнь, если бы они только проживали ее иначе.

Надо сказать, что не все пациенты делились со мной сожалениями. Некоторые говорили, что были бы не прочь кое-что изменить, но при этом ни о чем не жалели. Другие были просто довольны прожитой жизнью или хотя бы спокойно принимали ее такой, какой она была. К сожалению, многие мои пациенты сожалели о том, как прожили свою жизнь, и непременно хотели высказаться и быть услышанными. Поскольку мы много времени проводили вместе, наши отношения всегда становились очень честными и открытыми. За это время, проведенное с пациентами, я всегда буду бесконечно благодарна судьбе.

Сожаления, которые я слышала от пациентов, придали мне решимости жить так, чтобы ни о чем не жалеть перед смертью, когда бы она ни пришла. Я просто не могла позволить себе принять этот урок мудрости и не сделать из него выводов. Пройдя через тяжелые испытания, я на собственном опыте узнала, какими серьезными бывают препятствия на пути к мечте. Я также узнала, как велико вознаграждение, если все же преодолеть эти препятствия.

Возможность самореализации и счастья — то, что моим милым пациентам открылось только перед самым уходом, — доступна каждому из нас прямо сейчас, и не нужно ждать, пока придет последний час. С каждым днем я все больше влюбляюсь в естественный поток доброты и благодати. Этот поток сам хочет течь сквозь нас, и мы даем ему такую возможность, когда впускаем его в себя через веру и любовь к себе. Он ждет каждого из нас. Все, что от вас требуется, — это не мешать себе, а для этого придется поработать: научиться контролировать собственные мысли и избавиться от мусора, который преграждает течение.

Вам всегда будет, чему поучиться. Вы никогда не достигнете такой стадии роста, на которой сможете сказать: «Супер, теперь я все знаю, так что можно навсегда расслабиться и плыть по течению — учиться мне больше нечему!» Даже Стелле, которая всю жизнь так усердно работала над своим внутренним развитием, пришлось в последние недели учиться принятию. Благодаря этому уроку ей удалось обрести покой и покинуть мир со счастливой улыбкой.

Если процесс обучения не кончится никогда, то почему бы нам не перестать сопротивляться ему и не принять свои уроки? Не проходит и дня, чтобы я не узнала о себе чего-то нового. Но теперь я делаю это с любовью и добротой, без осуждения. Я ласково смеюсь над собой, и это тоже облегчает процесс обучения.

Когда Грейс произнесла фразу «как жаль, что мне не хватило смелости жить так, как мне хотелось», ее переполняла печаль о том, как сложилась ее жизнь.

Увы, для того, чтобы по-настоящему быть собой, действительно нужно большое мужество. Иногда просто *огромное*. Бывает, что нам даже мысленно не сразу удается сформулировать, кто же мы такие на самом деле. Мы лишь знаем, что внутри томится какое-то неясное желание и нас не удовлетворяет та жизнь, которую мы ведем. Попытки объяснить это другим людям, которые ничего похожего не ощущают, нередко лишь заставляют нас еще больше усомниться в себе.

Но, как сказал мудрый Будда две с половиной тысячи лет назад, ум не знает ответов, а сердце не знает вопросов. К радости вас приведет только сердце, но не ум. Преодолев сопротивление ума и отринув чужие ожидания, вы сумеете услышать свое сердце. Если после этого вам хватит смелости следовать его зову, вы обретете истинное счастье. А пока продолжайте развивать сердце и контролировать ум. Чем больше ваше сердце, тем больше радости и покоя приносит вам жизнь. Счастливая жизнь ждет вас с таким же нетерпением, с каким вы ждете ее.

Когда Энтони, лежа в интернате, признавался, что ему не хватает мужества пытаться жить иначе, он являл собой печальный пример того, как выглядит человек, поддавшийся своим страхам. Я не хочу сказать, что вы тоже окажетесь в интернате раньше своего срока. Но разве миллионы людей не страдают от отсутствия счастья и интереса к жизни точно так же, как Энтони? Каждый его день был лишь чередой повторяющихся, отупляющих мозг действий: его жизнь была безопасной, но совершенно неудовлетворительной.

Нужна сила духа, чтобы всерьез изменить свою жизнь. Чем дольше вы остаетесь в угнетающей ситуации и в недружелюбном окружении, позволяя им влиять на вас, тем дольше отказываете себе в возможности познать истинное счастье и удовлетворение. Жизнь слишком коротка, чтобы наблюдать, как она проходит мимо вас, и ничего не изменять только потому, что вы боитесь перемен.

Как цветы в саду у Флоренс, увитые сорняками, мы тоже постоянно оказываемся в ловушке, причем нередко нами же созданной. К сожалению, зачастую нам освободиться гораздо сложнее, чем цветам. Большинство ловушек укреплялись десятилетиями и вовсе не хотят быть уничтоженными. Они цепляются за вас всеми силами и непременно задушат, если вы это позволите.

На их создание ушло время, и на уничтожение их тоже оно понадобится. Это бережный процесс, требующий решимости, отваги и умения прощаться с прошлым. Это смелость прекратить нездоровые отношения и сказать «хватит». Это способность обращаться с собой с заслуженным уважением и добротой. Но прежде всего, чтобы вырваться из ловушки, куда вы сами себя загнали, начните наблюдать за собственными мыслями и привычками. Наблюдение даст вам осознанность, которая поможет найти выход из ситуации.

Ваша жизнь принадлежит вам, а не кому-то еще. Если вам не хватает счастья в той жизни, которую вы для себя создали, и вы ничего не делаете, чтобы исправить положение, то вы зря тратите каждый бесценный новый день. Маленький шажок, небольшое решение — прекрасное начало пути, но прежде всего примите на себя ответственность за свое счастье. Помните, что счастливую жизнь можно обрести, никуда не переезжая и радикально ничего не меняя в своем физическом мире. Главное — изменить свое восприятие окружающей действительности и найти в себе решимость следовать своим желаниям. Без вашего позволения другие люди никогда не смогут сделать вас ни счастливыми, ни несчастными.

Да, смелость быть собой, а не тем человеком, которого хотят видеть на вашем месте другие, может потребовать от вас немало сил и честности. Но ничуть не легче, лежа на смертном одре, сознавать, что вы жалеете, как прожили свою жизнь. За годы работы у меня было еще много пациентов кроме тех, о которых я поведала в книге. Среди всех сожалений, высказанных ими, чаще других звучало именно это: *«Как жаль, что мне не хватало смелости жить так, как хотелось мне»*.

Джон, сожалевший, что слишком много работал, тоже был не один: об этом говорили очень многие умирающие. В свои последние недели, сидя на балконе с видом на гавань, Джон мучился от чувства вины. Нет ничего плохого в том, чтобы любить свою работу, — это можно и нужно. Но в жизни дорог баланс, вот почему в ней должно быть еще что-то важное. Я до сих пор вспоминаю, как Джон тяжело вздыхает, думая о принятых им решениях.

Слушая, как Чарли говорит о радостях простого образа жизни, я невольно соглашалась с его мудростью и опытом. По-настоящему важно только то, какой вы человек, а вовсе не то, чем вы владеете. Умирающие это знают. Их имущество под конец жизни теряет всякий смысл. Что о них думают другие, чего они добились в материальном смысле — эти мысли им даже не приходят в голову.

В итоге людям важно лишь то, *подарили ли они счастье своим близким и проводили ли время с ними за любимыми занятиями.* Многие также беспокоятся о своих родных и особенно о том, чтобы, когда пробьет час, они не испытали тех же сожалений. Будучи свидетелем многих исповедей умирающих, я никогда не слышала сожаления о том, что человек не купил каких-то вещей или не приобрел какую-то собственность — ни единого раза. Мысли умирающих заняты тем, как они прожили свою жизнь, чего добились и удалось ли им принести пользу другим, будь то родные, общество или кто-то еще.

Вещи, которые кажутся вам необходимыми, иногда как раз удерживают в ловушке несчастья. Простота поможет изменить такую ситуацию — простота и отказ от желания самоутверждаться за счет вещей или оправданных ожиданий других людей. Риск требует отваги. Однако мы не можем контролировать все. Даже если будем оставаться в обстановке, безопасной на первый взгляд, она не гарантирует еще, что суровые жизненные уроки обойдут нас стороной. Они падают как гром среди ясного неба, когда их меньше всего ждешь. Но точно так же приходят и неожиданные подарки — к тем, у кого хватает смелости следовать своему сердцу. Часики уже тикают, отсчитывая срок каждого из нас. Только вы решаете, как вам провести оставшиеся дни.

Как хорошо понимала Перл, течение жизни само приносит нам необходимое. Она верила: главное — найти свое предназначение, выполнять свою работу, какой бы она ни была, с положительными намерениями и никогда не браться за нелюбимое дело из страха остаться без денег. Нужно учиться не бояться жизни и не пытаться контролировать то, когда и каким образом вы получите желаемое. Годы летят слишком быстро, говорила Перл. Это действительно так. Кто-то из нас проживет долго, а кто-то нет. Но если в отпущенное вам короткое время вы успеете познать счастье и самореализацию, то в неизбежном конце ни в чем не придется раскаяться.

К несчастью, многие взрослые лишены способности выражать свои чувства. Умирающие часто сожалеют о том, что так и не научились этому — например, Йозеф. Он хотел рассказать родным о своих чувствах, но не знал, как их выразить. Это изводило больше всего и стало его главным сожалением в жизни; в итоге он умер, понимая, что близкие так и не узнали его по-настоящему. У иных моих пациентов, которые тоже таили свои чувства, развились заболевания, вызванные невысказанной горечью, мучившей их.

Чем больше вы практикуетесь в любом деле, тем лучше у вас получается. Так что наберитесь смелости и начните с небольших шагов. Постепенно вам станет легче выражать свои чувства; вы даже начнете получать удовольствие от честности. Вы никогда не сможете контролировать реакцию других людей на свои слова. Но помните: какой бы ни была первая реакция собеседника, в конечном итоге честность выведет ваши отношения на новый, куда более здоровый уровень. Если нет, то вы окончательно избавитесь от нездоровых отношений и выиграете в любом случае.

Никому не дано знать, сколько времени отведено ему или его близким. Если не хотите до самой смерти мучиться горькими сожалениями, прямо сегодня расскажите всем, кого любите и цените, о своих чувствах. Как говорила милая Джуд, вина отравляет оставшиеся нам годы. Когда привыкнете высвобождать свои чувства, вам это понравится. На самом деле, ничто не мешает вам, кроме страха перед реакцией других людей. Так что пока не поздно, отбросьте его и осмельтесь открыть всю полноту и уязвимость вашего прекрасного сердца.

Если вы уже страдаете от чувства вины, потому что не успели сказать о своей любви и уважении кому-то, кто умер, пришло время простить себя. Цепляясь за чувство вины, вы не уважаете собственную жизнь. Пришло время проявить к себе нежность и доброту. Да, вы совершили ошибку, но теперь изменились. Сострадание к человеку, которым вы были раньше, — вот первое зерно доброты и первый шаг к прощению.

Если окружающие не реагируют очевидным образом на вашу откровенность, это не значит, что они вас не слышат или что вы зря высказались. Вспомните Нэнси, страдавшую от болезни Альцгеймера. В моей жизни было немало отношений, преобразившихся благодаря настойчивой политике доброты и честности. Мне долго казалось, что меня не слышат. Но по прошествии времени, когда люди созревали для разговора, становилось очевидно: они впитывали каждое мое слово. Впрочем, в итоге это было не главное. Я нашла в себе смелость честно делиться с другими своими эмоциями, и сознание этого наполняло меня умиротворением. Если бы кто-то из нас внезапно умер, мне не пришлось бы страдать от чувства вины. В моей жизни не осталось никого, кому я не сказала бы о своей любви, даже если они не могли ответить мне тем же. Откройте людям свои чувства. Жизнь коротка.

Разыскав подругу Дорис, я исполнилась огромной радости и удовлетворения. Когда она рассказала мне о том, как жалеет, что растеряла друзей, я еще не знала, как часто мне придется слышать те же сетования от других пациентов. Сегодня, пережив все, что выпало мне на долю, я знаю, что ни за что бы не справилась с этим без своих старых и верных друзей. Сожаления Дорис мне теперь понятны еще глубже. Друзья есть почти у всех, но, когда доходит до дела, не все готовы поддержать нас в самые тяжелые времена — например, когда мы умираем.

Друзья понимают нас и многое знают. Думая о прожитой жизни, мои пациенты скучали по друзьям, с которыми могли бы вместе вспомнить прошлое. Судьба бросает нас в водоворот событий, и друзья отходят на второй план. Люди появляются и исчезают. Но те, кто по-настоящему важен, те, кого вы больше всего любите, стóят того, чтобы уделить время и силы сохранению отношений. Именно они будут рядом в самый нужный момент, точно так же, как вы будете рядом с ними. Даже телефонный разговор с другом способен придать человеку силы в трудный момент, когда физически быть рядом невозможно.

Элизабет смогла обрести покой перед смертью, потому что друзья простили и приняли ее после многих лет алкоголизма. В такие моменты важны только любовь и отношения — больше ничего. Но не всем удается найти перед смертью утраченных друзей, поэтому лучше не терять их вовсе. Никто не знает, что ждет впереди и когда вам вдруг понадобится чья-то рука, — так что пока это время не пришло, наслаждайтесь общением с друзьями в нынешней жизни.

МЫСЛИ УМИРАЮЩИХ
ЗАНЯТЫ ТЕМ, КАК
ОНИ ПРОЖИЛИ СВОЮ
ЖИЗНЬ И УДАЛОСЬ ЛИ
ИМ ПРИНЕСТИ ПОЛЬЗУ
ДРУГИМ.

Глядя, как желающие поддержать Гарри записываются в очередь, чтобы повидаться с ним, я окончательно убедилась в том, как важны друзья под конец дней. Мрачны и печальны они для близких, но умирающий человек тянется получить как можно больше приятного в отведенное ему время. Друзья скрашивают его печаль, и это делает человека счастливым. Неважно, умираете вы или нет, — именно друзья вызовут у вас улыбку даже в худшие моменты.

Искренне признавшись, что не позволяла себе быть счастливой, Розмари смогла куда радостней прожить остававшееся ей время. Она не верила, что заслуживает счастья, потому что думала: я не оправдала надежд семьи. Сделав сознательный выбор, она научилась впускать счастье в свою жизнь. В последние недели жизни ее улыбка сделалась просто сияющей.

Чтобы быть счастливыми, нужно ценить каждый шаг на своем пути. Размышляя об оставшемся ей времени, Кэт жалела, что упустила много прекрасных моментов, потому что слишком сосредоточилась на результатах, забывая радоваться процессу. Мы постоянно ждем подходящих условий для счастья, но все обстоит ровно наоборот на самом деле: нужные условия возникают, когда счастье мы уже обрели.

Хотя не всем и не всегда удается каждый день наполнять счастьем, мы все можем настроить ум на его волну. Даже когда грустно, попробуйте замечать и дорожить чем-то прекрасным — такое упражнение не раз помогало мне восстановить утраченное спокойствие. Ум причиняет глубокие страдания, но обуздав его и научившись использовать, можно с его помощью создать для себя замечательную жизнь. У каждого из нас есть причины жалеть себя. Каждому довелось страдать. Но жизнь ничего не должна нам. Единственный наш должник — это мы сами: по максимуму используйте дарованную жизнь, оставшееся время и не забывайте благодарить судьбу.

Примите факт, что судьба всегда будет преподносить вам уроки, и что одни из них будут болезненными, а другие радостными — это позволит вам достичь внутреннего баланса. Такое восприятие мира сделает счастье сознательным выбором, и бушующие волны житейского океана перестанут казаться такими бурными. С опытом и мудростью приходит умение нестись на гребне даже тех волн, которые когда-то могли бы вас уничтожить.

Кроме того, нет ничего плохого в том, чтобы дурачиться и шалить. Расслабьтесь. Ни алкоголь, ни наркотики не нужны для веселья. Нет такого закона, который обязует взрослых всегда быть серьезными и никогда не дурачиться. Если вы слишком строго относитесь к жизни или слишком беспокоитесь, что о вас подумают другие, и это мешает вашему счастью, то в конце дней вам придется о многом пожалеть.

Разумеется, ваше счастье напрямую зависит от взгляда на саму жизнь, что и подтвердил мне Ленни. Несмотря на все выпавшие ему страдания, он сосредоточился на позитивном и считал, что прожил хорошую жизнь. Ваша жизнь способна полностью преобразиться точно так же, как привычный вид из окна, но если вы сосредоточитесь на ее положительных, а не плохих сторонах. Только вы решаете, как воспринимать свою жизнь. Лучший способ изменить взгляд — это благодарность, умение заметить и по достоинству оценить хорошее.

Несмотря на то что умирающие пациенты делились со мной многочисленными сожалениями, в конце концов каждый из них обрел покой и умиротворение перед смертью. Кому-то не удавалось простить себя до самых последних дней, но перед тем как уйти, они все же справились с этой задачей. Многие перед смертью пережили целую гамму эмоций: отрицание, страх, гнев, сожаление и самое тяжелое — ненависть к себе. Но многие в свои последние недели, вспоминая прошлое, испытывали любовь и радость.

Перед самым концом все мои пациенты сумели смириться с неизбежным и принять тот факт, что их время пришло. Они простили себя за все, что не успели сделать, и за все совершенные ошибки. Но многим из них было насущно необходимо, чтобы другие люди сделали выводы из их ошибок.

Все они посвятили достаточно времени тому, чтобы поразмыслить над своим путем. Люди, которые уходят внезапно, такой роскоши не имеют — а ведь многие из нас попадут в их число. Очень важно прямо сейчас задуматься над тем, как вы живете, потому что перед смертью может и не хватить времени на то, чтобы все обдумать и обрести покой. Уйти, зная, что искал счастье не там, где надо: оно постоянно ускользало из рук, манило близостью, но не давалось, ведь для него всегда чего-то не хватало? Уйти, зная, что не изменил направление поисков в нужный момент?

Умиротворение, которое мои любимые пациенты обрели перед смертью, доступно каждому из нас прямо сейчас, и нет никакой необходимости дожидаться последних дней. У вас есть возможность изменить свою жизнь, быть отважными и жить так, как подсказывает сердце, так, чтобы умереть без сожалений.

Доброта и прощение — вот прекрасная отправная точка. Будьте добры не только к другим, но и к себе. Для этого вам понадобится простить себя, иначе вы лишь будете питать зерна сорняков в своей душе, как когда-то делала я, слишком жестко себя оценивая. Простив себя, относясь к себе с добротой, вы ослабите эти зерна. Их место займут полезные ростки, которые постепенно окрепнут, вытеснив сорняки.

Смелость, необходимую вам для того, чтобы изменить жизнь, куда проще найти, если вы добры к себе. Перемены к лучшему потребуют времени, так что запаситесь терпением. Каждый из нас — потрясающая личность, чей потенциал не ограничен ничем, кроме собственных мыслей. Мы все удивительны и прекрасны. Задумайтесь о факторах, повлиявших на вас: и о генетике, и об окружении. Вы уникальны, ни на кого не похожи. Весь жизненный опыт, как хороший, так и болезненный, также отличает вас от остальных людей на этой планете. Вы уже уникальны. Вы уже необыкновенны.

Пришло время осознать собственную ценность, равно как и ценность других людей. Отложите свои мнения в сторону, никого не осуждайте. Будьте добры к себе и окружающим. Никто из нас не был на месте другого человека, не жил его жизнью, не видел мир его глазами, так что мы не можем судить о том, кто сколько страдал. Проявите к людям немного сочувствия, и оно обязательно окупится.

Когда вы милосердны к другим и никого не осуждаете, вы проявляете милосердие и к себе, потому что сеете в своем сердце зерна добра. Простите себя за то, что винили других в ваших несчастьях. Научитесь относиться к себе нежно, принимая свою хрупкость и человечность. Простите и тех, кто винил вас в своих несчастьях. Мы все люди. Многим случалось говорить и делать вещи, которые можно было сделать куда добрее.

Жизнь очень коротка. И мы можем прожить ее до конца без сожалений. Но нужна смелость, чтобы прожить ее правильно, чтобы чтить тот путь, который вам предназначено пройти. Выбор за вами, и только вы будете пожинать его плоды. Цените то время, которое осталось, отдавайте должное *всему* хорошему, что выпало вам в жизни, особенно себе самим — удивительным и прекрасным созданиям.

# УЛЫБАЙСЯ И ЗНАЙ

Глядя на свою жизнь сегодня, я все еще иногда поражаюсь. Та жизнь, о которой я мечтала, с каждым днем становится все ближе к реальности. Я стала той самой женщиной, которую себе воображала, и все это благодаря смелости, стойкости, дисциплине и желанию научиться любить свое собственное сердце. Жизнь действительно *может* быть простой и радостной. Она может течь легко и непринужденно. Более того, чем дольше я расту, принимая как должное все, что со мной происходит, тем проще и гармоничней становится моя жизнь.

В самый темный период меня очень поддерживала одна коротенькая фраза: *«Улыбайся и знай»*. Однажды у меня был особенно сложный день. Прежние шаблоны мышления пытались взять надо мной верх, убеждая, что я не заслуживаю того, о чем мечтаю. С ними сражался мой новый образ мыслей, успокаивая меня и говоря, что это не так. Я помолилась о том, чтобы получить простое и ясное наставление, которое легко было бы запомнить и использовать в трудный момент. Мне нужна была поддержка, чтобы не терять сил и надежды, и ко мне пришли два слова: *«Улыбайся и знай»*.

Я записала эти слова на листки бумаги и развесила их по всему дому. Каждый раз, проходя мимо одного из листков, я вспоминала о данном себе обещании, улыбалась и знала, что этот сложный период закончится. Когда человек улыбается, ему куда легче верить и быть сильным, так что каждый раз мое настроение автоматически улучшалось. Читать эти слова и не улыбаться было бессмысленно, потому что именно улыбка помогала мне знать: все будет хорошо. Поэтому я каждый раз улыбалась.

Позже я добавила к этим словам еще два: «*Благодари и знай*». Это было напоминание благодарить жизнь за все хорошее заранее, с уверенностью, что оно придет ко мне. «*Улыбайся и знай, благодари и знай*» — эти слова стали моей мантрой, и каждый день я старалась улыбаться и знать. При этом я полностью доверялась своей вере, и меня сама собой переполняла благодарность. Мои молитвы, мечты и намерения уже были услышаны. Мне оставалось только улыбаться и знать, только *благодарить и знать*. Разумеется, я улыбалась поэтому куда чаще, чем обычно.

Бывали, конечно, времена, когда мне не хватало сил обратиться к мудрым словам — например, в тот последний день полного отчаяния. Но этот момент радикального принятия стал для меня точкой невозврата. Действительно, я больше не могла жить с грузом боли из прошлого, так что в некотором смысле была права: мою жизнь в том виде, в каком я ее знала, нужно было закончить. Но мне не пришлось умирать физически: умерла только старая я — в духовном плане. Мои прежние представления о себе не пережили яркого света моей собственной любви. Новая жизнь, которая незаметно развивалась внутри меня годами, наконец смогла родиться на свет.

Когда я улыбалась и знала, мне казалось: мечты мои реальны. Они все больше становились частью меня. Вот почему возможности широко распахнули передо мной двери, когда мне удалось, наконец, осознать свою ценность.

Мечты лишь ждали, пока я позволю им осуществиться. Поэтому с сердцем, полным радости, я открылась потоку жизни, и перемены к лучшему не заставили себя ждать, как в личной сфере, так и в профессиональной.

Через некоторое время я получила лучший рождественский подарок в жизни: мои милые, дорогие родители предложили мне отметить Рождество веганским семейным ужином. Больше двадцати лет я даже и не мечтала о таком ужине, поэтому их слова повергли меня в счастливый шок. Веганское рождество оказалось настолько простым и естественным, что мы все согласились: это был один из наших лучших праздников. Пока мы с мамой в четыре руки резали овощи, шутя и смеясь, папа ставил нам музыку. На весь дом звучали песни кантри из 1950-х годов, а мы болтали, хохотали и готовили настоящий пир. Это был радостный и легкий день.

Моя карьера продолжает развиваться, принося мне удовлетворение и наслаждение. Хотя любимую работу можно найти и по найму, мне лучше всего подходит работать на себя. В конце концов, именно к этому я всегда и стремилась: жить так, как мне хочется, в том числе в профессиональной сфере. После того, как я вступила в новый период, у меня появилась новая ясность и мотивация, но я не растеряла и полезные старые привычки, включая самодисциплину.

У меня завязались новые знакомства, я то и дело ходила на встречи. Вдохновение и идеи лились из меня рекой. Вернувшись в мир, я была переполнена воодушевлением и не покладая рук создавала оригинальные возможности. Через новых знакомых я устроилась вести уроки музыки для бедных. Снова стоять перед классом и быть самой себе хозяйкой — просто замечательно, и, разумеется, преображение учеников было мне огромной наградой.

Я слишком долго занималась серьезной и печальной работой, так что теперь пришло время радости. Я сочинила представление для детей до пяти лет. Смотреть, как эти восхитительные, ничем не стесненные маленькие люди танцуют и прыгают под мои новые песни, было чистым наслаждением. На меня также посыпались предложения о написании текстов, и к тому же я создала целый альбом песен для взрослых. Просто поразительно, на что мы оказываемся способны в творческом и физическом плане, когда нас ничего не сдерживает.

Популярность моего блога продолжала расти, и через него все больше людей узнавали о моей работе. Я также придумала множество веселых и позитивных надписей для футболок, сумок и наклеек на машины, опираясь на цитаты из своих песен и статей. Все идеи, что приходили мне в голову, сопровождались мотивированными действиями.

Сегодня мои осенние ночи согревает замечательный мужчина. Обнимая его, я улыбаюсь тому, как сильно может измениться жизнь. Он прекрасный человек. Нам обоим многое пришлось пережить и отпустить, прежде чем мы нашли друг друга, но мы идеально совпали по времени. Теперь я смотрю на жизнь совершенно по-новому.

Я продолжаю помнить о жизненных циклах. Безусловно, я многое узнала о смерти через других людей. Но я кое-что узнала и о собственной смерти, увидев, как умерла прежняя я. Это была смерть духовная, смерть той части личности, что контролировала меня несколько десятков лет. Она была одновременно и рождением нового духа, который я всегда в себе подозревала, которым мечтала быть. Такой исход был болезненным, но он освободил меня от оков прошлого, от ненужного груза и всего, что сдерживало меня, не давая расти.

Теперь, когда настоящая я свободна жить без ограничений, я продолжаю развиваться, превращаясь в личность,

которой мне и было предназначено стать. Делясь с другими тем, что у меня есть, я узнаю эту женщину — и люблю
ее. Люблю ее отвагу. Люблю ее сердце. Люблю ее твор-
ческий потенциал. Люблю ее ум. Люблю ее тело. Люблю
ее доброту. Я люблю ее всю целиком.

Жизнь движется в следующих направлениях. Я получила лучшее в мире напоминание о других новых
начинаниях: во мне растет малыш, неповторимая бес-
ценная жизнь. Мне выпало счастье стать матерью. Мой
живот увеличивается, все тело наливается божествен-
ным чудом женственности, и я испытываю блаженство
и невероятную благодарность за возможность пережить этот опыт. Моя прежняя личность с ее изолиро-
ванностью, грустью и безнадежностью кажется полу-
забытым сном. Вновь и вновь я думаю о том, сколько
событий способна вместить человеческая жизнь. Слава богу, я не покончила с собой, как хотела в какой-то
момент. Слава богу.

Связь между мной и ребенком крепнет с каждым днем.
Мне повезло, и я прекрасно чувствую себя с самого первого дня беременности. Она для меня наслаждение, и скоро
я стану проводником для новой души, которую буду оберегать, пока она не сможет самостоятельно лететь, куда
захочет. Безусловно, в жизни немало смертей и окон-
чаний, но в ней также немало рождений и начинаний.
Я благодарна за возможность близко узнать и то и другое, в буквальном и в символическом смысле.

Каждый раз, как я окуналась в неизвестность, происходило совсем не то, чего я ожидала, но в конечном итоге все было к лучшему. Вера — это мощная сила, способ-
ная приносить нам потрясающие подарки. Отказаться
от ограничений, перестать контролировать течение жизни — лучшее, что вы можете для себя сделать.

Удивительно, что многим людям, так же как и мне, сложнее всего не позволить жизни течь своим чередом, а научиться получать от нее дары, поверить в то, что мы их заслуживаем. Большинство чудесных событий, которые происходили со мной, были связаны с другими людьми. Мы куда теснее сопряжены друг с другом, чем нам кажется. Мы играем в жизни друг друга куда более важную роль, чем нам известно.

Учиться получать подарки совершенно необходимо, если вы действительно хотите увидеть свои мечты воплощенными в реальность. Любой человек, который по природе лучше умеет отдавать, чем брать, знает, что это громадное удовольствие. Но если вы отдаете, не позволяя себе ничего получать в ответ, вы не только нарушаете равновесие и блокируете естественное течение жизни, но и лишаете других радости вам помочь. Поэтому позволяйте людям что-то делать для вас. Только гордость и низкая самооценка мешают нам принимать помощь; каждый без исключения человек достоин этой радости.

Если вы один из тех людей, которые не умеют помогать другим, то продолжайте практиковаться. Просто пробуйте отдавать, ничего не ожидая взамен. Вам понравится. Помогайте просто из удовольствия сделать что-то для других. Если вы помогаете, ожидая чего-то в ответ, или помогаете, а потом в гневе напоминаете об этом людям — это ненастоящая помощь. Ждать, что добро вернется к вам, — тоже неидеально. Отдавать другим что-то просто ради того, чтобы отдавать, будь то любовь, доброта или действия, — вот в чем истинная радость. И да, те, кто отдает что-то другим именно таким образом, получают свое вознаграждение, но не всегда сразу и не всегда так, как им представляется.

Изменить мир вокруг возможно. Улучшая собственную жизнь, работая над тем, чтобы жить без сожалений, мы естественным образом улучшаем и жизнь каждого из окружающих. Устранить социальное разделение и враждебность, которые мы породили в обществе, возможно. Быть счастливыми возможно. Работать над тем, чтобы умереть без сожалений, пока мы еще живы и здоровы, — возможно.

Мы все бесконечно хрупки, как шары из тонкого стекла. Представьте себе лампу накаливания, окруженную круглым плафоном (современная энергосберегающая лампочка выглядит иначе, но можно представить и ее). Итак, внутри у нас как будто хрупкий стеклянный шар, а из него исходит прекрасный свет, способный рассеять любую тьму. Приходя в этот мир, мы сияем ярко, излучая свет и счастье. Люди поражаются нашей красоте.

Мы растем, и вот в нас начинает лететь грязь. Она не имеет к нам отношения, потому что принадлежит тем, кто ее швыряет, но их это не останавливает. Через какое-то время в нас начинает лететь грязь не только от родных, но и от школьных друзей, коллег, общества и просто случайных встречных. На каждого это влияет по-разному: кто-то становится жертвой, кто-то — агрессивным, кто-то надолго впитывает обиды, а другие легко забывают о них. Независимо от того, как мы воспринимаем эту грязь, она мешает нашему естественному свету и доброте сиять в полную силу.

Получая удары со всех сторон, мы решаем, что наши обидчики, наверное, правы. Тогда мы присоединяемся к ним, начиная уже сами в себя швырять грязь. Почему бы и нет? Ведь не может быть, чтобы все, кто нас атакует, ошибались. К тому же, если мы замараны, то почему бы нам не замарать других? Пожалуй, так мы и поступим. Время идет, и вот наш свет совсем не просачивается наружу через грязь. Часть ее набросали на вас другие, а часть — вы сами.

Затем в один прекрасный день вы вспоминаете, что у вас внутри когда-то сиял прекрасный свет. Но вы уже так давно живете в темноте, что едва помните о нем. Изредка вы ощущаете его, когда остаетесь наедине с собой. Теплое свечение никуда не делось, несмотря на окружающую его тьму. Вы понимаете, что лучше бы вновь засиять. Хотите вспомнить, кем были до того, как к вам пристала чужая грязь — или ваша собственная.

Вы говорите, что с вас хватит. Вы больше не позволите никому швырять в себя грязь. Людям это не нравится, но вы настроены решительно. Потихоньку, очень осторожно вы начинаете избавляться от всего, что на вас налипло. Но делать это следует осторожно, потому что под толстым слоем вы невероятно хрупки. Если поспешите или будете слишком решительны, то сломаетесь и больше никогда не увидите свой свет.

Поэтому вы медленно и терпеливо очищаетесь. Наружу прорывается лучик света, и вы вспоминаете свою прежнюю красоту. Вам это нравится. Но тут в вас снова метят грязью, и вам приходится начинать сначала. Вы вытираетесь, а потом отчищаетесь еще немного. Внезапно от увиденного вам становится страшно, и вы поспешно снова забрасываете себя грязью. Вы этого не заслужили. Пожалуй, стоит прикрыть сияние новым слоем. Но свет внутри вас уже вырвался на волю и теперь начинает сиять все ярче. Он хочет, чтобы его видели другие.

С каждым лучом света, который прорывается из вас наружу, вы чувствуете себя все лучше. Вы представляете, как это здорово — освободиться от того, что давит на плечи. Вы также начинаете понимать, сколько всего взвалили на свои плечи окружающие, и в вас пробуждается сострадание. Вы решаете, что отныне больше никого не станет поливать грязью. В конце концов, как нам засиять, если мы только и делаем, что очерняем самих себя и друг друга? И вот вы очень осторожно работаете над собой и осторожно стираете с себя грязь, терпеливо и понемногу. С каждым новым лучом света вы чувствуете радостное волнение, прикасаясь к своей внутренней красоте.

Порой вы испытываете соблазн уступить привычке и разочек полить грязью себя или других. Но теперь вы видите: тонкие лучи света, исходящие из вас, помогающие и другим стать смелее. Теперь и они начинают очищаться. Им тоже приходится продвигаться очень аккуратно, ведь мы все такие хрупкие и ранимые, нас легко сломать. Вам хочется помочь другим, но они должны справиться сами: никто, кроме них, не знает, сколько они способны вынести.

Вы можете рассказать другим, какими методами справились со своей грязью. Но выполнить эту работу им предстоит самим, в своем темпе и в своей манере. И конечно же, не всем хватит смелости или силы очиститься за один раз. Поэтому будьте терпеливы, сочувствуйте людям и уважайте их, ведь теперь вы понимаете, какой болезненный и пугающий опыт они переживают.

Вам нравится быть собой. Это непривычное чувство, и вам оно по душе. Вы навсегда отказываетесь поливать себя грязью, потому что начинаете любить ту красоту, которая вам открылась. Теперь из вас во все стороны исходят лучики света. Но некоторые особенно старые и стойкие пятна все еще никуда не делись. За прошедшие десятилетия они впитались в вас и вовсе не спешат вас покинуть. Чем ближе вы к очищению, тем осторожнее нужно продвигаться, и тем упрямее грязь, с которой приходится работать.

Вы уже потратили много сил и очень устали. Определенно, вы теперь гораздо лучше, чем раньше. Вероятно, этого хватит. Ведь можно спокойно жить дальше с этим последним слоем грязи и светить так, как получится. Но свет тоже силен и решителен. Он хочет, чтобы вы сияли на полную мощность. Он придает вам сил, и вы приступаете к последним пятнам.

Наконец, работа окончена, и ваше сияние поражает окружающих, включая вас самих. Вы и не представляли, что можете быть столь прекрасны и светиться так ярко. Теперь, когда вы проводите время с другими, они тоже хотят быть ярче, потому что ваша красота напоминает им о собственном потенциале.

Некоторые считают, что выпустить на волю свой свет слишком трудно, поэтому они сбиваются в кучки в темноте, пытаясь убедить друг друга и сами себя, что им так даже больше нравится. К чему стараться, когда мы уже давно привыкли жить со своей грязью? Мне и так хорошо, говорит такой человек, и я планирую и дальше поливать окружающих. Вот прямо сейчас пойду и начну швырять грязь в эти яркие огни, которые кажутся такими счастливыми. Как они смеют наслаждаться жизнью?

И вот они собирают как можно больше грязи и начинают атаку. Они предпочитают нападать стаей. Однако им плохо видно, куда целиться, потому что вокруг слишком яркий свет. Выбрав несколько сверкающих мишеней, которые уже почти полностью очистились, они начинают усиленно поливать их грязью. Но она не пристает! Что произошло? Ведь раньше она приставала к ним так легко!

Несмотря на то что свет столько лет скрывался под темным слоем, внутри он продолжал расти. Теперь он сияет с такой теплотой и яркостью, что никакая грязь к нему больше никогда не пристанет. Она лишь скользит по поверхности, не оставляя и следа.

Свет, прекрасный, немеркнущий, скрывается у вас внутри. Но понадобится терпение и нежность к себе, чтобы избавиться от всей той черноты, которую вы носите на себе десятки лет. Отчищая каждый маленький пятачок, вы увидите, как через него светит ваше истинное «я».

Смелось и любовь понадобятся вам, чтобы в конце жизни не пожалеть о том же, о чем жалели мои умирающие пациенты. Выбор всегда за вами. Нечто внутри вас знает, что нужно делать, и будет вести вас шаг за шагом — как свет, который хочет сиять ярко и радостно.

Будьте собой, найдите равновесие, говорите искренне, цените любимых и позвольте себе быть счастливыми. Если вы это сделаете, то отдадите должное не только себе, но и всем тем, кто провел свои последние дни в тоске, потому что не имел смелости следовать этим правилам. Выбор за вами. Ваша жизнь принадлежит только вам.

Когда вы сталкиваетесь с трудностями и не представляете, как с ними справиться — как обрести мир в отношениях, где взять необходимые связи, как достать денег на задуманное, — просто помните: чего хочет ваше сердце, то само хочет к вам прийти. Иногда нужно просто не мешать. Сделав все, что можете, расслабьтесь. Не мешайте себе.

Затем выпрямитесь, расправьте плечи и с любовью и глубоко вдохните. Идите вперед, гордясь тем, кто вы есть, веря и чувствуя, что ваши молитвы были услышаны, что вы заслужили желаемое и что оно уже на пути к вам. И не забывайте одну маленькую фразу: *улыбайтесь и знайте*. Просто улыбайтесь и знайте.

# ОБ АВТОРЕ

*Бронни Вэр* — австралийская писательница, автор и исполнитель песен, а также преподаватель песнетворчества. Чтобы больше узнать о работе Бронни, загляните на ее официальный сайт www.bronnieware.com.

Издание для досуга

**Бронни Вэр**

**ПЯТЬ ОТКРОВЕНИЙ О ЖИЗНИ**

Главный редактор *Р. Фасхутдинов*
Руководитель направления *М. Виноградова*
Ответственный редактор *Е. Никищихина*
Редактор *Л. Гречаник*
Младший редактор *А. Субботина*
Художественный редактор *Г. Булгакова*
Компьютерная верстка *Н. Зенков*
Корректоры *Л. Снеговая, И. Львова*

В оформлении переплета использована фотография:
iraua / Shutterstock.com
Используется по лицензии от Shutterstock.com

**ООО «Издательство «Эксмо»**
123308, Москва, ул. Зорге, д. 1. Тел.: 8 (495) 411-68-86.
Home page: www.eksmo.ru E-mail: info@eksmo.ru
Өндіруші: «ЭКСМО» АҚБ Баспасы, 123308, Мәскеу, Ресей, Зорге көшесі, 1 үй.
Тел.: 8 (495) 411-68-86.
Home page: www.eksmo.ru E-mail: info@eksmo.ru
Тауар белгісі: «Эксмо»
**Интернет-магазин** : www.book24.ru
**Интернет-магазин** : www.book24.kz
**Интернет-дүкен** : www.book24.kz
Импортёр в Республику Казахстан ТОО «РДЦ-Алматы».
Қазақстан Республикасындағы импорттаушы «РДЦ-Алматы» ЖШС.
Дистрибьютор и представитель по приему претензий на продукцию,
в Республике Казахстан: ТОО «РДЦ-Алматы»
Қазақстан Республикасында дистрибьютор және өнім бойынша арыз-талаптарды
қабылдаушының өкілі «РДЦ-Алматы» ЖШС,
Алматы қ., Домбровский көш., 3«а», литер Б, офис 1.
Тел.: 8 (727) 251-59-90/91/92; E-mail: RDC-Almaty@eksmo.kz
Өнімнің жарамдылық мерзімі шектелмеген.
Сертификация туралы ақпарат сайтта: www.eksmo.ru/certification
Сведения о подтверждении соответствия издания согласно законодательству РФ
о техническом регулировании можно получить на сайте Издательства «Эксмо»
www.eksmo.ru/certification
Өндірген мемлекет: Ресей. Сертификация қарастырылмаған

Подписано в печать 23.12.2019. Формат 60x90$^1/_{16}$.
Печать офсетная. Усл. печ. л. 21,0.
Тираж 3000 экз. Заказ О-3695.

Отпечатано в типографии филиала
АО «ТАТМЕДИА» «ПИК «Идел-Пресс».
420066, Россия, г. Казань, ул. Декабристов, 2.
E-mail: idelpress@mail.ru

16+

ISBN 978-5-04-104125-0

В электронном виде книги издательства вы можете
купить на www.litres.ru

ЛитРес:
один клик до книг

# КОГДА ВСЁ РУШИТСЯ
## СЕРДЕЧНЫЙ СОВЕТ В ТРУДНЫЕ ВРЕМЕНА

Как жить во времена, когда вся жизнь рушится, и как совладать с душевной болью, рассказывает в своем бестселлере буддийская монахиня, американка Пема Чодрон. Основываясь на поучениях своих учителей — легендарных мастеров медитации и практиков тибетского буддизма, — автор дает конкретные рекомендации, способные помочь в самые трудные моменты жизни.

# КАК ЖИТЬ
# В МИРЕ ПЕРЕМЕН
## ТРИ СОВЕТА БУДДЫ

Мы все стремимся сохранить то, что нам дорого, и избавиться от того, что нам неприятно. Это главное стремление человека не согласуется с реальностью жизни: все постоянно меняется, и никому не под силу этими переменами управлять. Как жить в мире, где ничто не может служить гарантией стабильности, не сойти с ума от тревоги и, более того, использовать эту ситуацию как путь к долговременному счастью? Широко известная на Западе буддийская монахиня Пема Чодрон дает ответ на этот вопрос, разъясняя современным и доступным языком так называемые «Три совета Будды».

2019-310